Hoeders van de Waarheid

Van Michael Collins verscheen eveneens bij uitgeverij Anthos

De wederopstandelingen
Dolende zielen

Michael Collins

Hoeders van de Waarheid

Vertaald door Marijke Koch en
Albert Witteveen

Anthos | Amsterdam

Gepubliceerd met financiële steun van Ireland Literature Exchanges,
Dublin, Ierland
www.ireland.literature.com
info@irelandliterature.com

ISBN 90 414 1008 2/97890 414 1008 5

Oorspronkelijke titel *The Keepers of Truth*
Oorspronkelijke uitgever Weidenfeld & Nicholson
Omslagontwerp Roald Triebels, Amsterdam
Omslagillustratie Zefa

Verspreiding voor België:
Veen Bosch & Keuning uitgevers n.v., Wommelgem

Voor mijn ouders en mijn vrouw

Met dank aan

Michael Anania
Rich Frantz
William O'Rourke
Dan en Judith Wesley
Richard Napora
(de katten) Spike, Jasper en Wicklow

1

Ik noem het 'Ode aan een manager in opleiding'.

Wanneer je naar onze stad komt, wil ik dat je het volgende leest zodat je weet hoe het hier op dit moment in de geschiedenis bij ons is. Dat lijkt me passend. Zelfs in de middeleeuwen zetten ze al borden neer waarop stond: PEST! WEGBLIJVEN!

Ik wil maar zeggen...

In deze stad hebben we al meer dan tien jaar niets gemaakt. Het is alsof onze mannen door een plaag worden geteisterd die minstens even erg is als de plagen die over Egypte kwamen. Onze mannen maakten auto's, bladmetaal, caravans, wasmachines en drogers, deurkozijnen, stalen steunbalken voor bruggen en wolkenkrabbers. Onze stad had contracten in haar zak met Sears, Ford en General Motors. Iedereen werkte in de fabrieken, bewerkte metaal tot autobumpers, pakkingen, motorblokken en stroomverdelerkappen, of naaide zitbanken van vinyl voor Cadillacs en Continentals. Onze handen popelden om dingen te maken. De fabrieken waren onze kathedralen, die uit de grote vlakten omhoog waren geschoten.

Ons bewustzijn werd ooit in beslag genomen door het luide geraas, het onderaardse dreunen van machinerieën. Je kon het gebeuk van de hamers voelen in ons omhulsel van sneeuw wanneer we in de greep van de winter waren, afgesloten van de buitenwereld, waardoor die sneeuw zwaar neerviel op de vlakten en ons isoleerde. Onze hoogovens bloedden tegen de achtergrond van de sneeuw, een vuurkroes op de vlakten. Er was toen vrede en veiligheid, terwijl we allemaal onder de kappen van de straatlantaarns over doorploegde straten schoven en langzaam in onze auto's naar huis gingen, uitgeput, terwijl de machines van ons bestaan de nachtploeg opslokten. Je kon de traag voortrollende treinen, volgeladen met auto's die wij hadden gebouwd, in een lange rij naar de grote steden aan de oostkust en de westkust zien slingeren.

Als je ons aantrof tijdens de zomerhitte, zag je onze mannen in groezelige gele T-shirts, druipend van het zweet terwijl ze langs de rivier uit stalen lunchtrommeltjes zaten te eten en ijskoude Coca-Cola's naar binnen klokten, of emmers gekoeld bier. Je zag ze dan zeer vergenoegd met hun onderarmen hun mond afvegen, opstaan, zich uitrekken en over het fabrieksterrein lopen, terwijl ze met lange, diepe halen een sigaret rookten. Je hoorde misschien de klap van het slaghout tijdens de lunchpauze, wanneer onze mannen in de velden achter de fabrieken langs de honken renden en ballen over de stenen omheining van ons bestaan sloegen. Er was goedkoop bier in het schemerdonker van haveloze kroegen voor de mannen die dat nodig hadden, en er waren een paar hoeren beneden in het uitgestrekte labyrint van viaducten en koelbassins van ijzergieterijen. We hadden ook een chocoladefabriek, waar onze jonge vrouwen met banketbakkersmutsen de ingesmeerde bakplaten vulden met zachte toffees, karamellen en krokante zoetigheden. Je kwam ze tegen wanneer ze tegen de beroete stenen muren stonden te roken, bleke geesten overdekt met bloem. Hun poriën waren doordrongen van de rijke geur van cacao en kaneel.

Op een zwoele zomeravond kon je ons aantreffen in de collectieve lotsbestemming van een drive-inbioscoop, waar we in onze wagens zaten in de vochtige, warme zomerlucht; dan hoorde je de schrille kreten uit de drive-inspeaker die onze hoofden vulde met de verschrikkingen van het leven tijdens de Koude Oorlog, terwijl reusachtige mieren New York aanvielen na een nucleaire catastrofe.

In die stad van ons was eeuwig beweging, compact en onvermoeibaar, in de eigen behoeften voorziend, terwijl de hoogovens continu, dag en nacht, werden gevoed en wij in een volmaakt isolement leefden, wij, de hoeders van de industrialisatie. Net als wij had je geloofd dat er geen einde aan de bedrijvigheid van de productiemiddelen zou komen, maar daarin had je je vergist.

Onze fabrieken aan de rivier staan er nu verlaten bij, met ingegooide ramen en plukjes gras die uit de ingestorte daken omhooggroeien. Wij liggen met onszelf overhoop in de grootste ramp die onze natie ooit heeft meegemaakt. We maken elkaar af met overeenkomsten die verkeerd uitvallen, op een zwarte markt van drugs die in de schaduw van onze verlaten kathedralen worden aangeboden. Onze jongeren sluipen tussen deze ruïnes, klimmen over de afrasteringen en stelen de koperen buizen uit de fabrieken om die te verpatsen. Roestige brandtrappen leiden naar oorden van vergetelheid en duisternis. Machines die uit de prehistorie lijken te stammen, zijn naar de pleinen gesleurd, beroofd van alles wat waarde heeft, karkassen van de industrialisatie. Onze dochters spreiden hun benen op fabrieksvloeren waar eens onze mannen op het staal hamerden. We zijn omringd door maïsvelden, ingeklemd tussen gewassen waarvan de verbouw niet genoeg meer oplevert. De goederenhandel is naar de knoppen. Er zijn boterbergen en tarwebergen, rottende voorraden die moeten worden vernietigd vanwege overproductie en kelderende prijzen.

We zijn nu een stad van managers in opleiding. O, zalig zijn zij die de friteuse erven! We eten alleen nog maar. Het is onze enige bezigheid geworden, onze lege handen hebben iets gevonden om vast te grijpen. We grijpen vooral naar hamburgers in een vleesetend vertoon van ons gesublimeerde verlangen naar onze dode machines. We hebben McDonald's, Burger King, Arby's, Hardee's, Dairy Queen, Shakey's, Big Boy, Ponderosa, Denny's, International House of Pancakes...

Niet dat je dit ooit op een bord buiten onze stad zult lezen. Ik schrijf dit requiem nu al jaren. Het was oorspronkelijk een stuk dat ik tijdens mijn opleiding journalistiek heb geschreven. Sinds ik vorig jaar bij *de Waarheid* ben gekomen, probeer ik het telkens in een artikel te verwerken. Ik heb dat stukje filosofie zitten oppoetsen zoals mijn vader vroeger zijn Olds van '62 oppoetste. Ik heb die theorie voor mezelf uitgeprobeerd zoals vrouwen een nieuwe jurk passen. Ik gebruik het terloops tijdens gesprekken in een bar, of op de studiekeuzedag van de plaatselijke universiteit. Het is alsof ik naar het binnenste van mijn eigen bewustzijn kijk, dat stukje filosofie van mij, een bloeduitstorting van het geheugen, de ingewanden van het gevoel, rauw en bloederig. Vorig jaar dacht ik nog dat het gewoon in de tijdcapsule van de stad kon, maar mijn redacteur Sam Perkins, die dikke, kwaaie klootzak, nam me mee naar zijn kantoor en gaf me er flink van langs. 'In deze stad hebben we een geschiedenis waarbij het niet om woorden gaat,' zei hij. En hij was nog wel de redacteur van onze krant... '"Een geschiedenis waarbij het niet om woorden gaat." Godallemachtig!' Ik schudde mijn hoofd. Wat ze in die tijdcapsule hebben gestopt, waren bijvoorbeeld onderdelen van een wasmachine, een naaimachine, bumpers en stuurwielen, banden, een wisselsteller van het oude spoorwegemplacement en een honkbalpet van de plaatselijke vakbondsafdeling van de autoindustrie. Die gingen allemaal in een verzegelde kist die ergens in de buurt van het honkbalveld langs County Road Five werd begraven. Sam Perkins zegt: 'De taal verandert. Die stelt niks voor. Maar dit hier is de onveranderlijke architectuur van ons verleden, dit zijn de machines van onze tijd.' Hij zei dat tegen de mensen die daar rond de kuil bijeenstonden. Sam is voornamelijk redacteur omdat hij woorden gebruikt als 'onveranderlijk' en omdat hij mensen de hand drukt als een politicus. Hij is *de Waarheid* in deze stad, of hij is dat tenminste ooit geweest. Soms noem ik hem achter zijn rug om 'de Waarheid'. Dan zeg ik zoiets als: 'De Waarheid heeft gesproken. Je moet de Waarheid accepteren.'

Zie je, hier in onze stad vechten we een verloren strijd. Sam heeft me de laatste paar maanden wel vaker apart genomen. Hij zegt: 'De krant kwijnt weg.' Dat spreekt me wel aan: het houdt in dat we ooit wel gezond waren. 'Het zal mij verdomme niet gebeuren dat de krant wordt opgedoekt...' zegt hij wanneer hij dronken is. Ik heb al bedacht wat de laatste kop zal zijn: KRANT DICHT.

Ik ben nog steeds met dat essay aan het rommelen wanneer er niets te doen is, wanneer ik aan mijn bureau gekluisterd zit en moet wachten op het telefoontje van Associated Press zodat ik informatie kan invoeren in de krant, die nu elke dag gevuld moet worden. Er is geen oorlog, zodat ik er een hele klus aan heb. Ik zou haast wensen dat we in oorlog waren. We hebben genoeg brave kinderen hier die een mooie, patriottische dood kunnen sterven. Shit, vanuit journalistiek oogpunt moet je Vietnam wel missen. Maar het is nu allemaal veel minder rechtlijnig. Het is niet zo moeilijk om slachtoffers te vinden, maar het is moeilijk om mensen te laten inzien dat ze slachtoffer zijn. Het is moeilijk om ze het besef bij te brengen dat er een oorlog aan de gang is. Die zin heb ik uitgeprobeerd, net zoals ik hem gezegd heb: 'Het is niet zo moeilijk om slachtoffers te vinden, maar het is moeilijk om mensen te laten inzien dat ze slachtoffer zijn.' Dat was tijdens de studiekeuzedag van het Lakeview Junior College, en de decaan Holton deed het bijna in zijn broek. Ik schreeuwde in de microfoon: 'Heb je weleens stilgestaan bij de namen die ze Japanse auto's geven... Accord, Cressida, Corolla? Het lijkt wel alsof de Jappen nog maar net zijn begonnen aan het Engelse alfabet, alsof ze het ABC nog moeten leren.' Decaan Holton liet het schoolorkestje in de aula al spelen terwijl ik nog aan het spreken was. De drie cheerleaders die op het podium in actie kwamen, werden onthaald op een onstuimig gejuich waarvan ik graag had gewild dat het voor mij was, maar dat was niet zo. Weet je, misschien heeft Sam Perkins wel gelijk en stelt de taal geen zak voor. De Japanners spreken een taal van vergelijkingen en getallen. Twee plus twee blijft dan toch altijd vier.

Ik kan dit allemaal maken in deze stad omdat er niemand is die mijn baan wil. *De Waarheid* is eigenlijk een vergaarbak voor openbare aankondigingen. Mijn grootvader, het ijsmonster, heeft de krant jaren geleden opgericht toen hij een groot deel van de maatschappelijke infrastructuur in deze stad opzette nadat hij een fortuin had verdiend met de verkoop van ijs. Hij hakte blokken ijs uit voor alle huizen in de stad en voor de boerderijen daarbuiten. Daarna was hij van het begin af aan betrokken bij de ontwikkeling van diepvriezers. Zo verdiende hij nogmaals een fortuin. Zijn erfenis is nog niet weggesmolten. En hij heeft een huis nagelaten, echt een grote woning. Dat heeft mij teruggebracht, dat anker van mijn erfgoed.

Tegenwoordig gaat het allemaal om televisie. Het geschreven woord is dood. Voor *Eyewitness News* hebben ze nu Linda Carter. Zij heeft benen die tot het plafond gaan. Ze is het nieuwe stadsorakel, met lippen die gemaakt zijn om te pijpen. Hé, zelfs ik kijk naar haar, de vijand. Ze is altijd ter plekke. De stad is niet meer dan een achtergrond voor haar stralende verschijning.

Sam is doodsbenauwd dat we ten onder gaan. 'Ik wil met opgeheven hoofd met pensioen gaan,' zegt hij. Soms krijgt hij de bibbers en zegt hij zachtjes: 'Je weet dat ik doodga, Bill? Ik heb kanker.' Maar dat is grote flauwekul. Hij is verloren. Hij wenst dat er iets is waaraan hij doodgaat. Tot laat op de avond zit hij lauwe whisky te drinken achter het gebobbelde glas van zijn redactiekamer. Hij laat zijn notarislamp de hele nacht branden. We zitten boven een oude ijzergieterij, een stellage van torens en looppaden overdekt met roestig bladmetaal, een labyrint van grote lange buizen en schoorstenen die al tijden buiten bedrijf zijn. Sam heeft me een keer 's avonds mee naar het raam genomen om een blik op de nachtmerrie te werpen. Daarbeneden worden de meeste drugs verhandeld. Daar word je 's nachts gepijpt. 'Recht onder onze neus nog wel,' zei hij met zijn beverige stem. Soms draagt hij zijn leren letterzetterspet wanneer hij sentimenteel wordt. 'We hebben sensationeel nieuws nodig,' zegt hij hoofdschuddend. Maar er zijn geen sensationele nieuwtjes meer, hier niet tenminste. Zijn vader, Jasper Perkins, heeft de krant jarenlang geleid. Zijn verhaal heb ik zo vaak gehoord dat het me de neus uit komt. Bla, bla, bla... Wat ik in zijn overlijdensbericht graag over hem zou zeggen: DE WAARHEID IS DOOD.

Het enige wat mij nog rest is het maken van naschriften voor een dode stad. Zo smeer ik het verslag van de bakwedstrijd voor een goed doel van de vereniging van vrouwen van brandweerlieden over twee hele pagina's uit. Dat verhaal wordt het hoofdartikel in de krant van morgen. Ik dacht na over een kop – BRANDWEERVROUWEN BAKKEN ZE BRUIN VOOR GOED DOEL – maar helaas, Sam Perkins laat niets onopgemerkt voorbijgaan. Misschien leest iemand over honderd jaar mijn artikel over de bakwedstrijd, en begrijpt hij wat voor rotzooi het aan het eind van de twintigste eeuw in onze stad is geworden. Zo zit het met taal in elk geval, je moet de betekenis achterhalen, je moet de bakwedstrijd van de vereniging van vrouwen van brandweerlieden ontcijferen om te zien wat een godsgruwelijke wanhoop er heerst.

En dan komt er een telefoontje van Pete Morris van het politiebureau in West Twelfth Street. We kennen elkaar nog van de basisschool. Hij zei: 'We hebben een akkefietje, Bill.' Dat zei hij vroeger nooit. Zoiets zeggen ze in politiefilms, 'een akkefietje', maar Pete heeft het nu altijd over 'een akkefietje'. Ik heb weleens overwogen er een redactioneel artikel aan te wijden, aan het aanslibben van nieuwe woorden in ons onderbewustzijn, maar ik heb zo vaak over die verdomde bakwedstrijden moeten schrijven dat ik zelf niets tastbaars meer produceer.

Pete zei: 'Ken je Ronny Lawton, die herrieschopper van Pine Street en Sixteenth Street?'

Ik antwoordde: 'Jazeker, hoezo?'

'Nou dat zal ik je vertellen, hij heeft net aangifte gedaan van de vermissing van zijn vader,' zei Pete. 'Het lijkt erop dat we in de rivier moeten dreggen.'

Ik zei: 'Godallemachtig Pete, is dat alles? Het hoofdartikel voor de krant van morgen wordt de bakwedstrijd van de vrouwen van brandweerlieden. Je moet minstens met een lijk komen om die happening van de voorpagina te verdrijven.'

2

Voor het nieuws van tien uur stond Linda Carter live bij het gerechtsgebouw. Ik legde de laatste hand aan het artikel over de bakwedstrijd. Ik werkte volgens een onregelmatig schema tot laat in de avond, een afgeleide vorm van mensenhaat. Soms wenste ik dat ik geen verleden had, geen erfenis. Waarom zou iemand als ik zijn genialiteit vergooien aan een miserabele tent als deze?

Ed Hoskin was beneden in de donkere kamer bezig met het ontwikkelen van filmrolletjes. We hadden minder dan een uur om alles naar de drukker te sturen. Ik had gegokt en verloren met het verhaal over Ronny Lawton.

Op mijn bureau stond een kleine zwart-wittelevisie en het geluid van de politieverklaring klonk sissend op de achtergrond. Het huis van Lawton werd verzegeld. De hele avond door volgden er commentaren. Ronny Lawton werd vastgehouden voor verhoor. Er waren beelden van hem terwijl hij onder begeleiding van drie staatsagenten voor verhoor naar het gerechtsgebouw werd gebracht. Hij droeg een honkbalpet en een T-shirt. Die beelden werden steeds weer voor elk reclameblok herhaald. 'Linda Carter met het laatste nieuws van tien uur over dit opzienbarende verhaal.' Ze was een minuut bij het huis van Lawton, de volgende minuut was ze bij Ronny's oude middelbare school en daarna was ze live bij het gerechtshof. Ze was alomtegenwoordig, een aan elkaar gelaste lotsbestemming.

Sam Perkins belde en brulde dat het bij het gerechtsgebouw spannend begon te worden. 'Vergeet die klotebakwedstrijd maar. Je bent daar toch niet nog steeds mee bezig?'

'Ik sta op het punt die de deur uit te doen, Sam.'

'Vergeet die klotebakwedstrijd.' Hij was echt kwaad. Hij begon er weer over dat je een neus voor nieuwtjes moest hebben. En dat ik die niet had. Dat ik een verdomde klootzak was. Dat mijn universitaire graad geen barst voorstelde. 'Je stuurt geen varken naar de universiteit om truffels te leren opsporen.' Ik hield de telefoon gewoon weg van mijn oor. Ik probeerde te verzinnen hoe ik de luchtigheid kon beschrijven van mevrouw Polski's cake van biscuitdeeg. Ik zocht naar de ultieme vergelijking om het verhaal af te sluiten. Ik leek wel een hond die aan een vleesloos bot naar beenmerg knaagde.

Ed Hoskin had een grofkorrelige vergroting van Ronny Lawton in zijn handen toen hij mijn kantoor binnenkwam. Ik legde mijn hand over de telefoon. 'Zat Ronny niet bij de schietvereniging? Loop het jaarboek nog eens langs, Ed. De zaak wordt steeds gewichtiger.'

Sam was nog altijd aan het kankeren toen het nieuws van tien uur begon met een panoramisch shot van het gerechtsgebouw. Ik zag Sam op televisie over de telefoon tegen mij tekeergaan. Dat vond ik wel ironisch, het verhaal vanuit het verhaal, maar ik zei alleen maar: 'Sam, Sam, luister. Wat wil je dat ik doe? We hebben minder dan een uur.' Ik sprak tegen zijn beeld op de televisie. Daarna richtte de camera zich op Linda Carter op de trap van het gerechtsgebouw. Ik zette het geluid zachter. Ze toonden weer de beelden van Ronny Lawton met een T-shirt en honkbalpet, omringd door de drie staatsagenten. Het was dezelfde troep die ze de hele avond al hadden uitgezonden.

Sam schreeuwde in de telefoon: 'Ik stuur iemand naar je toe met een afschrift van Ronny Lawtons telefoontjes over de verdwijning van zijn vader. Neem dat woord voor woord over. Begrepen?'

Wat ik eigenlijk wil zeggen, er stond nog niets vast over een moord, maar op de een of andere manier was Sam dol geworden. Dat zal dan wel de intuïtie zijn die ik niet heb. Ik dacht nog steeds na over de bakwedstrijd, maar zei: 'Ik heb een jaarboekfoto van Ronny uit zijn examenjaar klaarliggen. Daarmee kunnen we openen.'

'Nu denk je tenminste als een krantenman.'

Dat was het enige wat ik tijdens mijn opleiding had geleerd. Je begint met het jaarboek, het onweerlegbare moment uit de jeugd, en vandaar werk je verder. Dat is het moment waarop elk journalistiek verhaal tastbare vorm aanneemt, het plaatje van waaruit alle verhalen worden opgebouwd.

Ik belde Pete op het politiebureau. Hij zei: 'Shit, het wordt menens. Dit is nog niet officieel, Bill, maar de staatsagenten hebben in het huis van Lawton bloed aangetroffen. Die klootzak heeft het gedaan. Ik heb hem gezien in de verhoorkamer. Het ziet ernaar uit dat hij gaat bekennen.'

'Hoeveel bloed, Pete?'

'Weet ik niet. Ik heb het een van die agenten net horen zeggen, dat is alles. Het forensisch lab in Kale County gaat het morgenochtend onderzoeken.'

Ik zei: 'Pete, we zitten klem hier. Ik heb niks om in de krant te zetten. Kun je misschien iets vertellen over Ronny's strafblad? We hebben het heel dringend nodig, Pete. Tien minuten, meer tijd heb ik niet.'

'Ik heb het al voor je opgezocht.' Hij zweeg even. 'Bill?'

'Wat?'

'Het is waarschijnlijk niet belangrijk. We hebben pas morgenochtend toegang tot de geboorte- en overlijdensverklaringen, maar kun jij je oude kranten nalopen op een overlijdensbericht van Ronny's moeder? Het schijnt dat ze vorig jaar rond deze tijd is gestorven.'

De verbinding was verbroken. De krekels op de binnenplaats van de gieterij vulden de plotselinge stilte. Ik begreep het niet helemaal, maar in mijn lijf begon het bloed opeens sneller te stromen. Ik wil maar zeggen, het was hartstikke laat, een dood moment waarop ik meestal van de krant vertrok voor een slome nacht waarin ik niets anders te doen had dan naar de *Tonight Show* kijken en in slaap vallen. Misschien was het een onbewuste drang om me los te maken uit de shit van mijn huidige leven. Ik voelde me niet te goed om als een soort aasgier aan een lijk te pikken als dat nodig was. Ik zat te trillen aan mijn bureau en het zweet liep langs de binnenkant van mijn benen. Ik schonk een kop sterke zwarte koffie in en proefde van de bittere oppepper. Buiten rommelde gedempt de donder. Ik zette de jaloezieën open en liet de neerwaartse stroom koele lucht het kantoor binnenkomen.

Ik liep naar de stalen kast met oude microfiches, vond de spoel van het vorige jaar, zette die in de lezer en liep de oude overlijdensberichten na. 8 juli. Tot op de dag een jaar geleden. Ik keek nogmaals naar de datum. Het hing er maar van af hoe je de kwestie bekeek. Het kon betekenen dat de vader van Ronny Lawton zich aan het bezatten was ter nagedachtenis aan zijn vrouw. Dat was heel goed mogelijk. Als ik tijd had gehad, had ik de begraafplaats gecontroleerd. Inmiddels flitsten er bliksemschichten door de lucht. Buiten het raam ruiste de regen. Onwillekeurig zette ik me schrap voor de aanval van een storm, ik stond in een schuine streep van blauwachtig licht. De haren op mijn armen kwamen overeind toen de donder als een kanonslag knalde.

Er zat nog een interessant aspect aan het overlijdensbericht van Ronny Lawtons moeder. Ik pakte de spoel met microfiches van 1970 tot 1973 en liep de doodsberichten van de Vietnamoorlog na tot ik vond wat ik zocht.

Beneden stopte een auto, er kwam iemand naar boven met het afschrift. Ik las het langzaam door. Er was eigenlijk alleen maar bekend dat Ronny Lawton op 7 juli om acht uur 's avonds over de telefoon aangifte had gedaan van de vermissing van zijn vader. Ronny verklaarde dat hij om ongeveer zeven uur van zijn werk als kok voor het snelbuffet in Denny's naar huis was gegaan en dat hij daar niemand had aangetroffen. Hij belde de politie en zei dat hij aangifte wilde doen; daarna ging hij om ongeveer negen uur op pad om 's nachts te vissen. Toen hij vanochtend thuiskwam, zag hij dat het bed van zijn vader onbeslapen was. Op dat moment werd hij naar zijn zeggen pas echt bezorgd. Hij belde de politie nogmaals om ongeveer half tien en zei: 'Mijn vader is vermist, hij is al vermist sinds ik gisteravond gebeld heb. Ik heb zijn bed gezien. Daar heeft vannacht niemand in geslapen. Ik heb hier gisteren al over gebeld. Hij is weg. Versta je me? Hoe lang duurt het voordat jullie klootzakken doorhebben dat hij vermist is?' Geen woord over de verjaardag van zijn moeders overlijden. Misschien vergeet je zoiets het vierde, vijfde of zesde jaar, maar het eerste jaar?

In de donkere kamer drukte Ed op de knop van de intercom. 'Wil je even komen kijken, Bill?'

'Natuurlijk.'

Dit leek tenminste op werk. Ik glimlachte stilletjes. Eigenlijk hoopte ik dat Ronny Lawton zijn vader had vermoord.

Ed bracht het beeld van Ronny Lawton tevoorschijn in een langzame ontknoping. Ik keek over zijn schouder in het bloedrode licht, terwijl hij gebukt boven de chemicaliën stond. 'Wat heb je, Ed?' Mijn adem rook naar koffie. Ik was zenuwachtig en moest erg nodig pissen. 'We moeten snel iets hebben.'

'We krijgen al wat.' Het was wel achtendertig graden in die kleine, donkere doos die de hitte vasthield. Ed leek met zijn toverkunst allerlei betekenislagen te schiften, waarna hij het gezicht van Ronny Lawton naar de voorgrond bracht. Ik staarde naar Ronny Lawton, het lichaamloze hoofd dat uit het fixeerbad opkeek, de jaarboekfoto. Met nog wat chemicaliën werd de kaak dunner, verloren de lippen hun volheid en werd de mond een norse spleet. Ik zei zachtjes: 'Ik heb net ontdekt dat Ronny's moeder vorig jaar op deze dag is overleden.' Ik ademde in Eds nek. Ik raakte zijn arm aan om hem aan te moedigen en voelde onder de huid de pezen samentrekken om de afdruk te onderzoeken op een verborgen mysterie. Ik zei: 'Ik heb zijn strafblad. Huiselijk geweld. Ronny heeft zijn vader in elkaar geslagen.' Dat bracht iets teweeg in Eds hoofd en deed zijn gave, zijn helderziendheid ontwaken. Ik fluisterde: 'Ze hebben daar bloedsporen gevonden, vertelde Pete me. Die zijn op weg naar het forensisch lab in Kale County.' Instinctief maakte Ed de ogen donkerder, verleende ze een bodemloze zwartheid waar voorheen pupillen zaten, totdat er niets anders over was dan een doodsmasker van een onverbiddelijk noodlot dat ons aanstaarde.

'Dat is het, Ed!' riep ik. 'Jezusmina, Ed. Dat is het precies!'

Ed bevestigde een klemmetje aan de afdruk en hing hem op. We liepen naar de gang, waar we onder het zachtgele licht van een hangende gloeilamp een sigaret opstaken. Zijn ogen waren waterig. Zijn kalende schedel glom door een laagje zweet. We gaapten en wreven over ons gezicht. Wij hadden Ronny Lawton daarbinnen. We waren allebei uitgeput. Misschien waren we vergeten hoe het ook al weer was om echt tegen een deadline te vechten, om iets op papier te krijgen dat mensen zouden kunnen lezen. Ik trilde een beetje, van de koffie vermoed ik, en van iets anders, iets waarmee je je beter niet in kunt laten.

Het was bijna koud geworden door de regen buiten. Rond de hangende gloeilamp in de gang wemelde het van de vliegen.

'Het is alsof je een bekentenis aanhoort,' zei Ed. 'Ik ga naar binnen en ze vertellen me alles.' Hij wees naar zichzelf en raakte zijn borstbeen aan.

Hij leek wel een wandelend skelet, zo strak zat zijn huid over zijn magere gestalte gespannen. Hij droeg een chocoladekleurige polyester broek met een witte riem, het soort kleren dat de bejaarden in Florida tegenwoordig droegen. Op de een of andere manier pasten die kleren niet bij de strenge trekken van zijn gezicht, zijn meedogenloze respect voor het zien van dingen. Ik zei: 'Dat heb je goed gedaan, Ed.' Ik tipte de as af op de kale vloer.

Ik keek naar Eds handen alsof ze zijn gereedschap waren.

'Voordat het daarbuiten allemaal een puinzooi werd, was ik een goeie, Bill. Ik maakte promotiemateriaal voor nieuwe automodellen. Er kwamen schoonheidskoninginnen uit Detroit hierheen voor fotosessies met directeuren en voor verkopersfeesten aan het eind van het jaar op de rivierboten. Allemaal erg chic. Ze wilden het allemaal op de gevoelige plaat laten vastleggen.'

Aan het einde van de gang was een raam kapot; de wind zoog er een gordijn de avond in en trok aan de rookslierten van onze sigaretten. Ik zei: 'Het is een gave, Ed. Wat jij daar deed.'

Ed liet een ingehouden boer. Zijn kaken verslapten vanwege de gal die omhoog was gekomen. Hij leek de gal tegen te houden, haalde een zakdoek tevoorschijn, hield die voor zijn mond en spuwde de gal uit. Daarna pakte hij een flesje Pepto-Bismol uit zijn zak, schroefde de dop eraf en dronk van het roze vocht dat het maagzuur moest neutraliseren. Ik voelde me niet op mijn gemak terwijl ik naar hem keek, maar het was een vast ritueel geworden in het jaar dat ik nu bij de krant werkte. Ed kalmeerde, bleef rustig staan en liet zijn tong door het duister van zijn mond zwerven om zijn tanden te reinigen. Hij keek me weer aan. Zijn handen probeerden iets te grijpen. Hij zei zachtjes: 'Ik heb een keer horen zeggen: "Een enkele dode is een tragedie, een miljoen doden is een getal." Misschien is dat onze taak als verslaggevers, het vinden van die enkele dode.'

Misschien herinner ik me vooral van toen, helemaal aan het begin van dit alles, hun zekerheid, de wetenschap dat Ronny Lawtons vader best gewoon dood kon zijn. Instinctief waren Sam en Ed daar vanaf het allereerste begin al van overtuigd.

Door het onweer schenen de lichten een moment minder helder, zodat we als spoken in de gang stonden. Ik was me bewust van de artillerie in de verte van de stortregens die losbarstten uit de wolken. De maïsvelden om ons heen zogen de regen op. Het was zo'n storm waardoor mensen gemakkelijker kunnen ademen, een reinigende regen die een verademing is na de perioden van droogte die ons de laatste jaren hebben bestookt. Het was een koude vochtigheid die je deed huiveren. Er ontstond een regenplas op de houten vloer onder het open raam. En toen bedacht ik me opeens dat daar bij het huis van Lawton concrete aanwijzingen werden weggespoeld.

Ed was langzaam in zijn hoofd aan het tellen, wachtend tot er een beeld zou ontstaan. Hij zei: 'Ik vraag me af hoe zijn pa eruitzag, ik bedoel, toen hij klein was.'

'Ik zal het nakijken in zijn jaarboek, Ed,' zei ik.

Ed ging weer naar het bloedrode domein van de donkere kamer en sloot mij buiten. Ik hoorde de klik van het deurslot.

Ik liep de gang door en liet hem alleen, schoot mijn sigaret uit het raam de duisternis in en keek hoe de kortstondige komeet in zijn val flikkerde en verdween. Ik voelde hoe er buiten iets tot ontwikkeling kwam, iets kwaadaardigs, een zwarte engel die zijn hemelse vleugels spreidde voor een vlucht boven de verwaarloosde puinzooi van ons dode bestaan. Ik voelde deze transfusie van betekenis die de leegte in mij opvulde. Het vochtige, schimmelige graan dat in de silo's van de oude brouwerij lag weg te rotten, veroorzaakte een zure stank die altijd in ons oude kantoor hing. Als je tijdens stille nachten goed luisterde, hoorde je het gepiep van ratten die zich te goed deden in de verlaten buik van de verzakte silo's.

In mijn kantoor maakte ik een schets van de paginalay-out, kopieerde het overlijdensbericht van Ronny Lawtons moeder, haalde een foto tevoorschijn van de ouwe Lawton en was met van alles en nog wat bezig totdat Ed zich over de intercom liet horen en riep: 'Bill, haal die klerelijer bij me weg.'

Ik belde Pete nog een laatste keer. Er waren geen nieuwe ontwikkelingen. Door de storm was de elektriciteit langs de weg in noordelijke richting uitgevallen, ook bij Ronny Lawtons huis. Ronny Lawton bracht de nacht door in de districtsgevangenis. Hij had ingestemd met een verblijf voor een nacht op kosten van het district. Pete vertelde dat Ronny had gezegd: 'Nou, als je me een ontbijt aanbiedt, kan ik net zo goed vannacht hier blijven.'

Pete zei: 'Klinkt hij als een man die verdriet heeft, Bill?'

Ik had alles klaar voor de drukker, de afschriften van de aangifte van vermissing en Ronny's strafblad tezamen met vier foto's, de foto van de schietvereniging, de jaarboekfoto van de examengroep die we hadden gemanipuleerd, het overlijdensbericht van Ronny's moeder, en een foto van haar uit het jaarboek. Ik plaatste Ronny's moeder pal in het midden van de pagina. Haar gezicht straalde een zekere onschuld uit als in reclames voor frisdrankautomaten of enkelsokjes. Ze staarde je aan met de ziel van een vorige generatie, vastgelegd op een moment in onze geschiedenis dat we de hele verdomde wereld beheersten. Ronny Lawton, de vadermoordenaar met zijn donkere gezicht, was haar nakomeling. Die had zij op de wereld losgelaten. Ik had me geen uitgekiendere combinatie kunnen voorstellen. Daarna plaatste ik in de rechteronderhoek het overlijdensbericht van Charlie Lawton, in de strijd omgekomen in Saigon. De vermiste vader plaatste ik in de andere hoek, alsof hij zijn zoon na al die jaren nog aanstaarde. Soms doe je even een stap terug van je creaties en dan weet je dat je diep tot iets bent doorgedrongen; je beseft dat je ronddwaalt in de collectieve nachtmerrie van ons bestaan.

Verdomme, dit heb ik mijn hele leven al willen zeggen. De bakwedstrijd verhuisde naar de tweede pagina. Ik had het allemaal in minder dan een uur voor elkaar, de foto's, de teksten, de positionering.

Ik belde naar de zetters die de opmaak van onze krant deden. Ze stuurden iemand om het materiaal op te halen. Buiten regende het dat het goot. Op de politieradio waren nu meldingen te horen van stroomstoringen en omgevallen bomen in de hele regio. Ik belde de zetters nog een keer. Ze zeiden dat ze een noodaggregaat hadden. Ze hadden alles onder controle.

Een halfuur later viel bij de krant de stroom uit. Ik stak een kaars aan, zonderde me af in de kleine ruimte van de redactiekamer en rookte een sigaret. Ik zat hier met al het benodigde materiaal: bureau en stoel, typemachine, microfiches, een lat voor het planoblad in de ochtend, een schoolbord met krijtje en een koffiemachine. Ik voelde me goed, vervuld van een soort gevoel van eigenwaarde. Hier werd de taal geschapen, hier hield de geschiedenis zich schuil in de hoofden van de verslaggevers. Daaraan dacht ik het liefst, dat moment van schepping, wanneer stemming en feit zich verenigen tot natte inkt. Zie je, er waren een paar dingen die ik mijn hele leven al wilde zeggen. Het probleem was dat ik nooit een verhaal had dat opwoog tegen mijn ideeën.

Ed keek naar me. Hij had al te lang geleefd, te hard gewerkt. Ik kende zijn verhaal. Hij knikte bijna onmerkbaar naar me, alsof hij mij iets toewenste, iets beters dan wat ik had.

Toen belde zijn vrouw. Wanneer hij thuiskwam. Ze had melk en donuts nodig. Ed kwam terug en ging bij me in het veranderlijke duister zitten. Hij rook zuur, alsof er vanbinnen iets lekte.

Ik keek op mijn horloge. De krant kon elk moment van de drukkerij terugkomen. Ik was benieuwd hoe hij eruitzag. Er was een lange stilte tussen Ed en mij, terwijl de lucht buiten werd doorsneden door een blauwig weerlicht. De telefoon ging weer over.

Ed was een hele tijd in gesprek. Tegen het einde fluisterde hij iets. Daarna zei hij wat hij had gezegd nog een keer, luider. Hij zei: 'Ik hou van je.' Daarna zei hij: 'Ik hou van je met heel mijn hart.' Daarna zei hij: 'Dat beloof ik echt.'

Ik wil maar zeggen, die kerel was bijna zestig en dat was hem aan te zien. Het klonk als een verliefd vraag-en-antwoordspelletje of een bezwering. Onwillekeurig keek ik de andere kant op.

Ed legde de telefoon neer. Hij hulde zich in een rookwolk. Ter verdediging voerde hij aan: 'Als ik aan het eind van de avond naar huis ga, heeft zij een bord met wat lekkers klaarstaan.'

De dingen kregen een stroperige traagheid zo laat op de avond. Ik wachtte totdat Ed zich weer wat op zijn gemak zou voelen.

Hij begon me over zijn leven te vertellen. Hij deed eigenlijk niet anders in die tijd. Ik luisterde zonder iets te zeggen. Het kwam er gewoon op neer dat Ed de kans had gemist om uit onze stad te ontsnappen, dat hij was gebleven toen de huizenmarkt instortte na de sluiting van alle fabrieken en dat hij zo een vermogen had verloren. 'Hetzelfde huis, dezelfde muren, hetzelfde dak, niks is veranderd, maar hier was het anders.' Hij wees naar zijn hoofd. 'Het staat op ons geld. Vertrouwen. In God stellen wij ons vertrouwen. Het heeft allemaal te maken met geloof. Op een bepaald moment geloofden we niet meer. Jouw vader had hetzelfde, denk ik.'

'Ik denk het,' zei ik. Daarmee sloot ik dat onderwerp af.

Ed zei dat toen het slecht ging, zijn vrouw Darlene in hun garage was begonnen met een schoonheidssalon. 'In de slechtste jaren maakten we foto's van schoolfeesten. Dat was een idee van Darlene; ze kwamen hier namelijk toch al voor hun haar. We kochten een grote rieten stoel in Chicago en lieten hen daarin plaatsnemen wanneer ze helemaal mooi waren gemaakt voor de dansavond. Op het achtergrondbehang zag je de oceaan en palmbomen en een blauwe lucht. Darlene kreeg het idee om pina colada's met die tropische parasolletjes te maken. Zo hebben we het overleefd.'

'Met de kleine ijdelheden die ons gezond van geest houden,' zei ik zacht, maar Ed verkeerde helemaal in zijn eigen wereld.

Hij keek me aan, boerde weer, kreeg weer gal boven, vertrok zijn gezicht en slikte de gal door. Hij ging onmiddellijk weer door met praten: 'Heb je weleens echt naar het lichaam van een vrouw gekeken, wanneer ze niet doet alsof ze poseert, wanneer ze gewoon zichzelf is, een vrouw in het duister, haar gebogen rug?'

Ik knikte langzaam.

'Je hebt toch een meisje? Gaat dat goed?' vroeg Ed fluisterend.

'Ik denk het,' zei ik. Buiten klonk een sirene doelloos dwalend in de avond. Ik keek hoe Eds adamsappel in zijn keel op en neer bewoog. Hij omklemde zijn hoofd met zijn handen. Wat me aan Ed beviel, was dat hij zijn vrouw waardeerde. Hij erkende dat ze hem en hun huis had gered. Hij maakte van zichzelf niet iets wat hij niet was. Daar was moed voor nodig, om jezelf te zien zoals je bent en daarmee te leven.

Er ontstond een pijnlijke stilte. Ik denk dat ik altijd op de een of manier word uitgeschakeld, dat ik word overweldigd. Mijn blik vernauwde zich en plotseling voelde ik me begraven onder het puin van onze dode industrialisatie. We zaten in een van die gaten in de geschiedenis waarover niet wordt geschreven, een lange stille bedwelming voordat er een andere manier van overleven opkomt die een beschaving kan redden. Ik wil maar zeggen, wat kun je vertellen over een stad waar de rivier spontaan ontbrandde in een vuur van drijvende smerigheid, waar de vuurtongen zich het land op drongen? Als dat niet profetisch is, wat dan wel! Het kan me geen reet schelen als je denkt dat je het kunt verklaren met de brandbaarheid van petrochemicaliën, met de vuurbol van onze smeltovens. Ik zeg dat hier iets tragisch gaande is. Ik zeg: lees verdomme tussen de regels van onze industriële onttakeling. De mensheid heeft religies opgericht naar aanleiding van minder ingrijpende gebeurtenissen dan een rivier die vlam vat. Dat wilde ik allemaal tegen Ed zeggen, maar de telefoon ging.

Het was Eds vrouw. Hij noemde haar 'schattebout'. Het was verdomd pijnlijk om zo'n man te zien zwichten voor de liefde. Ik maakte uit het gesprek op dat Ed aan het eind van de werkdag een kokosnootroomtaart stond te wachten.

Na het telefoongesprek zei Ed dat hij naar huis ging. Ik liep met hem mee naar zijn auto, terwijl ik met mijn hand een kaars afschermde op onze weg naar beneden over de lange trap. Buiten zei hij: 'Zo'n kans krijg je maar eens in je leven.' Het onweer hing nog steeds boven ons. 'Er ligt daar ergens een in stukken gehakt lijk. Ik weet gewoon dat het zo is.' Dat had hij in de donkere kamer gezien toen hij me riep.

Ik zei zacht: 'Ik weet het.' Precies op dat ogenblik ging de kaars uit, zodat we in het donker stonden. Eds adem was zuur van de gal. Ik deinsde ervoor terug, die geur van ziekelijkheid, maar ik bleef bij hem en week niet. Hij klopte me op mijn rug voordat hij wegging. Hij zei nogmaals: 'Er ligt daar ergens een in stukken gehakt lijk. Ik weet gewoon dat het zo is.'

Ik ging weer naar boven over de lange trap. Ik probeerde niet aan Ronny Lawton te denken, maar het enige wat ik zag was een rivier van bloed die uit een onbestemde duisternis stroomde, een glanzende stroom bloed met delen van een mensenlichaam dat in stukken was gehakt. Ik moest steeds weer mijn hoofd schudden om die gedachte kwijt te raken, maar het beeld kwam telkens weer terug. Mijn benen brandden van vermoeidheid. Ik doofde mijn sigaret in een rode brandweeremmer vol zand. De lichten gingen plotseling weer aan. De televisie vertoonde een veld van grijze stippen. Die klootzak Ed McMahon lachte om iets wat Johnny Carson had gezegd. Met het verhaal van Ronny Lawton was het gedaan voor die avond. Ik werd me bewust van een honger zoals mannen die moeten voelen na een dag hard werken. Ik had hoofdpijn, een zeurende pijn van gespannen vermoeidheid. Ik stond op, gaapte en keek naar het onweer. Er lag daar ergens een in stukken gehakt lijk. Ronny Lawton lag in het gerechtsgebouw te slapen met het geheim van het in stukken gehakte lichaam van zijn vader, tenminste dat dacht iedereen.

Ik belde mijn vriendin Diane, interlokaal naar Chicago. Ze was niet thuis. Ik kreeg haar stem te horen, die vrolijke studentenstem die giechelend door het leven ging. Het is zo'n stem die het idee logenstraft dat er iets mis is met deze wereld, die het feit tegenspreekt dat we atoombommen en ziekten hebben, dat mensen elkaar vermoorden. Het was bijna middernacht. Ik liet een boodschap achter op het antwoordapparaat. Ik zei: 'Hé, lieverd.' Toen kon ik me niet meer inhouden; ik zei: 'Waar ben je verdomme?' en hing op. Daarna belde ik nog een keer en zei: 'Lieverd, ik ben alleen maar bezorgd.

Sorry.' Vervolgens belde ik nogmaals, luisterde met haar geheime code haar boodschappen af en wiste het eerste bericht. Ik kan alleen maar zeggen: godzijdank kunnen sommige geschiedenissen met een code worden uitgewist.

Ik maakte een kaastosti met de toasteroven van mijn baas, ik trok een blik van zijn champignonsoep open en maakte die warm. De soep smaakte goed, de zachte gesmolten kaas plakte aan mijn tanden. Ik pakte een blikje fris om het eten weg te spoelen en viel daarna met mijn hoofd op het bureau in slaap.

Sam kwam pas laat. Hij had fors gedronken, hij had nog een halveliterfles in zijn jaszak. Achter zijn oor stak een potlood.

Die kerel van de zetterij had de editie op mijn bureau gelegd terwijl ik lag te slapen. Sam nam de krant in zijn handen. 'Eens even kijken wat we hier hebben, chef,' zei hij. Daar schrok ik van, die sardonische 'chef'-onzin. Sam begon zoals gewoonlijk te fluiten en klopte me op mijn rug. Hij zei: 'Nou, dat is een editie waar we verdomme trots op kunnen zijn. Dat is pas journalistiek.' Hij schonk me in. Hij stootte me aan zoals dronken mannen dat altijd doen bij andere mannen. 'Dat is pas journalistiek, chef.' Op dat moment besefte ik pas dat ik op de voorpagina nauwelijks zelf een woord had geschreven. Het waren opgezochte afschriften en foto's, juridische flauwekul, strafbladen en telefoongesprekken van Ronny Lawton met de politie.

Sam stootte me nog eens aan, zei hetzelfde nog een keer. Hij ging een van zijn befaamde warme tuna melts voor me maken, zette de toasteroven op de hoge stand, en daarna vierden we het met whisky en tuna melts. We zaten in het geurige aroma van het eten en keken elkaar aan. Sam was ladderzat. Hij bleef maar eten en drinken, terwijl hij alsmaar zei: 'Dat is pas journalistiek, chef.' Ik zat daar in het flikkerende licht van de kaars en voelde de ironie en zijn whisky langzaam in mijn keel branden.

3

Op elke andere ochtend dat ik geen telefoontje van Diane had gekregen, zou ik spoorslags naar Chicago zijn gereden om te zien wat er verdomme aan de hand was. Maar de politie had een stukje vinger bij het huis van Lawton gevonden. Sam schreeuwde in de telefoon. 'Onze foto's van Ronny Lawton en zijn moeder zijn overgenomen door de nieuwsdiensten. Het bericht staat in de *New York Times*, *Philadelphia Inquirer*, *Boston Globe*, *Chicago Tribune*. Jezus christus, we hebben echt succes! Bill, hoor je me? Ga meteen naar die vinger kijken!'

Ik was verbijsterd, maar de nieuwsdienst op een slome dag een keer voor zijn, mijn god, dat is waarvan je je hele leven droomt. Eigenlijk was het zelfs meer dan dat. De lugubere treurigheid van de verjaardag van zijn moeders dood gaf dit alles iets oneindig tragisch. En de redacteuren van de kranten uit de grote steden namen het verhaal op vanwege die bijgevoegde Vietnamgeschiedenis van Ronny's dode broer. Als je al de gezichten van het gezin bekeek, hadden ze allemaal dezelfde hangende kinnebak, een blik alsof ze te lang naar iets verschrikkelijks hadden gekeken, een gelaatsvorm die uit het landschap was voortgekomen. Ik kende die als het uiterlijk van mensen die te intens en te lang naar de lucht hebben gekeken, biddend om regen.

'Ga erheen en kijk hoe het zit met die vinger, Bill. Ik weet gewoon dat Ronny zijn vader in stukken heeft gehakt. Ik weet het gewoon! Er zijn al kikvorsmannen in de vijver achter Ronny's huis naar de ouwe Lawton aan het zoeken. Ik wil dat je daar bent wanneer ze het hoofd, de romp en de benen aan land brengen!'

Ik had al een kop bedacht toen ik onderweg naar het huis van Lawton was, nog voordat ik de vinger had gezien: VADER WIJST ZOON AAN VANUIT ZIJN GRAF.

In het vroege ochtendlicht ging ik naar buiten op mijn veranda. Mijn hoofd was vervuld van opwinding. Ik denk dat ik glimlachte. In feite glimlachte ik ook echt: ik zag mezelf in de glazen schuifdeur in mijn onderbroek en T-shirt. Ik zette een pot koffie en liet het gevoel op me inwerken. Verderop hoorde ik de dieren in de dierentuin het aanbreken van de dag begroeten na hun ontwaken uit de duisternis. Ik ging naar boven en haalde een van mijn lichtgrijze kostuums uit de kast. Het rook naar mottenballen. Eigenlijk was het een pak van mijn vader, zo'n kostuum voor vijftigers dat iets te ruim is bemeten, met een broek die enorm hoog reikt en een riem bijna ter hoogte van mijn navel. Wat mij vooral aan zo'n pak bevalt, zijn de diepe zakken waarin je je handen kunt begraven tot bijna halverwege de dijbenen en die je een schijn van diepzinnigheid verlenen alsof je over moeilijke en ingewikkelde zaken nadenkt.

Tegen half negen was ik de stad uit. Omgeven door een zee van maïs hoorde ik hoe het verhaal van Ronny Lawton steeds grotere proporties aannam en deel ging uitmaken van de landelijke folklore van de streek. Iedereen dacht dat hij 'vast en zeker in stukken was gehakt', die arme meneer Lawton, dat er her en der in de maïsvelden achter zijn huis stukken van zijn lichaam begraven lagen, wachtend op een gruwelijke oogst van menselijk vlees. Op de radio was het een en al Ronny Lawton, met krakende stemmen van buren die niet bekend wilden maken wie ze waren, maar zeiden dat hij nergens voor deugde en geen knip voor de neus waard was. Ik reed langs een man op een tractor die een radiootje tegen zijn oor hield. Ik wist dat hij naar de gesprekken over Ronny Lawton luisterde. Ze vertelden over de radio dat Ronny Lawton zoop als een beest en dan op het erf zijn jachtgeweer leegschoot om de nacht vol lood te pompen, terwijl hij zijn verdomde muziek over de maïsvelden liet blèren. Hij schoot de stopborden langs de weg vol gaten wanneer hij 's nachts uit rijden ging. Je kon dan maar beter met een grote boog om zijn huis heen gaan om hem niet tegen het lijf te lopen. Ronny Lawton deugde niet.

'Meestal was hij 's avonds straalbezopen! Ach, je weet wel, op zijn vijftiende van school gegaan, daarna nooit meer iets bijgeleerd, werkte bij Arby's en Burger King, ging het leger in en kwam er weer uit zonder in actieve dienst te zijn geweest, woonde daarna weer thuis en ging bij Denny's aan de slag als kok voor het snelbuffet. Dat had hij in het leger geleerd: koken en gericht schieten. Ronny trouwde met een vrouw die zijn gezeik niet pikte en zich verzette, maar hij kreeg de overhand en maakte haar zwanger voordat het allemaal voorbij was, voordat ze haar toevlucht zocht bij haar ouders in Jackson County. Die zeiden alleen maar dat ze naar de man moest teruggaan die haar zwanger had gemaakt, en dat deed ze dan maar, ze ging terug naar de shit met al dat slaan en schreeuwen. Die klootzak had haar een keer bijna vermoord. Hij zette haar aan de weg met dat kind van haar, waarna ze huilend naar de stad liep. O ja, ik had het verhaal van Ronny Lawton zijn hele verdomde leven al gevolgd... Van hem en zijn vader, ik wist er alles van. Ze raakten geregeld in de problemen, zeker toen zijn vader zijn baan had verloren bij de sluiting van de fabriek van General Motors. Ze gingen tegen elkaar tekeer alsof ze dood wilden; ze vochten het uit met woorden en met drank, en Ronny schoot zelfs met zijn geweer over het hoofd van zijn vader...'

'Je zag nooit iets van de moeder, God hebbe haar ziel. Ik heb gehoord dat ze de laatste jaren van haar leven in de slaapkamer lag weg te kwijnen met kanker zonder ooit het daglicht te zien; ze lag daar gewoon dood te gaan, helemaal alleen nadat haar zoon Charlie in Saigon was omgekomen. Ze hebben haar nooit naar een dokter of zo gebracht. Het waren allebei beesten als je het mij vraagt...'

'Je vraagt je af wat voor beest Ronny Lawton eigenlijk is. De smerissen waren er talloze keren geweest om hem te arresteren: ze pakten hem op voor het afvuren van het geweer en het bedreigen van zijn vader, maar er werd nooit een formele aanklacht tegen hem ingediend. Ronny sliep in de districtsgevangenis alsof het een Motel Six was. 's Ochtends vertrok hij gewoon weer. Zijn vader ging er altijd heen en kreeg hem er weer uit; hij zei dat zijn zoon en hij het zelf wel aankonden. Zijn vader was verontwaardigd over de politie die hem meer dan eens het leven had gered. Ik wist dat het een keer zo moest aflopen. Hij heeft het aan zichzelf te danken gehad, bedoel ik maar. Ik zeg niet dat iemand het verdient om door zijn eigen zoon in stukken gesneden te worden, maar je kunt niet ontkennen dat het er in al die jaren een keer van moest komen...'

Dat alles kreeg ik te horen gedurende de twintig minuten waarin ik naar het huis reed om de vinger te zien. Het is verbazingwekkend hoe sterk deze verhalen leven hier aan de rand van onze grote vlakten, hoe iedereen de stemming van zijn gemeenschap in een soort onderbewuste mondelinge overlevering bewaart.

Ondanks het weinig verheffende vooruitzicht de vinger te moeten bekijken was ik tijdens deze eentonige monologen met mijn gedachten vooral bij Diane. Ze had me de afgelopen avond niet meer teruggebeld. Ze zat in het tweede jaar van de rechtenstudie aan Loyola University. We zouden gaan trouwen zodra zij de juridische opleiding had voltooid. Zo was het tenminste de afgelopen zomer, toen ze hierheen kwam en in mijn ouderlijk huis logeerde. Diane had altijd van het huis gehouden, hoe je in de grote slaapkamer de zonsopkomst kon zien, het zachtgele ochtendlicht dat het duister van de nacht oplikte. De afgelopen zomer hadden we er samen doorgebracht, alleen met ons tweeën in het huis, een verbijsterende, romantische eenzaamheid. We liepen langs de afrastering, keken naar de opgesloten dieren en hadden er picknicks alsof we in een of ander exotisch land waren. Ik had niemand anders dan haar. Ik had haar gevangen, hield haar tegen de schemering vast op het gazon, terwijl ik haar met de ene hand druiven voerde en met de andere champagne inschonk. Ik hield de wereld op afstand, ik had de televisie en de radio verborgen, bracht haar in vervoering met klassieke muziek van een oude grammofoon in het huis. Ik probeerde haar zwanger te maken, om haar tot de mijne te maken, door me diep in haar te persen en nog lang na de ejaculatie in haar te blijven. Ik was een dier dat zijn prooi tegen de grond drukte en haar af en toe zachtjes beet om elk verzet uit te schakelen. Ik voelde hoe ze uiteindelijk begon te vechten. Ze klaagde: 'Jezus, je moet me niet zoenen als een of andere wangzakeekhoorn.' Ik zat haar dicht op de huid, ik verstopte de autosleutels, verzon allerlei uitvluchten waarom we niet hoefden uit te gaan. Ze had geen zin meer in seks. Ik probeerde er een zekere luchthartigheid aan te geven, ik citeerde met een kleine aanpassing de woorden van koningin Victoria aan haar dochter: 'Doe gewoon je ogen dicht en denk aan Amerika...' Ik wilde me terugtrekken in de erfenis die me was nagelaten, wachten totdat die nationale depressie van ons voorbij was, en het rustig aandoen met de erfenis. Er moest toch een keer iets veranderen. Maar ze ontsnapte uit mijn kooi.

Ik had eerder die ochtend al de aandrang gevoeld om Diane te bellen en te zeggen dat ze het weekend hierheen moest komen, maar ik wilde haar niet van haar stuk brengen. Ik wist dat ze zou zeggen wat ze altijd zei: 'Je moet weg daar.' Alsof ik in gevaar verkeerde, alsof het hier ging om *The Amityville Horror* of iets dergelijks. Ik zei bij mezelf: 'Ze heeft de hele nacht doorgewerkt voor een examen. Ze heeft de hele nacht in de bibliotheek gezeten. Ze bereidt zich nu voor in een aula om dadelijk de vragen van een examen te beantwoorden.' Dat had ik mezelf vanochtend voorgehouden terwijl ik koffie zette. Ik belde haar niet op. Ik luisterde naar het verhaal van Ronny Lawton. Mijn televisie stond aan. Ik keek naar Linda Carter, dat alomtegenwoordige mens bij het gerechtsgebouw. En toen belde ik Diane net voordat ik vertrok, maar het enige wat ik op haar antwoordapparaat insprak, was: 'Succes met je examen, lieverd. Ik hoop dat je het hartstikke goed doet.' Meer zei ik niet; daarna belde ik haar nog een keer en zei: 'Al kan ik niet bij je zijn, ik denk wel aan je. Ik denk altijd aan je.' Vervolgens zei ik: 'Heb je de voorpagina van de *Chicago Tribune* al gezien?' Daar liet ik het bij. In de liefde komt eerst het verlangen, dan de kwelling, en dan de behoefte aan wraak. Ik zie de liefde soms als een vorm van kanker.

Ronny Lawton liet zich weer gelden, hij knaagde diep in mij. Zijn situatie had potentieel, ik bedoel: hij kon werk voor de hele zomer bieden. Ik kon zelf ook bekend worden buiten dit gat en ontsnappen naar een echte stad. Ik kon me bevrijden van de inhalige glorie van mijn voorouders en stilletjes verdwijnen naar de anonimiteit van Chicago. Ik bedacht dat ik maar eens moest uitzoeken wie hier in deze contreien wie had vermoord, welke verschrikkelijke tragedies de voorouders van deze mensen waren overkomen in de jaren van droogte en slechte oogsten, wat er gebeurd moest zijn in het duister van de lange, koude winters wanneer er niets werd geplant en de mensen wanhopig naar gezelschap verlangden. Daar was ik goed in: naar bibliotheken gaan, oude boeken doorsnuffelen. Dat had ik op de universiteit geleerd. Het moest wel uitmonden in een verbijsterende krankzinnigheid, met momenten van razernij wanneer de verzengende zon de gewassen deed verschrompelen. Ik herinner me de verhalen van mijn grootvader over mensen die helemaal gek werden wanneer ze hem hoorden komen, hoe ze schreeuwden en brulden, hoe de kinderen uit de velden kwamen hollen en alles in de steek lieten, om achter zijn wagen aan te rennen die was afgeladen met een gigantisch blok ijs. Zelfs de boeren, die in de zomerse hitte te lang buiten op de velden waren, kwamen met hun grote, ruwe, dikke tong uit hun mond naar hem toe om het wonder van het ijs te bekijken. Mijn grootvader bracht dit ijs als het achtendertig graden of meer was. Hij schraapte ijs af van het blok, kleurde het met framboos of aardbei en vroeg er het dubbele voor. Hij zei altijd lachend dat alles om hem heen over zes maanden onder de sneeuw begraven zou liggen en de rivieren, kreken en plassen bevroren zouden zijn. Dan was zijn ijs geen cent waard. 'Het is maar net hoe je het ziet... vraag en aanbod.' Hij zei altijd tegen mij: 'Er is geen beter voorbeeld van de kwestie van vraag en aanbod dan een ijsmaker in het Midwesten.'

Ik verliet de County Line en reed over een zandweg waar een wolk bruin stof achter me opwaaide. Om negen uur in de ochtend brandde de zon boven mijn hoofd in alweer zo'n bloedhete juli. Mijn voorruit was besmeurd met een waas van stuifmeel en dode insecten. Ik moest de ruitenwissers aan laten staan om me een weg door dit centrale gebied te banen. Ik bleef aan de zitting van vinyl plakken. Ik merkte dat ik kort en oppervlakkig ademhaalde. Ik kon elke dag een verhaal maken, met een oud artikel over vroegere moorden en sterfgevallen in een kader op de eerste pagina, met een vervolg in het lucratieve deel van de advertenties op pagina drie. Dat was allemaal geschiedenis, die heel gemakkelijk weer tot leven kon worden gewekt, geschiedenis die uit het verleden was gebikt, een opeenhoping van feiten die culmineerden in deze moord. Het was alleen nodig dat Ronny Lawton nog een tijdje zijn mond hield, dat hij eerst zou beweren onschuldig te zijn en dat het lijk niet meteen werd gevonden.

Ik reed over een lang smal pad tussen de maïsvelden door, en toen was ik er: het huis lag verscholen in het hoge gras, werd bijna geheel aan het oog onttrokken, weer opgeëist door het land. Binnen lag het stuk vinger, omsloten door de heilige gruwel van Ronny Lawtons huis. Ik zette de motor uit, en het gegons van insectenleven steeg op uit de velden, het trage ritme van de roep om te paren.

Het terrein was afgebakend met geel politielint. Enkele tieners van de middelbare school stonden langs de kant van de weg geparkeerd en riepen en floten: 'Ronny! Ronny! Ronny!' Vrouwelijke leden van de kerk deelden donuts, koffie en vruchtensap uit onder de vrijwilligers, van wie sommigen gehurkt zaten en het zweet van hun gezicht veegden. Ook de kikvorsmannen in hun rubberen pakken waren er, net terug van het zoeken in de vijver op Ronny Lawtons land. Ik zag nog meer vrijwilligers, die verderop achter het huis in een menselijke keten het land uitkamden.

'Goeiemorgen Larry,' zei ik.

'De vinger ligt binnen, beneden in de kelder, Bill. Die moet je beslist zien. Het lijkt erop dat Ronny zijn vader in heel kleine mootjes heeft gehakt.'

Ik zag de vinger, nadat ik door een lange, warme gang naar de kelder was gelopen. Hij lag op een trede van de trap. Het stuk vinger zag eruit als een bleke wortel, met een enkel dun rood streepje bloed eraan. De vinger was gebogen op een morbide beschuldigende manier, bijna alsof hij naar beneden in de kelder wees en de weg toonde in de zwetende duisternis van Lawtons nooit voltooide kelder naar nog meer delen van Ronny Lawtons vader.

'Het is van de hand afgeknipt met een soort snoeimes,' vertelde

Ed Hoskin me. Ik zag de rechte snee, het parelkleurige stukje bot in het midden en keek vervolgens Ed recht in de ogen.

Ik liep verder de kelder in, naar het schemerachtige licht. Ik rook de jaren van kille vochtigheid vol schimmelsporen en nam het allemaal in me op. Ed Hoskin nam foto's van de vinger alsof het om een beroemdheid ging. Ik stond met mijn rug naar hem gekeerd en zag hoe het flitslicht de bruine, druipende keldermuren verlichtte. In de westelijke hoek van de kelder was een verhoging. Twee agenten haalden langzaam stenen weg en legden die behoedzaam aan de kant. Ik luisterde naar het geschraap van een schop in de modder.

De kelder leek gevuld met de spookachtige aanwezigheid van een strenge zuinigheid: kruiken en gereedschappen langs de kanten, haken die aan de plafondbalken hingen. Ik kon me wel een man voorstellen uit het begin van de twintigste eeuw die hierbeneden dingen repareerde omdat er geen geld voor iets nieuws was, terwijl zijn vrouw naast hem in het mistroostige schijnsel van een kaars fruit en vlees inmaakte en gerookt vlees ophing, zodat ze die midden in de winter konden eten.

'We komen nog met bloedhonden,' hoorde ik een smeris achter me zeggen.

In een andere hoek hing een laken, met daarachter een eenvoudige fitnessruimte, een wereld vol posters van grimassende grote kerels. Enorme metalen gewichten – het leken wel treinwielen – lagen donker en zwaar op elkaar gestapeld in aflopend gewicht. Ronny Lawton had alles zelf gemaakt. Er stonden verfemmers gevuld met gehard cement; op elk ervan was het gewicht geschreven. Er stond een gietijzeren bank waarover een badlaken was gelegd. Een stang om je aan op te trekken was in een steunbalk van het huis vastgezet. Op een klein bureau stonden een groot blik Joe Weider Weight Gain Powder en een blender, en verder lagen er injectienaalden naast kleine flesjes met een of ander vocht. Ronny had overal stukjes papier die aan de muren waren geplakt, om zich op te peppen en als een bijzondere bezwering voor zijn hele wezen: *GET BIG!*

Ik liep terug naar de trap tot naast de vinger.

Ed Hoskin had een driepoot op de trap gezet. Dat omslachtige, ouderwetse apparaat bleef hij maar verplaatsen en rondschuiven, terwijl zijn hoofd achter de camera verscholen was. De driepoot zag eruit als een reusachtige spin die behoedzaam probeerde uit te maken of hij zich aan de vinger te goed zou doen.

Ik zei: 'Ed, ik wil naar boven.'

De spin haastte zich opzij en liet mij passeren.

Pete stond bij de achterdeur te roken. Hij knikte naar me. We liepen naar buiten naar het hoge verwilderde gras. Hij zag er moe uit en had een baard van een dag. 'Je hebt het AP-nieuws gehaald, Bill. Dat is tenminste iets, dat maakt het leven in dit gat weer goed.'

Ik haalde mijn schouders op. 'Ik denk het. Er moet nu wel iets gebeuren, wil ik hier nog blijven.'

'Ik snap het.' Pete staarde naar het gras. Hij haalde een pakje Lucky Strikes uit de borstzak van zijn shirt en trok langzaam het goudkleurige lint van het cellofaan los. 'Wil je er ook een?'

Ik stak een sigaret op en keek naar het hoge wuivende gras dat al lang geleden was verwilderd. Ik vroeg: 'Wat zit je dwars, Pete?'

Pete keek me aan. 'Ik kan er niet tegen wanneer iemand een spelletje met me speelt. Die lui van het gerechtelijk laboratorium zijn hier vanochtend geweest en ik heb gehoord hoe ze onder elkaar stonden te praten. Ze denken dat de vinger hier met opzet is achtergelaten.' Hij verhief zijn stem. 'Ik zeg dus tegen ze: "Waarom zou iemand dat nou godverdomme doen? Dat is niet logisch. Waarom zou Ronny zo'n aanwijzing achterlaten?" En die slimmerik zegt tegen me: "Heb je er weleens aan gedacht dat Ronny het misschien helemaal niet gedaan heeft?" Maar ik antwoordde: "Waarmee denk je eigenlijk dat we te maken hebben? Kidnapping soms? Voor losgeld?" O, dat is allemaal shit volgens mij, Bill. In deze tent is totaal geen geld te halen. Je hoeft alleen maar om je heen te kijken om te weten dat Ronny Lawton zijn vader eenvoudig in stukken heeft gehakt. Het enige waar die vinger op wijst is dat Ronny's vader dood is.'

Ik zag een legertje specialisten de slaapkamers in en uit drentelen. Ik deed buiten een paar stappen achteruit en keek hoe al die mensen daarbinnen zich met de zware taak bezighielden om het huis helemaal overhoop te halen. Ik zag een smeris boven op zolder bij het raampje.

'Laat me vijf minuten met hem alleen in een kamer. Vijf minuten en dan heb ik een bekentenis van hem.' Pete stak voor mijn neus zijn hand op. 'Niet meer dan vijf minuten. Wie heeft er nou behoefte aan al dit gedoe hier? Dit noem ik alleen maar droogneuken. Het hele verdomde rechtsstelsel is flauwekul. Weet je waaruit een jury bestaat?'

Ik haalde mijn schouders op. 'Zeg jij het maar.'

'Ik zal het je zeggen. Een jury bestaat uit twaalf mensen die zijn gekozen om uit te maken wie de beste advocaat heeft. Het gaat niet om gerechtigheid, zoveel is zeker. Vijf minuten, geef me vijf minuten met Ronny, meer is er niet nodig.'

Ik keek hem wat verbaasd aan: hier sprak de wetshandhaver van onze stad. Maar ik voelde de frustratie, het persoonlijke falen tegenover al deze wetenschap, die was ondergebracht bij mensen die naar vingerafdrukken zochten en foto's van de kelder namen; zelfs de menselijke keten van vrijwilligers buiten had een doel voor ogen, al vroeg ik me wel af hoe het kon dat zoveel mensen zoveel tijd over hadden. Ik wilde een aantekenboekje uit de borstzak van mijn shirt vissen, maar liet dat toch maar op zijn plaats.

Pete zei weer: 'Waarom zou Ronny die vinger daar nou eigenlijk achterlaten?'

Ik had geprobeerd iets te begrijpen van die bloedserieuze talisman die als een soort bespotting voor ons was achtergelaten. 'Pete, misschien komt het door die films die er nu zijn, zoals *Friday the Thirteenth* en *Halloween*. Een sterk punt daarin is dat er een herkenbaar element van het kwaad in zit, een onsterfelijke figuur die tijdens een kinderkamp uit de lagune opduikt. Je wordt gepakt terwijl je aan het vrijen bent en een soort vleesgeworden iets van jezelf maakt je dood. Het zijn geen monsters meer, maar wijzelf. In *Halloween* komt een vent voor met een ijshockeymasker die niet kan worden verbrand of vermoord. Hij komt steeds terug. Er heerst in dit land verontwaardiging over wat er met ons is gebeurd. We hebben het nodig onszelf een brute straf op te leggen die ongenuanceerd en verschrikkelijk is. We willen graag verminkt worden. Het maakt deel uit van onze psychose van beschadiging, ontregeling, kleiner maken, wegsnijden.'

Pete keek me aan. 'Ik denk dat ik je bij dat laatste niet helemaal meer volg, Bill.'

Ik zei: 'Pete, in die film *Halloween* hakte een kerel zijn gezin toch in mootjes?' Ik knikte hem toe. 'En *Texas Chain Saw Massacre* dan. Een en al verminking. En dan heb je ook nog *I Dismember Mama!*'

'Godallemachtig, Bill. Dat is toch geen film?'

'Jawel. En wat denk je van *I Spit on Your Grave*? Een tienermeisje hakt de lul van een vent af in een badkuip.'

Pete hield zijn sigaret even weg van zijn mond en liet de ochtendlucht aan de rook trekken. Hij zei: 'Denk je dat die klootzak een spelletje met ons speelt om zelf een soort monster te kunnen worden?'

'Ik vermoed dat we moeten uitzoeken hoe Ronny het speelt, maar ja, zeker. Waarom zou hij anders een vinger laten liggen op een plek waarvan hij wist dat we die meteen zouden zien?'

Pete keek me ontsteld aan. 'Vijf minuten, Bill. Geef me gewoon vijf minuten met hem.'

Ik zei net zoals ze in de politieseries doen: 'Heb je nog andere aanwijzingen, Pete?' Ik wist namelijk niet wat ik verder nog kon zeggen.

'Hij heeft een vrouw met haar op de tanden die hem haat. Ze is het afgelopen jaar bij Ronny weggegaan. Ze heeft ook een kind van Ronny, een jongen van drie jaar. Ik heb Ronny's vrouw vanochtend gesproken. Ik zei tegen haar: "Ik heb gehoord dat je tot het afgelopen jaar met Ronny in het huis van zijn vader hebt gewoond. Heb je Ronny ooit horen dreigen dat hij zijn vader zou vermoorden?" Ze zei alleen maar: "Ik hoop dat hij de stoel krijgt. Hij betaalt niks voor de opvoeding van het kind. Denk je dat ik recht op het huis heb als Ronny de elektrische stoel krijgt? Dat zou alleen maar rechtvaardig zijn. Hij betaalt helemaal niks voor de opvoeding van het kind." Dat was het enige wat ze over Ronny zei. Ze woont samen met een of andere kerel in een caravan buiten de stad. Ik hoorde hem op de achtergrond terwijl hij haar ophitste over de erfenis van het huis.'

Ik liep het huis weer binnen. Door de koude stenen was alles binnen koeler dan buiten: alles had een grijzige tint. Om het huis stond een kring van bomen die jaren geleden waren geplant om schaduw te bieden tegen de zomerse hitte. Het gebouw had de huiselijkheid van een traag landelijk bestaan, een honingraat van kleine kamers waar alleen de hoogstnodige spullen langs de kale geverfde wanden stonden. Ik rook de heilzame geur van champignonsoep en Hamburger Helper, en een doordringende geur van reuzel, die afkomstig bleek van een steelpan op het fornuis. De keuken hing vol zwartgeblakerde potten en pannen, en zeven voor meel en voor het afgieten van rijst; er stonden potten met kruiden langs de rand van een keukenplank, en er lag een ingekerfde snijplank voor vlees en groente. Boven een grote porseleinen gootsteen hing een gehaakt dankgebed. Een klok tikte het bestaan weg boven een groot stalen fornuis met sierlijk uitstaande poten. Het was overal schoon en netjes ondanks de dood van de moeder. Ik probeerde te bedenken waar Ronny zijn vader in stukken kon hebben gehakt, waar het gevecht kon zijn uitgebroken. Ik liep naar de krappe badkamer, waar oude flessen shampoo en Brut-aftershave stonden. De ringen van het douchegordijn waren helaas niet kapot. Ik had me er al op ingesteld om luidkeels te roepen: 'Kijk hier eens!'

In de zitkamer stond een schommelstoel waarover een lappendeken hing naast een mand met breiwerk die, overdekt met een laag stof, was blijven staan ter nagedachtenis aan de overleden moeder, en er lag een boek met patronen. Boven de haard hing een foto van Ronny's bevordering tot marinier naast het portret van Ronny's vader uit de Koreaanse Oorlog. Charlie Lawton was er ook, naast een condoleancebrief van het Amerikaanse leger. Op de foto's hadden ze allemaal ongeveer van dezelfde leeftijd en dezelfde lange kin.

Pete stond nog steeds buiten en was uiterst gespannen. Hij stak de ene sigaret aan met de andere. Pete keek me aan. 'Misschien snap ik nu waar het allemaal om draait, Bill. Al dat gedoe over dingen in stukken hakken en zo. Al die films over moord. Kijk maar eens in de slaapkamer. Dan wordt je duidelijk wat je graag wilt weten.' Zijn gezicht ging gehuld in rook.

Ik liep het naargeestige hol van Ronny Lawtons slaapkamer binnen, naast de kamer waar de wasmachine stond. Een reusachtige poster over radioactieve neerslag waarschuwde in rode letters: RADIOACTIEF! NIET BETREDEN. De kleine vierkante kamer was van vloer tot plafond volgeplakt met een collage van posters van vrouwen, muzikanten, American football-helden, filmsterren, vrouwen in badpakken, beroemde sterren als Farrah Fawcett, Suzanne Somers, Daisy van *The Dukes of Hazzard* en Susan Anton: een topografie van grote borsten en harde tepels. De foto's waren op zo'n manier vastgeplakt dat delen van de vrouwenlichamen werden afgesneden door andere posters. De hoofden van Charlie's Angels stonden boven de androgyne onthoofde lijven van de Bee Gees in hun witte jumpsuits van *Saturday Night Fever*. Het gezicht van Roger Staubach grimaste achter een masker terwijl hij obsceen een spiraal losliet tussen de gespreide benen van een Dallas Cowboys-cheerleader die twee pompons ophief in een moment van vermoedelijk helse pijn. De beruchte tong van de leadzanger van Kiss, Gene Simmons, krulde zich in het decolleté van Suzanne Somers, en de rode tong van The Rolling Stones leek hier en daar orale seks uit te voeren met de maandelijkse lievelingen van de bladen *Hustler* en *Club*. Er was ook een foto van Rocky die in een sportzaal met gewichten in de weer was. Ronny had kleine modellen van R2-D2 en C-3PO die op batterijen werkten. Ik drukte op een rode knop op de rug van C-3PO en hij zei met metaalachtige stem: *May the force be with you.*

Pete stond achter me. 'Ik durf te wedden dat iemand die zijn schaar zo gebruikt als Ronny, zijn vader in stukken heeft gehakt.'

Het was een monument dat in een kleine ruimte was samengeperst, een imploderende nachtmerrie met een maximale zwaartekracht en een grote dichtheid, elke centimeter van de kamer bevolkt door het levende virus van Ronny's verlangen.

Pete pakte een tijdschrift. 'Moet je horen. Dit heeft hij omcirkeld. "Melody, 1,63 meter, 46 kilo. Grote bruine ogen. Lange sexy benen. 92-66-94. Parmantige harde tepels. Mijn poesje is roze in het midden en heel vochtig. Mijn kleine stevige kont wacht op je kus. Ik houd van een harde kloppende pik."' Hij bladerde verder. 'Wat vind je van deze? "Kimberley. Mijn knopje is nat. Ik weet dat je het met je tanden wilt grijpen. Ik wil dat je het likt. Ik wil dat je het neukt. Ik wil je helemaal in mij. Ik wil je harde pik."'

'Hij is in elk geval geen analfabeet,' zei ik.

'Zo kun je het ook bekijken, vermoed ik.'

Vervolgens gebeurde er niets bijzonders meer. Uiteindelijk zagen we hoe de vinger werd weggehaald en in een doorzichtig plastic zakje gestopt. Het leek eigenlijk gewoon zo'n plastic zak waarin je een goudvis van de jaarmarkt mee naar huis neemt.

Toen riep er een smeris vanuit de kelder. Ik ging met Pete, Linda Carter, Ed Hoskin en het forensisch team in een langzame optocht naar beneden; daar vormden we een kring rond de kleine uitgegraven verhoging. Ik zag hoe Ed Hoskin zich omdraaide en een kruis sloeg. Hij liep weg, sloeg een hand voor zijn mond en toen kwam de inhoud van zijn maag omhoog. Ik liet hem passeren.

In de verhoging was een kleine zwarte doos verborgen geweest, als een begraven schat. Het ging echter niet om een stuk van Ronny Lawtons vader, maar om het restant van een klein skelet van een baby dat in een halfverteerd kleed van kantwerk was gewikkeld. De armen lagen in vrome rust als twee stokjes over de borst gekruist.

'Jezus christus!' mompelde Pete.

Een van de twee forensische wetenschappers knielde alsof hij in gebed verzonken was. Met een pincet peuterde hij een stukje van het kantwerk en het bot los. 'Na koolstofdatering weten we meer.'

Ed kwam weer langzaam met de driepoot naar beneden en maakte omtrekkende bewegingen, waarbij hij het spinachtige apparaat heen en weer liet kruipen om goed zicht op het kleine ingekapselde kindje te krijgen.

Ik ving even zijn blik. Hij wendde zijn ogen alleen maar af, alsof ik hem vroeg iets over zichzelf te vertellen, alsof ik hem uitdaagde. 'Tot kijk, Ed.' Ik klopte hem op zijn rug. Voor deze zaak had ik hem nodig als bondgenoot.

De kelder zou verder niets meer opleveren, geen andere lichaamsdelen. Ik ging naar boven, naar het felle blauwe daglicht en moest mijn ogen even afschermen.

Linda Carter had een ontstelde uitdrukking op haar gezicht, iets van een moederlijke triestheid onder de laag make-up. Ze verontschuldigde zich, trok de deur van de badkamer achter zich dicht en bleef daar een lange tijd.

Er was sprake van een patstelling in het huis. Ik ging naar buiten en zwierf rond over het erf. Ik moest nu geconcentreerd blijven en ook het oppervlakkige deel van dit verhaal in het oog houden, dat van het oude nieuws en de oude moorden, om hier iets van te kunnen maken. Voor de komende avond moest ik een nieuw verhaal hebben. Ik voelde de druk van de deadline. Ik keek om me heen, terwijl de intense gloed van het licht alles neersloeg. Dit was de ochtend dat ik het AP-nieuws had gehaald op basis van niets meer dan een jaarboekfoto. Ik zei bij mezelf: 'Blijf oog houden voor de basisgegevens.' Ik zei het hardop. Het werd een soort mantra.

Ik liep over het erf en passeerde enkele agenten die het terrein afkamden. De menselijke keten was terug van de zoektocht; ze zaten broodjes te eten, terwijl hun honden kommen water leegslobberden. Het was zwaar werk in de hoge maïsvelden.

Er bewoog niets bij het huis van Lawton. Ik werd getroffen door die sombere onbeweeglijkheid, de macabere metafoor van auto's die her en der op blokken stonden, met hun ingewanden eruit gescheurd na inmiddels opgegeven pogingen om ze weer tot leven te wekken, en daartussen moersleutels, olieblikken, wieldoppen, startmotors, accu's, allemaal uitgestald op oude krakkemikkige tafels. Het was een prehistorisch museum van dorsmachines, oude tractors, aanhangwagens, een verwaarloosde kano en afgedankte auto's die, overdekt met een marmerachtige laag vogelpoep, opdook tussen het hoge gelige gras. Ik dacht na in de trant van zinnen, in de trant van drama, over deze in onbruik geraakte machines als onderdeel van de chaos, waarin iemand zichzelf deconstrueerde door alles om zich heen te ontmantelen totdat hij zich op een dag omdraaide en zijn eigen vader in stukken hakte. Daarover wilde ik spreken, over de treurigheid van dit bestaan. Ik wist helemaal niks van forensische wetenschap en onderzoek van vingerafdrukken, zoals die wetenschappers; ik wist niets over koolstofdatering van een dood kind.

Ik wist niet hoe je met fysiek geweld een verdachte kon laten bekennen, zoals Pete. Ik stond daar gewoon en wilde het over de treurigheid van dit bestaan hebben. Het was het enige wat ik kon.

Terug op de krant dronk ik te veel koffie. Ik legde de laatste hand aan een artikel dat me boven het hoofd was gegroeid, een lang grillig spoor van treurigheid. Het kantoortje rook naar aangebrande toast. Sam had een kleine brandje in zijn toasteroven veroorzaakt en was pisnijdig. Nu belegde hij twee boterhammen met tonijnsalade, terwijl hij aan het mes in zijn hand likte toen ik opkeek. Hij gebruikte een of andere speciale saus voor die broodjes, die eigenlijk gewoon een mengsel was een Thousand Island-dressing en mosterd. Ik wist dat ik altijd net moest doen alsof ik zijn geheim niet kende. Dat maakte deel uit van mijn baan: zijn creaties proeven en mijn lippen tevreden aflikken. Maar voor het eerst sinds tijden had ik geen honger. Ik was echt bang. Het was uit de hand gelopen. De zinnen vlogen kriskras over de pagina, een warboel van woorden.

De kleine zwart-wittelevisie stond zachtjes aan, met een herhaling van *The Dick Van Dyke Show*. Ik keek op en in die tunnelvisie van angst zag ik hoe het magere lijf van Dick Van Dyke over een bank duikelde. Ik hoorde het ingeblikte lachsalvo. Zoiets vonden de mensen in de jaren vijftig komisch, fysieke humor. Ik deed mijn ogen dicht en kreunde.

Sam belde naar Ed. 'Ik sta klaar om de bestelling op te nemen, Ed,' zei hij. Ik luisterde naar de ruis van Eds antwoord. Ik wilde zeggen: 'Jezusmina! Hoe moet ik verdomme mijn verslag afkrijgen met al die flauwekul om me heen?' Maar ik zei helemaal niets. Sam betrapte me er echter wel op dat ik het dacht. Hij vroeg: 'Ben je al bijna klaar?' Hij keek op zijn horloge. 'Deadlines, Bill. Deadlines. Daar draait het om in de krantenwereld. Het hoeft niet mooi te zijn, als het maar accuraat is.'

Uit de toasteroven steeg een rookpluim op. Ik zag het brood vlam vatten. Ik riep: 'Sam!' Hij draaide zich om, gaf een brul en zette het apparaat uit. In de verstikkende rook legde ik het artikel op Sams bureau en liep weg naar de wc met het gevoel dat ik moest overgeven. Het artikel ging ongeveer als volgt...

'Hoe kan ik nog binnen een menselijke context spreken zonder me bewust te zijn van het universum daarbuiten? De meetlat van gebruiken in de stam, het koninkrijk, het land of het wereldrijk waarmee we vroeger konden bepalen wat onze zogenaamde "universele wetten" waren, is uitgebreid tot een dimensie buiten het menselijk bereik...'

Ik hoorde Sam buiten de wc roepen. 'Wat is dit verdomme? Praten we wel dezelfde taal?'

Ik hield mijn hoofd in mijn handen met een soort wanhoop die ik niet graag erken. De stank van aangebrande toast had zich in mijn huid vastgezet. Dat was het enige wat ik nog rook.

Sam riep naar Ed Hoskins dat hij meteen boven moest komen. Ik zat daar maar op de wc en luisterde. Mijn voeten schraapten over de koude tegelvloer.

Ed was naar boven gekomen, want ik hoorde hem spreken. Sam zei: 'Ed, zeg jij eens of je verband ziet tussen deze tekst en de Ronny Lawton-zaak.' En toen las hij voor: 'We leven in een tijdperk van lichtjaren. Ons nieuwe referentiepunt ligt nu buiten enig bereik van de menselijke waarneming. We kennen de feiten: $E=mc^2$ (energie is massa maal de lichtsnelheid in het kwadraat), het licht heeft een snelheid van 300.000 kilometer per seconde, het licht van de zon heeft negen minuten nodig om ons te bereiken. Massa en energie zijn uitwisselbaar, niet exclusief. We weten dat protonen een positieve lading hebben en elektronen een negatieve. Deze kosmische catechismus leren we uit ons hoofd om onze eigen planeet niet te schande te maken, net zoals we onze tafels van vermenigvuldiging moesten leren om in het leven op aarde niet bedrogen te worden...' Sam schreeuwde het nu uit, en bij mijn bespreking van *De staat* van Plato en het spook van Nietzsches nihilisme raakte hij buiten zinnen. 'Waar slaat dit allemaal op, Ed?'

Ed antwoordde: 'Het is ambitieus tot buiten het bestek van de journalistiek zoals wij die kennen.'

'Zeg dat wel.' Sam bonsde op de wc-deur. 'Bill, kom eruit, nu!'

Voor de show spoelde ik gauw door alsof ik echt geweest was, en toen kwam ik naar buiten. Mijn gezicht zag er belabberd uit in de spiegel, rood van de inspanning.

Sam scheurde het verhaal aan flarden boven zijn bureau.

Ik stond er naar adem happend bij.

'Je bent vandaag toch bij dat verdomde huis geweest?' schreeuwde Sam. Hij porde tegen mijn borstbeen. 'Heb je daar nog wat anders gezien behalve Einstein, Plato en Nietzsche?'

'Jawel.'

'Wil je dan meteen naar je kantoor gaan en de beste lezers daarover vertellen?'

Ed overhandigde Sam een korrelige opname van de vinger uit het huis. Sam bolde zijn wangen. Hij zei: 'Ronny Lawton heeft zijn vader dus echt in stukken gehakt. We nemen die foto daar. Godallemachtig.'

Mijn mond stond nog half open, alsof ik mijn verstand kwijt was.

Sam draaide zich om en keek me aan. 'Als je medeleven zoekt, Bill, dan doe je dat maar in je vrije tijd. En nu oprotten!'

Sam bleef nog een kwartier lang vloeken, terwijl hij de verkoolde resten van het broodje uit de toasteroven peuterde. Hij had het raam opengezet om de rook te verdrijven.

Ik plofte neer achter mijn bureau en schreef iets wat ik opleukte met wat de buren hadden gehoord, een uiteenzetting over het monster Ronny Lawton. Ik vertelde hoe de agenten de afgesneden vinger hadden gevonden, die kennelijk was afgeknipt met een snoeimes. Ik citeerde Pete over het lastige gegeven dat er geen bloed was gevonden. Ik opperde de verdenking dat de vinger er met opzet was neergelegd. Ik meldde dat de agenten het huis helemaal ondersteboven hadden gehaald, naar vingerafdrukken hadden gespeurd, de schuur en het erf hadden afgezocht, en tot laat in de avond waren doorgegaan met zoeken naar het vermiste lijk van Ronny Lawtons vader. Ik vertelde hoeveel mensen aan de zaak werkten en maakte een berekening van hoeveel het onderzoek het district per dag kostte. Ik vermeldde ook dat Ronny en zijn vrouw uit elkaar waren, en noemde haar naam, leeftijd en de middelbare school waarop ze had gezeten; ik vond een foto van haar in het jaarboek en plaatste een inzet. Ik belde Ronny Lawtons ex en citeerde haar uitroep: 'Ik hoop dat hij de stoel krijgt.' Ik vertelde ook dat Ronny een zoon bij deze vrouw had, noemde de naam van het jochie en zijn leeftijd. Ik maakte melding van het feit dat Ronny Lawton eervol uit het leger was ontslagen en dat hij in het leger zijn schoolopleiding met succes had voltooid. Ik sloot af met het feit dat Ronny gisteravond laat om een advocaat had gevraagd.

Sam nam het verhaal in ontvangst en keek het door, streepte hier en daar een regel weg, zette enkele zinnen in de tegenwoordige tijd en zei: 'De tegenwoordige tijd spreekt veel directer aan, Bill.' Toen glimlachte hij en zei: 'Ed, kijk hier eens even.'

Ed las het en keek op. 'Hij heeft alle feiten er tenminste wel ingezet. Ik vind het mooi, Bill, hoe je aan het eind de zaak openhoudt,' zei hij. 'Dat is pas echt goed schrijven.'

Sam spreidde zijn armen. 'Jaa, een soort... wordt vervolgd... Dat is goed.' Hij zei: 'Dit kan naar de drukker.' Hij reikte me over zijn bureau de hand. 'Je bent besmet met die verdomde universiteitsopleiding, Bill, besmet met de ziekte van abstractie.'

Ed zei zachtjes: 'Je bent een van ons, Bill. We weten heus wel dat je een ziel hebt daarbinnen.'

Sam sloot zich bij hem aan: 'Zo is het! Er zit een journalist in jou die erop wacht naar buiten te komen, en zo helpe mij God, ik ga die ook uit je trekken. Wat je in de allereerste plaats moet begrijpen in deze wereld, is dat je moet schrijven voor een zesdeklasser. Dat is het ontwikkelingsniveau hier, Bill. Zesde klas. Wij gaan uit van KISS – *Keep It Simple, Stupid.*'

Ed nam een slok oude koffie, veegde zijn mond af en zei: 'We hadden het erover toen jij hier kwam, dat je een jongeman was die meevoelde met wat er met ons allemaal is gebeurd. Dat je het zou begrijpen. Dat je ons niet in de steek zou laten. Maar Sam heeft gelijk, Bill. Houd het simpel.'

Sam maakte abrupt een einde aan de bespreking. 'Ed!' zei hij. Toen draaide Sam zich om en keek me aan. 'Je begint met de feiten, dat is alles, Bill...'

Ed wendde zijn blik af en staarde naar de vloer.

Sam zei: 'Ik denk dat Bill een van mijn beroemde tuna melts met de speciale saus heeft verdiend.'

Ed smakte met zijn lippen en knipoogde naar me. 'Dat is een goed idee.'

Ik stond er wat wezenloos bij. Alles draaide voor mijn ogen. Misschien was het de rook van de toasteroven, de branderige stank van een rampzalig brandje, waardoor er iets met me gebeurde, het onwezenlijke vooruitzicht dat ik met een broodje uit de toasteroven en een kop zwarte koffie zou zitten na alles wat ik die dag had gezien. Dit kantoor stelde niets voor, het was een anachronisme in een wereld van televisie, een bolwerk van een of ander ideaal uit de oude wereld van kleinsteedse waarheid en roddel. Met een beverige stem zei ik: 'Iets is doodgegaan daarbuiten, iets veel groters dan de vader van Ronny Lawton.' Ik begon te roepen. 'Daar wil ik het over hebben, over het rondvliegende puin van onze industrialisatie. Wat daarbuiten dood is gegaan, is veel groter dan Ronny Lawtons vader.'

Sam zei: 'Ik begrijp heel goed wat je zegt, Bill.' Hij nam mijn hand en zei zachtjes: 'Maar de mensen zijn alleen geïnteresseerd in de stukken van Ronny Lawtons vader.'

4

De zonsopkomst de volgende ochtend brandde een nacht van wanhoop weg en bevrijdde me van het rijk van de duisternis. Er stond nog geen bericht op het antwoordapparaat. De dieren in de dierentuin waren onrustig door de warmte. Vanaf de achterveranda zag ik de damp opstijgen uit de kooien die waren schoongespoeld, en rook ik de scherpe geur van uitwerpselen die in de richting van het huis dreef. Ik bleef staan en snoof de geur op, een van die jeugdherinneringen, de vreemde fascinatie van al die dieren op nog geen vijfhonderd meter van ons huis, apen, tijgers en krokodillen, dieren die ik 's avonds in boeken zag, maar die leefden in het ochtendlicht, dieren die onderdeel van mijn wereld waren. In mijn eerste levensjaren verkeerde ik te midden van deze vreemde menagerie, dit dierenrijk van de grote vlakten. Ik werd door een vrouw die voor me zorgde, geregeld meegenomen naar het eind van onze tuin, om naar de emoes te kijken die aan de buitenrand van de dierentuin over een langgerekt terrein liepen. Ik keek ernaar vanaf mijn kant van het hek.

Ik liep weer naar binnen en sloot de deur. Het was weer zo'n wolkeloze ochtend in juli die halverwege in een verzengende hitte zou overgaan zodat alles en iedereen begon te zweten en hangerig werd.

Ik nam een lange koude douche.

Sam belde om zes uur. 'We hebben het AP-nieuws weer gehaald,' riep hij.

Ik denk dat ik eigenlijk de hele nacht op dat bericht heb gewacht. Ik zat op de rand van het bed met een handdoek om me heen. Sam las de verkorte versie voor en ik deed me te goed aan het geronnen bloed van de beestachtige nietigheid van iemand anders. Ik was een soort intellectuele aaseter. De korte litanie van feiten die ik de vorige avond had uitgetypt, was in diverse landelijke kranten opgedoken.

'De verkoop rijst de pan uit,' riep Sam in mijn oor. Ik kon horen dat hij de hele nacht had zitten drinken. 'Ze onderwerpen Ronny Lawton in het gerechtsgebouw aan een test met de leugendetector. Ik wil dat jij erbij bent, Bill.' Hij zweeg even. Er klonk even wat gekraak. Ik hoorde hoe Sam het speeksel in zijn mond wegslikte.

Ik verbrak de stilte. 'Ik ga aan de slag, Sam.'

Sam zei: 'Je bent toch niet kwaad over gisteravond?'

Ik haalde mijn schouders op. 'Nee hoor, Sam.'

'Goed, Bill. Op dat punt moet je me vertrouwen. Ik weet wat de mensen willen horen. Ik zit al dertig jaar in deze business.'

'Oké,' zei ik alleen maar.

'Je hoeft Ed en mij niet te vertellen dat hier ook nog iets anders gaande is. We hebben het zelf meegemaakt, Bill, hoe deze hele stad naar de verdommenis gaat, hoe alles achterblijft in een naamloos graf. Ed, ik en je vader zijn de slachtoffers over wie je het altijd hebt. Ik weet dat je niet graag over de zelfmoord van je vader praat, maar hij zag hoe alles de verkeerde kant op ging...'

Ik was me bewust van de vreemde telepathie van woorden die in een ochtendstilte werden uitgewisseld. Ik stond op en liep naar het raam, keek naar het donkere bakstenen fort van de dode industrialisatie in onze stad. Ik zag ons kantoorraam daar bij de op instorten staande graansilo's van de vroegere brouwerij langs de ruggengraat van de oude spoorlijn.

'... toen zijn bedrijf failliet ging, zag ik die blik op zijn gezicht, driehonderd man van hem zonder werk, geruïneerde levens...'

Ik zei: 'Sam, ik wil er niet over praten.'

'Ik wil alleen maar zeggen...'

'Sam!' schreeuwde ik. 'Ik weet dat ik filosofie gebruik zoals iemand anders een pleister op een wond.'

Sam zei: 'Shit, daar begin je weer met die flauwekul.'

'Sam, hebben we de *New York Times* gehaald?'

'Ja,' zei Sam. 'Dat klopt. Je had gelijk, Bill.' Hij leek een moment te aarzelen. 'Ik heb dit ooit eens van een krantenman uit Detroit gehoord: "Als je een vermoeden dat in je sluimert onder woorden brengt, dan is dat de publieke opinie." Ik denk dat hij bedoelde dat we allemaal de wereld om ons heen begrijpen als we er eerlijk over worden geïnformeerd. Meer kan ik je er waarschijnlijk niet over zeggen, Bill.'

'Ik begrijp het, Sam. Bedankt.' Ik hing op. Plotseling kreeg ik een onbehaaglijk gevoel omdat ik in de slaapkamer van mijn vader stond. Hij had hier vier jaar geleden zijn bestaan aan flarden geschoten, hier in deze slaapkamer; hij blies de achterkant van zijn hoofd weg terwijl de kracht, het vlees van zijn angst door de kamer spoot in een roze bloesem van bloed. Mijn vaders vriendin was in de slaapkamer toen het gebeurde, op een koude ochtend in februari toen er na een zware sneeuwstorm een bleek zonnetje opkwam. Mijn vader had een eenvoudige verklaring achtergelaten: 'Ik moet nu gaan.' Het briefje was getypt en verfomfaaid, alsof hij het al een hele tijd bij zich had gedragen.

Uit de rechtstreekse aanwijzingen – als een stille vorm van chantage om tot een regeling te komen had mijn vaders vriendin mij het verslag gestuurd van de analyse van het slijm dat van haar binnenwang was genomen – kan ik opmaken dat mijn vader minder dan een halfuur voor zijn zelfmoord orale seks met zijn vriendin heeft gehad. Hij moet wakker zijn geworden van het geblaf van Jones, onze hond; daarna is hij de slaapkamer uit geglipt, naar beneden gelopen en heeft de hond aangehaald en geknuffeld, want op mijn vaders badjas waren ter hoogte van zijn borst en zijn schouders afdrukken van hondenpoten te zien geweest. Hij fluisterde een woordje van spijt in Jones' oren en voerde hem vervolgens vergiftigd vlees. In het duister van die koude ochtend had mijn vader het besluit genomen er een eind aan te maken. Hij liep het huis weer binnen en maakte zijn vriendin wakker. Ze zei dat hij bibberde van de kou toen hij naakt voor haar stond. Hij bracht zijn schuldgevoel in haar tot bedaren, greep haar ruw bij haar lange blonde haar, porde in het duister van haar schedel met zijn afgestompte triestheid, vervuld van de naargeestige realiteit van wat hij had gedaan en nog zou gaan doen.

Jones lag niet meer aan het gif te likken in zijn kleine rode hondenhok; in de koude ochtendlucht lag hij al te stuiptrekken, terwijl er bloed uit zijn bek en anus wegstroomde in de sneeuw. Mijn vaders vriendin zei dat ze de hond buiten had horen kermen. Mijn vader moet het ook gehoord hebben, hij moet hebben gevoeld hoe het in zijn hoofd doordrong, terwijl hij in het duister van zijn vriendins schedel ronddoolde als in een generale repetitie van zijn eigen zelfmoord, zich de smaak van metaal voorstellend, de verstikkende aarzeling, en zich overgevend aan een laatste schot van onze genetische erfenis achter in de opengesperde keel van zijn vriendin.

Ze wilde twintigduizend dollar om haar mond te houden, als het ware. Die heb ik betaald.

Van mijn vaders hoofd konden ze niets meer maken, het was louter een massa verschroeid vlees en bloed. De doodskist bleef gesloten. En de arme Jones werd zonder enig ceremonieel weggevoerd naar een of andere plek waar ze dieren dumpen. Ik heb geen van beide meer gezien.

Ik heb gehoord dat je het gezicht van een dode geliefde moet zien, dat de open kist de dood een vaste vorm geeft, er een vastomlijnde verschrikking van maakt. Pas op dat moment kunnen je hersenen de laatste aanblik accepteren. Misschien was dat het wel, de angst dat hij daar niet in lag. Hij was al zo vaak in mijn leven verdwenen. Een tijd lang dacht ik wanneer de telefoon overging, dat hij het was, zoals hij vroeger had gedaan, die stem die zachtjes zei: 'Ik kom eraan.'

Ik ben nu de laatst overgebleven vluchteling van dit grote ijsrijk. Ik heb de herinnering aan hem de afgelopen jaren van me af weten te zetten, maar aan het stigma van een zelfmoord valt niet te ontkomen. Het wijst op een zwakke plek in het genetische erfgoed van de familie, een losse schroef in onze psychische uitrusting. Diep in ons lijf zit een knop voor zelfvernietiging waar we bij kunnen komen als we dat willen.

Vervolgens werd ik overal belaagd door de naam van onze familie. Hij lag op de loer in huizen, in de slaapzaal van mijn school, de verchroomde letters op oude koelkasten. Het was ondraaglijk. Daarop raakte ik ingesteld in mijn leven, de hoon van een eenvoudige machine in de periode na zijn zelfmoord. Als onze naam op een koelkast stond, kromp ik ineen en dacht aan de volslagen mislukking, ons onvermogen om het marktaandeel in stand te houden, de ondergang van het bedrijf, van mijn vader die boven in huis het pistool pakte en diep in zijn keel stak. En als ik onze naam niet op de koelkast zag staan, wilde ik het uitschreeuwen, wilde ik zeggen: 'Hoe goed is jullie apparaat nu eigenlijk?' Ik wilde het opendoen, het controleren, de deur openen en dichtslaan, de zuigkracht van het rubber beproeven. Ik wilde zeggen: 'Klootzakken, blijft jullie klotebier hier koud in? Is deze koelkast zo goed dat je er driehonderd man werkloos voor laat worden? Is hij zo goed dat het je geen sodemieter kan schelen dat mijn vader zijn hoofd kapotschoot toen hij het allemaal in stand probeerde te houden? Nou, klootzakken, hoe zit het?' In feite zei ik dat allemaal ook, totdat ik tegen het eind van mijn tweede studiejaar voor een behandeling naar een psychiatrische inrichting vertrok.

Zie je, de grote verschrikking waarvan mijn vader en ik beiden waren doordrongen, was het visioen van onze grote voorvader, die klootzak, die zich bij zijn dood met een cryogeen procédé had laten invriezen en had gezegd dat hij zou terugkeren om te zien wat we met het product van zijn zware arbeid hadden gedaan, met de grote onderneming die hij had opgericht. Die onsterfelijkheid achtervolgde ons, de eindeloze nachtmerrie dat we verantwoording moesten afleggen... aan hem in een of andere grote vrieskist, dat ijsmonster dat op zijn opstanding wachtte. Het ijsmonster sprak altijd in termen van de eerste en de tweede ijstijd, de ontwikkeling die zijn bedrijf doormaakte van de verkoop van ijsblokken naar koelkasten, de grote tijdperken van zijn eigen leven, en dat allemaal zonder ook maar een greintje ironie. Hij begon dan met flauwekul als: 'In den beginne was er een man...' Jezus, wat kun je zeggen van een man die verspreid over de continenten is gereïncarneerd, een huursoldaat die in het Russische leger van tsaar Nicolaas II had gediend, een man die zijn medemensen had afgeslacht in de tumultueuze revoluties van Oost-Europa, een deserteur die dwars door de ijskoude woestenij van Rusland liep terwijl hij onderweg kippen en eieren stal en in greppels sliep, een verfomfaaide figuur in militaire vodden, een plunderende pestlijer die naar oorlog en slachtpartijen rook, en die altijd met fluisterstem sprak over de ramp die hij achter zich had gelaten en zei dat hij verlangde naar een betere toekomst. Hij maakte de oversteek naar Engeland terwijl hij diep onder in het schip kolen in een fel oplaaiende ketel schepte. Hij was nooit verder dan de pubs langs de haven geweest toen hij voor een oorlog werd geronseld, stomdronken nadat hij twee dagen lang had gezopen. Toen hij bij bewustzijn kwam, bleek hij onderweg naar Zuid-Afrika te zijn, waar hij als soldaat in de oorlog werd ingezet en in een eindeloze hitte rondwankelde, gewapend met een bajonet, om het verzet neer te slaan en uit te roken. Uiteindelijk kon hij zich wegens ziekte gedeisd houden voordat hij naar Kaap de Goede Hoop ontsnapte, waar hij werk vond op een koopvaardijschip dat naar Liverpool voer. Vandaar ging hij verder naar Canada en langs de Grote Meren zuidwaarts naar Amerika, omlaag tot een knooppunt aan de rivier de Saint Joseph waar hij zich eindelijk vestigde toen hij, denk je dat eens in, negenentwintig was... Tegen die geschiedenis maten we ons af en schoten we altijd te kort. Het is dan ook niet zo vreemd dat mijn vader een pistool in zijn mond stak en er een eind aan maakte. En ook niet dat hij koos voor het vuur, voor het tegengestelde van ons ijsrijk, voor de verzengende baan van een kogel. Het is niet zo vreemd dat mijn vader zich twee meter onder de grond verstopt. Hij wist dat het ijsmonster zou weerkeren, dat hij uit de ijstijden ontdooid zou worden en zou brullen: 'Waar is mijn geld?'

Ik had nog een uur, en dus ging ik in de vroege ochtend zwemmen bij de plaatselijke YMCA, vijftig baantjes heen en weer. Zwemmen deed ik al sinds mijn vroegste jeugd en was ik ook tijdens de middelbare school blijven doen. Ik was er ooit toe verplicht door mijn grootvader, omdat hij in zijn herinnering op zijn kwetsbaarst was geweest toen hij tijdens die reis naar Zuid-Afrika op zee wakker werd in de wetenschap dat hij niet kon zwemmen; tijdens stormen zat hij weggedoken stilletjes te huilen. Het was een soort psychologisch letsel, een fobie voor het volledige verlies van controle die hij wilde overwinnen. Het was irrationeel, maar zo was hij. Hij kwam nooit dicht bij het water, maar hij hield mijn vorderingen bij en zo overwon hij indirect de enige angst die hij ooit had gevoeld.

De plotseling onderdompeling in het zwembad verdrong het onmiddellijke heden naar de achtergrond, maakte iets diep in mij uit de oertijd los, wat wetenschappers tegenwoordig een duikinstinct noemen, een aanpassing van het zoogdier aan het leven in het water, waarbij het bloed uit armen en benen wordt weggevoerd naar het hart en de longen om de lichaamstemperatuur in de kern op peil te houden. Dankzij die afgestompte euforie van drijvend zweven in het koude chloorwater kon ik afstand van alles nemen en een tijdje echt op mezelf buiten de wereld zijn. Hier kon ik ontsnappen aan mijn vader en grootvader, vooral mijn grootvader. Ik had een medium gevonden waarin ik me van hem kon losmaken. Ik zwom met volmaakte slagen, een sluimerende herinnering aan mijn training. Ik zwom met ritmisch gemak en sloot mijn ogen, terwijl mijn lichaam soepel en ontspannen om en om ging en mijn gezicht boven water kwam om adem te halen en weer onderdook. Ik wist wanneer ik de kant van het bassin naderde, waar ik me samentrok, draaide, en tegen de kant afzette, waarna ik als een zweepdiertje met mijn benen in het water sloeg, de meest elementaire vorm van beweging. Hier voelde ik me opperbest, als een voortplantingszaadje dat naar een onbekende bestemming zwemt.

Ik stond achter het observatieraam met allerlei andere mensen om me heen. Mijn haar was nog nat. Ik rook naar chloor, mijn huid was schoon en glimmend. Ze wisten dat ik had gezwommen. Ze zeiden: 'Weer een telegrafisch bericht van AP, Bill.' Ik glimlachte terwijl ik het zonder veel omhaal in ontvangst nam. Ik had de nacht van zweet en vermoeienis in het zwembad achtergelaten. Tevreden haalde ik diep adem, nu ik recent weer was teruggekeerd in de wereld van luchtademers. Op de een of andere manier had ik kort na het zwemmen altijd een afstandelijk en onbevreesd gevoel.

Linda Carter had het nationale nieuws niet gehaald. Ik denk dat ze anders geen tel in haar leven naar mij zou hebben gekeken, maar nu zag ik haar met die verwarde blik van wanhoop naar mij staren terwijl iedereen me gelukwenste. Het gemompel over mijn familiefortuin, over wie en wat ik was, moest haar hebben bereikt, omdat ik haar naar mij zag kijken. Ik voelde de seksuele besmetting van haar lange benen en met haarlak bespoten haar, de manier waarop ze het haar achter haar oor schoof wanneer ze sprak. Haar parfum pakte ons mannen allemaal in. Het verhoogde ons zelfbewustzijn. Linda glimlachte naar me.

Ik zei: 'Ik vind het geweldig wat je hebt gedaan met het nieuws, Linda. Je bent een licht in de duisternis van deze stad.'

Dat bracht haar flink van haar stuk, maar ze herstelde zich en zei terwijl ze een haag van witte tanden ontblootte: 'Ik vind jouw werk ook heel goed...'

Ik zag de blikken van de mannen, knipoogde en boog voorover met een vertrouwelijkheid die ongepast was, ik raakte Linda's schouder aan en zei heel zachtjes: 'Ik ben dankbaar voor de roofzuchtige waanzin die bij ons allemaal voor brood op de plank zorgt. Ik ben er dankbaar voor dat mensen nog steeds de behoefte voelen om een bijl op te nemen om de zaken te regelen.' De mannen vonden dat het grappigste wat ze in jaren gehoord hadden. We stonden gewoon allemaal te lachen en het was alsof er een reusachtige ballon van gespannenheid leegliep.

Ronny Lawton zag er vreselijk uit toen hij de verhoorkamer in kwam. Wij waren uitgenodigd op verzoek van zijn advocaat, een jonge knul in een sjofel bruin pak met een das die als een strop om zijn nek hing.

Ronny maakte een einde aan ons gelach. Via een kleine speaker in onze kamer konden we horen wat Ronny zei. Hij gaapte en veegde over zijn gezicht, kauwde op de binnenkant van zijn wang, stond op en speurde in het observatieraam naar een gezicht. Hij liep op het raam af als een dier in de dierentuin en graaide naar het glas; toen draaide hij zich om en zei tegen de man bij de leugendetector: 'Hoeveel klootzakken zijn er daar?' Hij wilde een glas water en een sigaret. Hij was nog niet helemaal klaar voor dit alles. Hij draaide zich om en stak zijn tong uit op enkele centimeters van ons aan de andere kant, en tikte met zijn vingers tegen het glas. 'Ik heb niks gedaan, horen jullie me? Ik heb jullie klootzakken gevraagd om te komen, weet je nog? Ik heb jullie gevraagd!' Zijn gezicht glom van het zweet. Hij beukte tegen het glas. 'Ik heb niks gedaan!' Hij bleef maar tegen het glas beuken.

Een man in een blauwe blazer, wit overhemd met das en een grijze broek zei op neutrale toon: 'Ronny, als je het breekt, moet je betalen.'

Ronny draaide zich om en keek de man alleen maar aan. Daarna wendde hij zich weer naar het raam. Zijn haar was kortgeknipt, bijna kaalgeschoren, waardoor hij een ouderwetse starende blik kreeg; zijn neus was scherp en lang en stak ver uit boven zijn dunne lippen. Hij droeg een mouwloos T-shirt dat aan zijn lijf vastkleefde, zodat de spieren onder de gebruinde huid zichtbaar waren. Wanneer hij inademde, bewogen zijn onnatuurlijk opgezwollen borstspieren in een uitvoerig samenspel van contracties die de aderen onder de huid deden zwellen. Twee donkerrode littekens op zijn bovenarmen gaven blijk van een enorme groei in een korte periode. Iedereen gebruikte tegenwoordig ook maar steroïden. Het was een van die gesublimeerde reacties op de teloorgang van onze stad, de afsluiting ervan tot een eiland, de bijna darwiniaanse aanpassing om te overleven.

Daarop haalde Ronny diep adem, sloot even zijn ogen en deed ze weer open. Hij balde zijn vuisten, sloeg zijn armen kruiselings over elkaar en hield vervolgens elke vuist afzonderlijk voor de spiegel. Op de linkerhand waren op de knokkels letters getatoeëerd die samen het woord HERE vormden. Hij hield zijn vuist daar, alsof hij wist dat we gebiologeerd waren. Zijn ogen staarden naar het raam. Daarna liet hij zijn linkerhand zakken en hief zijn rechtervuist, waar tussen de knokkels het getatoeëerde woord NOW te zien was.

We hielden ons stil achter het raam, spraken de woorden fluisterend uit, voelden hun indringende kracht, de fysieke gewaarwording van wat ze betekenden. Je kon je de situatie voorstellen waarin Ronny zo'n vuist geheven had. Het HERE was een dreigement tegen iemand, met het besef van een komend pak slaag. Het NOW op de weer geheven vuist was de snelheid van het recht, iets wat in iemands gezicht werd gestoten, een grove filosofie van de straat, een soort dreiging van het 'hier en nu'.

Toen opende Ronny langzaam zijn mond en vanuit de gekruiste houding bracht hij de twee vuisten samen en versmolt het NOW en het HERE tot het raadselachtige NOWHERE, nergens. Hij fluisterde dat woord NOWHERE tegen ons. Daarna zweeg hij, splitste het woord weer en wendde zich van ons af, zodat de abstractie NOWHERE in stukken viel.

Op de een of andere manier waren we verbijsterd en zijn voorkomen straalde een sterke kwaadwilligheid uit.

De man in de blauwe blazer zei: 'Ronny, we kunnen beginnen als je zover bent.'

Ronny nam een laatste trek van zijn sigaret, blies de rook uit zijn neusgaten en ging op een stoel zitten. Een andere man, in een wit overhemd met opgerolde mouwen, plaatste een aantal zuignapjes op Ronny's getatoeëerde armen, smeerde wat vaseline op Ronny's slapen en maakte hij een paar elektroden vast.

En toen begon het.

'Heet u Ronny Lawton?'

'Ja.'

'Bent u tweeëntwintig jaar?'

'Ja.'

'Bent u de zoon van Kyle Lawton?'

'Ja.'

Zo ging het een tijdje door, terwijl Ronny Lawton over de hele lengte van zijn tatoeages op beide armen vastzat aan elektroden. Hij staarde naar de witte muur van de verhoorkamer, knipperde met zijn ogen in de tijd tussen de antwoorden, de opeenhoping van feiten, de kille, effen stem van de man die de vragen stelde terwijl een andere man aan een bureau zat en naar de bedrijvige naald keek die over het millimeterpapier kraste, en de machine afstelde op de psyche van Ronny.

'Leeft uw vader nog?'

'Shit, heeft hij ooit geleefd?' Ronny Lawton lachte wrang. Toen werd hij rood en zei: 'Shit, hoe kan ik dat weten?'

De man die het vel papier bestudeerde, zette zijn bril recht op zijn neus en aarzelde.

De man die de vragen stelde, zei: 'U hebt met deze test ingestemd. Wilt u die dan ook op de juiste manier uitvoeren?'

Ronny draaide zich om, inclusief de slierten van de elektroden aan zijn hoofd, en staarde naar het observatieraam. Hij kreeg een norse blik en spande zijn armspieren. 'Ja,' antwoordde hij.

De test ging verder.

'Ligt er een lijk van een kind begraven in de kelder van uw huis?'

Ronny beefde.

De man herhaalde de vraag. 'Ligt er een lijk van een kind begraven in de kelder van uw huis?'

Ronny knikte. 'Ja.'

'Weet u wat er met dat kind is gebeurd?'

'Ja.'

'Is het uw kind?'

'Nee.'

'Weet u van wie het kind is, dat in de kelder van uw huis ligt?'

'Van mijn moeder.' Ronny keek weg naar ons achter het raam. Zijn ogen kregen een felle brandende blik. Misschien besefte hij nu voor het eerst dat zijn huis van boven tot onder overhoop werd gehaald en dat ze alles opgroeven.

'Weet u waar uw vader is?' vroeg de stem.

'Nee.' Ronny raakte de brug van zijn neus aan en kneep tot zijn ogen traanden.

'Hebt u ruzie gehad op de avond dat uw vader verdween?'

'Nee.' Hij schudde plechtig zijn hoofd.

De man zei: 'U moet stil blijven zitten.'

Ronny wendde zijn ogen af en keek toen recht vooruit naar het spiegelglas. Ik voelde de onderstroom van berekenende wreedheid in de manier van vragen, waarbij elke vraag een steeds krachtiger effect had om de verdachte uit te putten.

'Bent u gaan vissen in de nacht dat uw vader verdween?'

'Ja.'

'Had u een slechte relatie met uw vader?'

'Nee.' Weer de trage beweging van zijn hoofd.

'Hebt u ooit uw vader geslagen?'

'Nee.' Ronny trilde en zei: 'Ik heb... ik heb hem een enkele keer geslagen.' Hij verplaatste zijn voeten.

De man die de vragen stelde, haalde adem en keek omhoog naar een klok aan de muur. Hij vroeg nogmaals: 'Hebt u ooit uw vader geslagen?'

'Ja.'

'Hebt u uw vader in stukken gehakt?'

'Nee!' Ronny's stem stokte. 'Nee.'

Opnieuw etste de krassende naald een of andere cryptische betekenis.

'Hebt u uw vader vermoord?'

'Nee!'

'Weet u waar uw vader nu is?'

'NEE!'

'Had u een slechte relatie met uw vader?'

'Nee!'

'Hebt u uw vader vermoord?'

'Nee!'

'Weet u waar het lijk van uw vader is?'

'NEE!'

Zo ging het wel een kwartier door, terwijl dezelfde langzaam gestelde vragen en de plechtige bezwering van het 'nee' de kleine ruimte van onze kamer vulden. Het was er smoorheet. Ik leunde tegen het glas, staarde naar de man die de machine in het oog hield, naar het glimmende zweet onder zijn dunner wordende haar. Het was nauwelijks te geloven dat mensen hun leven wijden aan het traceren van de metabolische manifestaties van een leugen, wat die doet met het alkali in het zweet, de vertraging van een microseconde in het activeren van de synapsen, de lichte trillingen van het hart.

'Hebt u uw vader in stukken gehakt?'

'Nee,' ditmaal uitgesproken met een monotone stem.

Je kon zien dat er iets was veranderd, dat het effect was uitgewerkt: de draad van het drama, van de spanning, was helemaal afgewikkeld; zelfs bij een verhoor gold de wet van afnemende meeropbrengsten. De man die de machine in het oog hield, wist dat ook. Hij zei: 'We hebben genoeg zo.'

Ronny zat stil terwijl de man de elektroden van zijn hoofd plukte. Ronny vroeg zachtjes: 'Heb ik het goed gedaan?' Hij was zichtbaar aangedaan.

De man die de vragen had gesteld, gaf geen antwoord; de andere duwde de leugendetector voor zich uit naar een andere kamer.

In de periode na deze stilte zakte Ronny in en legde zijn handen tegen zijn slapen om over de lichte indeukingen te wrijven. Hij liep naar het raam en zei zachtjes: 'Juffrouw Carter, bent u daar? Ik wil u spreken. Ik wil dat de mensen mijn kant van het verhaal horen... Juffrouw Carter, bent u daar?' Hij wees naar het glas, raakte het zachtjes aan. 'Hé jij, meneer de toegewezen advocaat, regel jij het met haar...' Hij maakte een toeter van zijn handen en duwde die tegen het glas. 'Ik weet dat je daar bent.'

Linda Carter moest onwillekeurig glimlachen. Ik zag haar even naar mij kijken, alsof ze een soort overwinning ervoer. Ze legde haar hand tegen het raam op de plek van Ronny's gezicht. Ze zei iets, maar Ronny hoorde het niet.

We werden de kamer uit geleid terwijl een dikke man de verhoorkamer binnenkwam om Ronny verder aan de tand te voelen. We liepen naar een andere kamer, maar de speaker was nog hoorbaar op de achtergrond. Ik schoof heimelijk in die richting om te kunnen luisteren, terwijl een agent in burgerkleding een persverklaring voorlas. Hij ging maar door over flauwekul die we allang wisten, bevestigde het bestaan van de vinger en maakte melding van het feit dat de pick-up van Ronny Lawtons vader was verdwenen. Dat was iets waar we geen van allen aan gedacht hadden. Zoiets verborg je ook niet zomaar even. Het aantal rivieren en vijvers in de buurt is toch beperkt.

Vanuit de deuropening zag ik Ronny weer roken; hij zat met zijn armen over elkaar en blies kringetjes in het tl-licht. Hij zat steeds aan zijn hoofd en wreef over zijn slapen.

Ik hoorde Ronny opgewonden roepen: 'Heb ik het goed gedaan?'

Ik schoof steeds verder weg terwijl de agent nog altijd voorlas van een lange lijst met dingen die in het huis waren verzameld, het bloedspoor, enkele voetafdrukken...

Uit de microfoon klonk de zware ademhaling van de dikke man in de verhoorkamer. Hij plofte met zijn hele gewicht op de stoel neer; hij spreidde zijn benen voor een beter evenwicht en leunde naar voren terwijl de vetkwabben rond zijn middel neerhingen. Door de inspanning had zijn kale hoofd de glans van een opgewreven bowlingbal.

Ronny riep: 'Heb ik het nou goed gedaan of niet?'

Daarna ving ik enkele flarden op en schoof steeds dichter naar de verhoorkamer. Ik hoorde de dikke man zeggen: 'Ronny, ik heb gehoord dat je in het leger gespecialiseerd was in het fileren van kippen. Ik heb gehoord dat je weet hoe je het vel van een karkas stroopt, het mes in het kraakbeen zet en de botten stuk voor stuk wegsnijdt... Wat ik heb gehoord, is dat je het vel van een kip kunt stropen zoals anderen een sok van hun voet.'

Ronny schudde zijn hoofd. 'Jézus christus. Ik wil weten of ik het verdomme goed gedaan heb. Hoor je me?' Ronny stond op en beukte tegen het glas. 'Ik wil weg, stelletje klootzakken!'

Toen deed ik iets zonder er goed over na te denken; ik liep weg van de groep, ging de observatiekamer weer binnen, trok de deur achter me dicht en keek wat er ging gebeuren. Ik haalde diep adem en voelde mijn hart in mijn keel kloppen.

De ademhaling van de dikke man klonk als een blaasbalg. Hij verhief zijn stem. 'Vertel me eens waar dat vuil onder je vingernagels vandaan komt?'

'Dat heb ik ze al gezegd. Ik heb bij mijn visstekje naar wormen gegraven.'

'Ronny, Ronny, Ronny. Denk je soms dat ik gek ben? Volgens mij denk je dat. Je maakt me echt kwaad, Ronny, echt heel kwaad. Ik heb een zwak hart en dan begin jij met die flauwekul tegen mij in juli, net wanneer ik rustig in de schaduw wil zitten. Jij moet zo nodig rotzooi schoppen. Je kon niet even wachten tot de herfst, zodat ik tenminste buiten naar het verkleuren van de bladeren kon kijken...'

Ronny bracht zijn handen naar zijn hoofd en zweeg.

De dikke man schudde zijn hoofd. 'Volgens mij ging het zo bij jouw thuis. Dit is wat ik er tot nu toe van heb kunnen maken.' En hij gaf een korte beschrijving van een ruzie die uit de hand was gelopen, waarbij Ronny zijn vader had gedood.

Ronny keek de dikke man slechts aan. 'Ik heb helemaal niks gedaan,' zei hij alleen maar.

'Ik zal je vertellen wat we hier doen, Ronny. We willen weten welke bedoeling bij de misdaad thuishoort, niet welke daad precies. Begrijp je wat ik bedoel? Denk er maar eens over na. We zoeken uit welke bedoeling bij de misdaad thuishoort, niet welke daad. Bij elke daad kunnen er verzachtende omstandigheden meespelen. We moeten weten wat iemand dacht toen hij zijn vader doodde. Dat is misschien wel het belangrijkste van alles, weten wat iemand dacht toen hij iemand doodde.'

'Jezus christus! Zeg niet steeds dat ik hem heb vermoord.'

'Kijk, hoe meer ik moet werken, hoe pissiger ik word. Ik bedoel, als iemand het me lastig maakt en ervoor zorgt dat ik die hitte in moet gaan en het hele district door moet rijden op zoek naar bewijzen, dan word ik pas echt pissig. Ik houd niet van warm weer, Ronny. Je hoeft alleen maar naar me te kijken om te weten dat ik niet tegen die hitte kan.'

Ik schudde alleen maar mijn hoofd.

Daarbinnen zat de dikke man heen en weer te wiegen terwijl hij opnieuw begon. Hij liet Ronny een Pall Mall voor hem aansteken, en hij rookte en praatte, terwijl hij met zijn vinger naar Ronny en naar de buitenwereld wees. 'Mijn baantje bestaat eruit dat ik verhalen verzin, aannemelijke verhalen, Ronny. Jij geeft me een aantal feiten en verdachten, en daar ga ik mee aan de slag. Zo zit dit spelletje in elkaar, Ronny. Zo ziet het politiewerk eruit. Ik verzin een verhaal aan de hand van een aantal feiten. Laten we dus maar zeggen dat er ruzie was en dat de zaak uit de hand liep en dat jij je vader sloeg. Dan hebben we het niet over moord met voorbedachten rade, omdat je niet van plan was om hem te doden. Het gebeurde gewoon.' De dikke man stak zijn hand uit en raakte die van Ronny aan. 'En nu, jongen, kijk eens naar de feiten die we hebben. Ik zie een jonge kerel die zijn land gediend heeft, een man die in het leger zijn diploma voor de middelbare school heeft gehaald, een jongeman die de vergissingen in zijn leven rechtzette en die een goede toekomst voor zich had. Hij kreeg een baan als kok en verdiende voor het eerst in zijn leven geld. Dat krijgen ze allemaal te horen in de rechtszaal, hoe deze jongeman een ommekeer in zijn leven tot stand bracht. Natuurlijk, hij had een vrouw en kind die hem het leven zuur maakten vanwege geld, omdat ze alles wilden hebben. Maar hij probeerde op het rechte spoor te komen en woonde daarom hij bij zijn vader, zodat hij wat geld kon sparen...'

Ronny schreeuwde: 'Hé meneer, ik heb geen flauw benul waar u het over hebt!'

De dikke man trok zijn hand terug, maar hield aan; hij ging maar door.

Ronny riep: 'Dat is grote onzin!'

'Ik heb dit allemaal gehoord van mensen die bij jou in de omgeving wonen, Ronny, mensen die onder ede zullen verklaren dat jij en je vader als water en vuur waren. Wil je beweren dat jij me gewoon kunt aankijken en tegen me zeggen dat iedereen met wie ik heb gesproken een leugenaar is?'

Ronny schudde zijn hoofd. 'Ik had ruzie met mijn vader. Maar wat dan nog? Dat is nog geen moord!' Maar het was wel een bekentenis, en de dikke man ging weer door, terwijl Ronny Lawton alsmaar zei: 'Hij is alleen maar verdwenen. Ik spreek de waarheid. Hoort u me? Hoort u me, verdomme?' Hij draaide zich om en begon weer tegen het spiegelglas te schreeuwen: 'Dit hoef ik toch niet te pikken, meneer de advocaat? Meneer de advocaat, jij daar achter het glas? Ik wil dat je hier komt, nu! Vertegenwoordig me dan, verdorie nog aan toe!'

Maar er was geen advocaat. Dat zat me niet erg lekker. Ik wilde hier weg voordat er iemand kwam.

De dikke man spreidde zijn enorme, dikke vingers als zeesterren over zijn dijbenen en likte aan zijn lippen. Er vielen zweetdruppels van zijn reusachtige hoofd.

Ronny bracht zijn beide handen weer naar zijn gezicht en brulde alleen maar: 'Waarom doet u verdomme zo tegen mij?'

De dikke man leunde nog steeds naar voren. Hij zei: 'Oké Ronny. Laten we zeggen dat je je vader niet in stukken hebt gehakt, en dat ik nooit heb gezegd dat je dat deed. Laten we zeggen dat je de waarheid vertelt. Help jij me dan om het te bewijzen.'

Ronny stopte abrupt, leek op zijn tenen rond te draaien en keek de dikke man aan. 'Ik heb u alles verteld wat ik weet.'

'Goed dan. Ik moet een lijst met namen maken van mogelijke verdachten. Zo doen we die dingen in dit werk. Verdachten, motief en gelegenheid. Meer komt er niet bij kijken. Ik wil graag dat je me helpt, Ronny. Wie haatte je vader, Ronny? Wie haatte je vader zo erg dat hij hem in stukken hakte?' De dikke man pakte een klein notitieblok uit zijn borstzak en leunde op de tafel. 'Oké Ronny, begin met nadenken.'

Ronny zei: 'We hadden een python die Paul heette, die we drie jaar geleden zijn kwijtgeraakt. Hij is blijkbaar onder de vloer geglipt. 's Nachts kun je hem soms horen als hij langs de buizen glijdt. Wie weet hoe groot dat beest nu inmiddels is?'

'Ronny, kijk me eens recht aan. Wil je me nu echt vertellen dat een verdomde slang die Paul heet jouw vader heeft opgegeten?'

Ronny zei: 'Ik vertel u alleen maar wat er in dat huis is. Ik heb gelezen over een man die vermist was in New York, en uiteindelijk bleek dat hij was opgegeten door alligators in het riool.' Ronny wendde zich naar het raam. 'Dat verhaal is waar. Ik heb het ergens gelezen. Ik zweer het op de Bijbel.'

'En is die slang zo slim geweest om die verdomde sprong in de evolutie te maken om van wurging over te gaan op het gebruik van mes en vork om je vader in stukken te snijden, Ronny? Slangen verwurgen, ze slikken hun slachtoffer in zijn geheel door, Ronny.'

Ronny haalde zijn schouders op. 'Ik zeg alleen maar dat Paul vrij in dat huis rondkruipt.'

'Ga je echt meewerken, Ronny?'

'Jazeker,' zei Ronny. 'Wie zou mij uit de weg willen ruimen? Gaat het daarom?'

'Ja. Om te beginnen.'

Ronny trilde zichtbaar. 'Oké, goed dan. Wilt u een verdachte? Ik geef u een verdachte. Misschien moet u eens bij dat hoerige kutwijf van me gaan kijken! Ja, misschien moet u eens een kijkje bij haar nemen en bij die klootzak met wie ze nu optrekt, Karl Rogers.'

'Je bedoelt je vrouw?' vroeg de dikke man.

'Ja, dat kutwijf! Ga maar eens bij haar kijken!' Ronny liep naar het raam. 'Hé Linda, wil je me helpen bewijzen dat ik onschuldig ben?' Maar Linda was er niet. Ik glipte de kamer uit met in elk geval wat informatie waarmee ik verder kon.

5

Ronny werd vrijgelaten en ging terug naar huis, al mocht hij het district niet verlaten. Hij hervatte zijn werk bij Denny's. Een paar dagen later was ik nog laat op de krant en was de zaak vastgelopen in een patstelling. Bij AP verscheen nog een stukje dat ik over zijn vrijlating had geschreven, en daarna ging de zaak als een nachtkaars uit. Sam was kwaad omdat Linda Carter een exclusief interview met Ronny had gekregen. Er werd gezegd dat *60 Minutes* over een paar weken haar interview zou uitzenden als de zaak was opgelost. Daar werd Sam helemaal gek van. Hij dronk op kantoor, keek steeds naar Ed en mij en zei dan: 'Ik had er al jaren geleden uit moeten stappen. Ik had moeten weten dat dit zou gebeuren. Het geschreven woord is dood.' Onze verkoopcijfers daalden weer.

Met de somber stemmende malaise was het verschrikkelijk zwaar direct na Ronny's vrijlating, omdat we weer niets te doen hadden. Er was ook nog steeds geen bericht van Diane op het antwoordapparaat. Ik voelde het laatste draadje van onze relatie in alle stilte steeds dunner worden. Ik belde haar 's avonds laat op en sprak lange verwarde boodschappen in.

De dagen brachten geen verlichting, ze brandden met een gloeiende intensiteit die ervoor zorgde dat je alleen maar watermeloen wilde eten en in de schaduw schuilen. De droogte duurde al langer dan een week op de vlakten. Er ontstond een bepaalde verontrusting toen we ons daarvan rekenschap gaven – een week geen regen. Mensen begonnen de dagen te tellen, naar de lucht te kijken. De muggen waren inmiddels op volle sterkte. Ik brachten uren in de

YMCA door, in dat geheime rijk van vertrouwde bewegingen, waar ik de baantjes met mijn ogen dicht aflegde. Dat maakte de hitte draaglijk, daardoor kon ik aan het eind van de lange dagen goed slapen.

Ed en ik waren een hele ochtend bezig met het inzetten van horren. Ik bekeek ondertussen steeds de telegrafische berichten van AP en verwachtte alsmaar dat de telefoon zou overgaan. Ed ving mijn blik zo nu en dan op en glimlachte flauw. 'We willen graag dat jij en Sam donderdag over een week komen eten, Bill.'

'Natuurlijk,' zei ik.

'Zijn spareribs goed wat jou betreft, Bill?'

'Prima, Ed.'

'Darlene kan heerlijk maïsbrood maken.'

Ik ging weer over tot de orde van de dag, schreef voor de voorpagina een artikel over een muggenwerend middel en citronellakaarsen. En we hadden een stuk over de doe-het-zelfaanpak met een wondermiddel voor de behandeling van muggenbeten die we uit de *People's Home Library* hadden geplukt, een verzameling van natuurlijke geneesmiddelen die waren beproefd en getest door gewone mensen. Voor muggenbeten werd het volgende aangeraden: koud brood, modder of een brij van koolbladeren, yoghurtpapjes, fenol gemengd met water in verhoudingen van een op vijftig tot honderd, tafelzout of lampolie. Een ui die in ringen wordt gesneden en op de wond wordt gelegd, brengt binnen een paar minuten verlichting, evenals kattenkruid. Bij een andere remedie worden de uien met reuzel gekookt en daarna op de muggenbeet gesmeerd.

Ed maakte een schets van een mug en plaatste enkele namen bij de anatomische onderdelen. We haalden beneden een encyclopedie van de plank en Ed zocht de mug op, terwijl ik de plaatselijke universiteit belde om bij een bioloog enkele feiten te verifiëren over de paartijd van muggen, hun gemiddelde leeftijd, de manier waarop de mug bloed uit zijn slachtoffer opzuigt, en hoeveel bloed een mug gedurende zijn hele leven opzuigt.

Ik zei: 'Dat ziet er geweldig uit, Ed.'

Ed was zo discreet om niets te zeggen, hij fluisterde me alleen toe:

'Het wordt wel weer anders, ik garandeer het je.'

'Hoe weet je dat, Ed.'

'Het is een gevoel. Nog even geduld.'

Het was alsof hij er meer van wist, of misschien was dit gewoon zijn manier om de pijn te verzachten. Ik probeerde bij hem los te peuteren wat hij ermee bedoelde dat het wel weer anders werd, maar het was alsof hij wist dat hij te veel had gezegd of zo.

Ed ging naar de wc en bleef er wel bijna een halfuur. Ik ging ook naar binnen. Er hing een onwerkelijke geur. Ik hoorde Eds schoenen over de vloer schuiven, ik zag de zwarte schoenen onder de deur door met het hoopje van zijn broek rond zijn enkels. Er heerste een algehele stilte, terwijl de voeten nadenkend afwachtten als twee zich verschuilende kakkerlakken. Slechts een kleine tussenruimte scheidde mij van Ed, maar ik hield me stil. Ik had hier niet moeten komen. Uit ziekelijke nieuwsgierigheid was ik zijn wereld binnengedrongen. Het was alsof ik toekeek hoe het begin van de dood zich ontvouwde, een langdurig, stil leed dat op de een of andere manier geacht wordt je vermogen tot menselijk medeleven en liefde te vergroten. Ik had dat niet meegemaakt bij mijn vader, alleen maar het abrupte einde van zijn hersenen tegen de muur. Ik had er niets aan gehad. In Ed zag ik iets wat me nederigheid kon leren. Ik liep naar het urinoir, maar ik kon niet. Ik keek over mijn schouder naar die nadenkende voeten op de vloer. Ik hoorde de klep van de wc-rolhouder achter de deur, een geluid dat alleen in deze stilte viel waar te nemen. Ik liep naar de spiegel en waste mijn handen terwijl ik maar naar de onbeweeglijke voeten bleef staren. Ed zat op de lage geëmailleerde toiletpot met een houten bril; hij verroerde zich niet en hield alles binnen totdat ik zou vertrekken, wat ik ten slotte deed. Ik ging weg zonder een woord te zeggen, omdat mijn problemen mijn eigen zaak waren. Ik had heus niet het recht om te eisen dat een man met brandende ingewanden voor mij een soort symbool zou worden.

Gedurende de lange dagen van stilte slofte ik heen en weer naar de koeltank om liters water te verzwelgen en mijn nek nat te maken met een vochtige doek. Ik hield soms even halt bij Sams deur, aarzelde en hoorde hem zachtjes met Ed praten. Er was iets vreemds aan de manier waarop Sam en Ed elkaar aankeken wanneer ik omzag. Ik had het gevoel dat ik hen er zo nu en dan op betrapte dat ze elkaar toeknikten. Soms leken ze in een stiekeme discussie verwikkeld te zijn, waarmee ze stopten zodra ik de kamer binnenkwam. Ed zei zoiets als: 'Goed, dan doen we Pabst Blue Ribbon, Sam. Een pak van twaalf flesjes moet wel genoeg zijn? En met een glimlach vroeg hij mij dan: 'Heb jij bezwaar tegen Blue Ribbon, Bill?'

Ik zei: 'Nee.' Maar wat ik eigenlijk wilde zeggen, was: 'Waarover praten jullie achter mijn rug?' Vaak gingen ze weg voor de lunch en lieten mij alleen achter.

Ik had de indruk dat het nu elke dag met deze krant gebeurd kon zijn. Ik had het gevoel dat dit voor mij het einde van de wereld zou betekenen. Ik zal je een klein geheimpje vertellen. Ik ben gezakt voor het toelatingsexamen van de rechtenstudie. Ik bedoel, geen enkele rechtenfaculteit zou me hebben aangenomen. Gedurende de voorjaarsvakantie van het voorlaatste jaar loog ik zelfs dat ik ziek was om een intensieve cursus van een week in New York te kunnen doen die groot succes verzekerde. Ik zei er niets over tegen Diane. Ze had verteld dat ze misschien het toelatingsexamen zou afleggen, maar dat ze het nog niet zeker wist. En ik maakte er een grote puinhoop van. Dat is een van de belangrijkste redenen waarom ik hier ben, en het huis natuurlijk. Ik had het huis kunnen laten zitten als ik iets anders had gehad, een rechtenstudie ergens in het land, want wat kun je in 's hemelsnaam in deze wereld bereiken met een laag gemiddeld cijfer voor filosofie aan een tweederangs universiteit? Waar ik me nog echt kwaad over kan maken, zijn die ezelachtige vragen, die spelletjes in de logica waarbij je een paar kloteplanten meer of minder water op dit of dat moment van de dag moet geven. Ik bedoel, wat heeft dat nou met de wet uit te staan? Ik heb nog nooit een geranium een getuigenverklaring voor de rechtbank zien afleggen. Jezus christus, wat kan ik daar woest om worden. 'Geachte juryleden, deze rozen worden verdacht van stelen.'

Ik opende enveloppen van de rechtbank met gerechtelijke bekendmakingen en pakte het rekenmachientje erbij om de woorden te tellen en de prijs te bepalen. We vroegen tachtig dollarcent per woord. Ik schreef het allemaal op in een klein opdrachtenboekje. Dat was pas handig voor ons, een register van gerechtelijke bekendmakingen, over wie in verband met wat werd gezocht.

Al de tijd dat ik de bekendmakingen overschreef, dacht ik steeds dat er iets was wat ik had kunnen doen om bij Ronny in de buurt te komen en ervoor te zorgen dat hij met me praatte, dat hij mij in vertrouwen nam in plaats van Linda Carter. Ik zei alsmaar bij mezelf: 'Dit is een beslissend moment in je leven. Ga verdorie met die man praten. Zoek uit wat er is gebeurd!' Ik bedoel, ik zei dat alsmaar bij mezelf, steeds weer. En toen belde ik hem thuis op en kreeg hem aan de lijn. Ik vertelde wie ik was, maar hij zei alleen maar: 'Klootzak! Ik heb gezien wat je met die foto van me hebt gedaan, lul.' Einde verhaal.

Ik zat enige tijd in de bibliotheek oude artikelen uit de geschiedenis van het district op te sporen, om te beginnen met wat hopelijk zou uitgroeien tot een serie artikelen over de oude verschrikkingen die ons door de jaren heen hadden bezocht. Het middendeel van de krant brachten we in de sepiakleur van een voorbije tijd, donkerzwarte inkt die op een ouderwetse manier was gedrukt. Ik vond een verhaal over Arnold Preston, die in 1902 in dezelfde week als die van onze huidige tragedie was aangetroffen nadat hij zich in zijn zondagse kleren aan de balken van zijn plafond had opgehangen; hij was volgens de verklaringen al zo'n twee weken dood, omdat hij toen voor het laatst gezien was tijdens de kerkdienst. Hij hing erbij als een lichaamloze vogelverschrikker; zijn zondagse hoed was iets omhoog op zijn voorhoofd geschoven en zijn zware zwarte hoge schoenen leken wel twee ankers. Er kwam een afgrijselijke stank uit het huis, de lucht was vergeven van een zwerm zoemende vliegen toen bezorgde buren de deur intrapten. Ze gingen met een doek voor hun gezicht naar binnen, terwijl ze al wisten wat ze konden verwachten. In de achterkamer lagen de lijken van Arnold Prestons vrouw en drie kinderen van nog geen vier, twee meisjes en een jongetje, met doorgesneden keel.

Het was een jaar waarin de oogst was mislukt: de hitte had de maïs verschroeid tot bruine, dorre stengels en bijna alles was weggekwijnd en doodgegaan. Die zomer telde maar liefst tweeënveertig dagen van droogte. Arnold Preston was vier jaar eerder in Indiana neergestreken. Hij was een oorlogsinvalide van de Boerenoorlog, een man van in de veertig die was gevlucht voor het geweld en de onverdraagzaamheid in Europa. Dit zeiden ze over een man als hij, over wat hij had gedaan: 'De eenzaamheid werd hem te veel.'

Op de een of andere manier was er echter geen band met dat verleden. Het verhaal had een buitensporige, geforceerde triestheid. We publiceerden het, maar wanneer je het las, vroeg je je af waarom iemand de moeite had genomen om dat weer op te graven. Ik wist het maar al te goed. Ik werd er misselijk van als ik die troep las. Ik had de neiging om eropuit te gaan en de hele laatste editie weer te verzamelen en die troep te verbranden. 'Godallemachtig!' Gezamenlijk besloten we in de redactiekamer om het project na de eerste aflevering te schrappen. En toen stond ik met mijn rug tegen de muur.

Om me weer enigszins op te peppen stelde ik een lijst op met suggesties; de lezers konden aangeven waar ze dachten dat de resten van Ronny Lawtons vader begraven konden zijn. Dat werd door Sam en Ed geaccepteerd. Ze vonden het geweldig. Sam plaatste zelfs een tekst waarin we een beloning van vijfduizend dollar uitloofden voor degene die een juiste aanwijzing gaf voor de plaats waar Ronny Lawtons vader begraven lag. Dat pakte heel goed uit voor ons. We hadden een actuele lijst met gecontroleerde plaatsen en er kwamen steeds nieuwe suggesties bij. In de wijde omgeving was de menselijke keten uiteengevallen in kleine conglomeraten van geïnteresseerde en rivaliserende partijen, onderling verdeeld naar de kerkelijke gezindten. De zoektocht naar de vader van Ronny Lawton werd een kerkelijke bijeenkomst met ijsjes en frisdrank. Elke dag plaatsten we foto's van de menselijke ketens. Het sleepnet van hebzucht strekte zich over de landerijen uit. Sam staarde naar de foto's van de menselijke ketens. Hij zei: 'Dat is het kapitalisme op zijn best en op zijn slechtst.'

De menselijke ketens ontdekten echter niet de resten van Ronny

Lawtons vader, alleen maar dingen als oude dorsmachines en scherven van porseleinen kopjes uit oude huizen, helemaal overwoekerd ergens ver weg in de maïsvelden. Eén groep vond een stortplaats van chemicaliën in een vijver nabij de rivier de Saint Joseph: twintig vaten met chemicaliën die weglekten in de watervoorziening. Het moest worden geanalyseerd, maar als natie waren we gewend geraakt aan deze opgravingen, de stille begraafplaatsen van onze industrialisatie, de grote ondernemingen die ongestraft konden storten en laten weglopen, en ons vergiftigen. Het verschijnsel van Love Canal als de stille dood, geen Auschwitz van massagraven, maar een geheime moordenaar die zich via de lucht en onze watervoorziening verspreidde, een verschrikking die zich in onze genen nestelde, ons ziek maakte met kanker, onze kinderen misvormde voordat we zelfs maar doorhadden dat we het slachtoffer van onze vroegere industrialisatie waren. Uiteindelijk werd vastgesteld dat de chemicaliën in onze maïsvelden niet levensbedreigend waren, zodat zelfs dat verhaal voor ons bij de krant een vroege dood stierf.

We waren ondanks de lijst met suggesties weer terug bij onze oude indeling, waardoor we de krant aan het eind van de avond klaar voor de drukker zouden hebben. Het drama was nog niet helemaal uit de publiciteit verdwenen, maar sudderde slechts wat voort. De verontwaardiging en de angst waren afgenomen. Zelfs mijn dagelijkse stembus met alleen 'schuldig' en 'onschuldig' ontving steeds minder reacties. Ik werkte nu aan een lange verhandeling over wat ik 'Een theorie over stukhakken' noemde, die ik elke avond buiten Sams medeweten naar de AP-nieuwsdienst stuurde. Ik had nog steeds hoop dat ik kon ontsnappen, dat ik een gevoelige snaar had geraakt bij redacteuren in het hele land. Mijn theorie kwam erop neer dat het in stukken hakken van Ronny Lawtons vader verband hield met de inkrimping van grote ondernemingen, de ontmanteling van grote machtsstructuren, de afkeer tegen vakbonden waarvan onze natie doordrongen was, en ons plotselinge gebrek aan enige collectieve intelligentie en solidariteit. Alles viel uiteen. Dat was de grote metafoor waarvan ik mij bediende. Tussen die verdomde overlijdensberichten door schreef ik dit stuk over de betekenis van de 'individuele productiegroei' die we geacht werden op ons te nemen, het verschijnsel van minder loon en meer werkuren.

Sam stond op de gang bij de koeltank. Ik kwam overeind met in mijn hand een stuk waaraan ik bezig was. Ik liep in zijn richting, nam wat water en zei: 'Sam, kun je alsjeblieft even luisteren naar wat ik zonet heb bedacht?'

Ik ging bij hem in zijn kamer zitten. Zijn hoofd blokkeerde een stuk zonlicht en sneed een schaduw over een deel van mij uit. Ik had het vandaag vooral over *Rocky*. 'Sam, vind je ook niet dat *Rocky* een en al commentaar op de samenleving is, een ironische weergave van de grootheidswaan van individuele productiegroei die ons de laatste tijd wordt opgelegd? Neem nou de gigantische omvang van zijn fysieke lichaam. Wat is die anders dan een uitdijing op nieuw gebied, omdat er geen land meer valt te ontdekken en er geen nieuwe kolonie meer is te veroveren? Hij heeft zichzelf gekoloniseerd, Ed, daar in de vleesverwerkende vakbondsfabrieken is hij de gesublimeerde frustratie in de ring. Ik zeg je, als we over een paar jaar naar *Rocky* kijken, dan kunnen we zien waarin hij is veranderd. Ik zie hem al veranderen in een of ander vreemd en vervreemd wezen, dat het geloof in de Amerikaanse aanpak heeft verloren en zijn geboortestad terroriseert!'

Ik ging maar snel naar huis na alle kritiek die Sam over me uitstortte. Ik heb in mijn hele leven nog nooit een man gezien die zich zo aan genialiteit stoorde. Hij zei dat ik ziek was. Ik riep tegen hem: 'Dat is nou commentaar op de samenleving, mijn beste, het evangelie van onze neergang. *Rocky* is een verhaal dat ons waarschuwt voor de verschrikking waartoe wij als individuen in staat zijn wanneer we van het collectief worden afgesneden. Ditmaal eindigde het in de ring, maar het gevecht zal zich verspreiden tot op straat.'

Sam schreeuwde terug tegen me: 'Ik wou dat ik je kon kopen voor wat je waard bent, en verkopen voor wat je dénkt dat je waard bent. Dan zou ik een rijk man zijn.'

Thuis opende ik de mahoniehouten drankkast en schonk whisky in een van die vissenkomachtige glazen voor cognac. Ik at niets. Ik dronk door totdat het einde van de dag geleidelijk overging in een verdoofde slaap. Ik sliep van zes uur 's avonds tot middernacht. Ik had de wekker gezet. Ik stond op en maakte me gereed voor de nachtploeg bij Denny's, waar Ronny werkte, al was hij na zijn vrijlating al meer dan een week niet komen opdagen.

Het holst van de nacht was een wereld die anders altijd voor mij gesloten was gebleven, de uren van de slapelozen, het stille nachtleven van een andere soort. Maar nu werd ik een deel van die soort, ik stond om middernacht op om naar het restaurant te gaan.

Ik werd wakker in bed, bespeurde het geluid van een mug die met zijn lijf tegen het raam van mijn slaapkamer tikte en plette hem tussen mijn vingers. Vuurvliegjes lichtten op in de nacht als een twinkelende semafoor. Ik stommelde rond op zoek naar mijn kleren en nam een glas melk om wat in mijn maag te hebben.

Bij die eerste nachtelijke tocht die ik maakte, voelde ik de enorme leegheid van een wereld zonder enig leven. Het was een zwakke verdichting van details, van geluiden zonder betekenis, die de samenstellende delen onthulde, terwijl de auto een eenzaam traject door de nacht aflegde naar het restaurant, naar de karmozijnrode zone langs de weg, waar de neonlichten hoorbaar sisten.

Ik reed het terrein van Denny's op en liep door de deur naar binnen. Ik werd onpasselijk van de terneerdrukkende triestheid van de gele helderheid die onnatuurlijk afstak tegen de zwarte nacht. Ik was een domein van mannelijk verlangen binnengegaan. Het is moeilijk iets te begrijpen van het merkwaardige instinct dat mannen ertoe aanzet in hun auto te stappen en naar deze tenten te rijden om er zwarte koffie te drinken, taaie donuts te eten en te roken. Het is een soort slapeloosheid uit onvrede. Er hangt een geur van slaperigheid en drank en geestesziekte, een zure lucht van voeten en met brillantine ingesmeerd haar.

Ik ging aan een tafel zitten, rookte en dronk mijn koffie, terwijl ik gewoon keek naar wat er gebeurde en veel te veel at: grand slams met een coke, en daarna nog een koffie met een stuk pecannotentaart. Er voltrok zich een stil drama die eerste nacht. Ik zag het soort mannen dat een oogje heeft op de caissières van 24 uurs-benzinestations en 24 uurs-restaurants, met hun aanval van slijmerige zekerheid, het langzame web van woorden dat ze sponnen – 'Navond, hallo, hoe gaat het in deze mooie nacht?' Of ik zag mannen die bij het plaatsnemen sloom neerploften en de hele balie deden schudden. Ik heb ze allemaal gezien, hoe ze op hun kruk als jockeys voorover leunden om naar de serveersters te kijken, naar hun benen in witte sokjes en schoenen, hun ouderwetse jurken, de bruin-en-wit-geblokte schorten die rond hun middel waren gebonden, hun witte mutsjes en hun haar dat met spelden tot een knot was opgestoken. De serveersters boden van hun kant de lichte breedte van hun dijen, heupen om kinderen te dragen, ronde kuiten, lusteloos uitgezakte borsten, soepel babyvet als kalfsvlees, als iets wat altijd uit het zonlicht werd gehouden. En ja, ze leefden voor de schimmige wereld van het donker, lieten slapende baby's en snurkende vrienden thuis achter, startten hun Pinto, Duster of Chevette en verdwenen.

Om te voorkomen dat ik echt gek werd, begon ik weer te studeren voor het toelatingsexamen tot de rechtenstudie. Na de eerste nacht in het restaurant kocht ik een dik boek met vraagstukken waarop in grote letters en rode inkt TOELATINGSEXAMEN RECHTEN op het omslag prijkte, als uithangbord voor een sukkel die een verandering in zijn leven overwoog. Daarom scheurde ik het omslag van het boek af en trok delen los die in mijn zak pasten. Ik vouwde die delen tussen mijn krant en zette me in het restaurant elke nacht aan de studie. Het duurde niet lang of ik raakte weer verstrikt in een wirwar van vraagstukken. Ik staarde met glazige ogen naar de zinnen met dubbele ontkenningen die ik moest ontcijferen. Dit vraagstuk ging over sjaals en hoeden in een etalage, over de samenstelling van kleuren, over de mogelijke combinaties van hoeden en sjaals in de etalage volgens een lange lijst van criteria voor wat er WEL moest worden getoond en wat NIET. Ik stond op en liep naar de telefoon, ik zei: 'Diane, luister alsjeblieft. Als je thuis bent, neem dan op!'

Ik hield dit allemaal een week lang vol, waarbij ik steeds Eds verzekering voor ogen hield dat het wel weer anders zou worden. Maar dat was niet gebeurd. Ik bracht mijn handen naar mijn hoofd en wreef over mijn slapen. Ik werkte aan de lijst met suggesties voor de editie van de volgende dag, maar inmiddels was daar de nieuwigheid ook wel van af.

Zelfs in deze duistere solidariteit van sukkels kon ik niet aan mezelf ontsnappen. Ik zat er in de weerspiegeling van het raam, staarde naar mezelf met het potlood in mijn hand, en mompelde getallen en reeksen letters die wel of niet in de etalage pasten. Ik was bang omdat ik niet wist wat ik met mijn leven aan moest en elke dag het verschil voelde met de dagen dat ik het AP-nieuws had gehaald. Ik bleef bezig met de probleemstellingen, maar speelde zo vaak vals dat ik de bijbehorende antwoordenlijst thuis moest laten. Ik dronk zoveel koffie dat ik koffie zweette en die in alles proefde wat ik at en rook. Ik stond op van mijn tafel laat in de nacht en liet boodschappen op het antwoordapparaat achter, simpele vragen: 'Je hoeft me alleen maar te bellen om te zeggen dat het uit is. Dat mag ik toch wel van je vragen?' Toen las ik op een nacht een vraag over twee treinen die respectievelijk vanuit Nebraska en Chicago vertrokken, met vaste tussenstops en over trajecten die elkaar kruisten. Dit zou een ramp kunnen veroorzaken als de veilige snelheid van de treinen niet precies werd berekend. Ik hield het boek in mijn ene hand en stopte met mijn andere al het muntgeld dat ik bezat in het telefoontoestel. Ik had dat misselijkmakende, branderige gevoel van de scherpe koffiebonen en die verdomde vragen in mijn maag. Ik ging naar de wc en staarde naar de graffiti. Het is triest wat je daar leest, de eenzame zinnetjes, meestal over seks, aanbiedingen om je te pijpen met een telefoonnummer erbij, tekeningetjes van lullen en kutten door aankomende psychopaten. Het leek wel een biechtstoel voor onuitgesproken verlangens.

Ik ging weer aan mijn tafel zitten en keek naar de stille hinderlaag van verlangen, de hofmakerij rond de etenswaar; ik staarde naar de uitstalling van gebak en hoorde de hele nacht het sissen van het frituurvet op de achtergrond terwijl er van alles in werd ondergedompeld, en van een bakplaat met roereieren en reepjes spek, flensjes en maïspap en hachee met aardappelen en gebakken uien.

Ik ging naar buiten in de nachtelijke lucht, in de bries van een storm ergens op grote afstand; ik hoorde hoe er daarboven in de lucht iets van zijn plaats kwam, als een rotsblok dat verstoord door de nacht voortrolde. Maar die week regende het niet bij ons; er waren alleen maar bliksemflitsen zichtbaar in de verte boven de Grote Meren.

Ik keerde terug naar de vraagstukken en raakte uiteindelijk diep in mijn schedel verdwaald op die doodlopende weg van falende synapsen die geen getallen in mijn hoofd konden vasthouden. In de eerste week van mijn wake kwam ik pas laat thuis, net toen de zon opkwam. Ik was helemaal opgepept van de koffie. Het antwoordapparaat knipperde. Ik struikelde over een stoel op mijn weg naar het apparaat. De boodschap luidde eenvoudig: 'Vier uur en acht minuten.' Het was de stem van Diane. Het duurde even voordat ik besefte waar ze het eigenlijk over had. Het antwoord op de probleemstelling. Ik pakte het boek met examenvraagstukken erbij om het aan de hand van de antwoordenlijst te controleren, en het was vier uur en acht minuten. Ik belde haar meteen terug en kreeg haar antwoordapparaat. Ik riep: 'Denk je soms dat het mij ook maar iets kan schelen wat die treinen tussen Chicago en Nebraska doen? Jezus christus, hoeveel vrije tijd heb je daar eigenlijk wel niet? Wat ben je daar verdomme aan het doen, Diane? Zeg me alsjeblieft, waarom praat je niet meer met mij?' Daarna belde ik haar nog een keer en zei: 'Oké Diane, zeg me alleen maar hoe je toch aan die vier uur en acht minuten bent gekomen.'

Ik voelde de bonkende slapeloosheid van die nachten, de trage opname van cafeïne, terwijl ik zwarte kringen omringd door gele zag, de inspanning van de ogen wanneer ik van het licht aan het plafond naar het zwart in de buitenlucht keek, het geruis van de plafondventilatoren die draaiden alsof we elk moment voor een moeizame vlucht konden opstijgen.

Ik luisterde naar een man die een serveerster die Bee heette vertelde hoe ze met een zakmes een likdoorn van haar voet kon wegsnijden. 'Heb je een aardappel met pitten, Bee?'

Ze gaf hem er een. Hij haalde een mes uit zijn zak, knipte het voor haar neus open en vertelde haar dat ze haar voeten ruim vijf minuten in een bak met warm water en epsomzout moest weken tot de huid zacht werd, en dat ze daarna heel voorzichtig iets van de likdoorn moest afsnijden. Hij sneed in de bruine schil en groef toen dieper in de aardappel om de pit eruit te wippen.

Bee glimlachte tegen hem. Ze zei: 'Misschien vraag ik jou wel om me te helpen.' De man hield de pit van de aardappel omhoog zodat de anderen die konden zien.

'Bestelling klaar!' Het piepen van de draaischijf met bestellingen... De smeulende opwinding van mannen die haar iets wilden vertellen, mannen die luid gaapten, mannen die tussen hun tanden floten, mannen die met hun vingers op de balie trommelden, mannen die hun voeten heen en weer schoven, mannen die hun knokkels lieten kraken, mannen die met de krant ritselden, mannen die 'ja, ja, ja' deden, mannen die met een uithaal 'shiiiit' zeiden alsof ze langzaam leegliepen, mannen die klakgeluiden maakten, mannen die hun kunstgebit verschoven... Het was allemaal een soort lokroep. Het onnatuurlijke licht van het bestaan in dat restaurant, in die reageerbuis, die verdomde broedmachine van verlangen, was als een natuurdocumentaire over de seksuele capriolen van spinnen en insecten, of over die apen waarvan de kont die ze in het gezicht van andere apen duwen een felrode kleur krijgt. Het leek wel zo'n grotesk programma van *National Geographic* waarin alles zo is georganiseerd dat de natuurlijke rivalen elkaars territorium betreden en elkaar te lijf gaan in een poging de gunsten van een vrouwtje te winnen.

En toen kwam de nacht dat Ronny Lawton arriveerde met zijn papieren koksmuts en een haarnetje dat nog net op zijn voorhoofd zichtbaar was. Ik probeerde met hem te praten, maar hij zei: 'Donder op! Blijf uit mijn buurt, klootzak!' Ik bleef daar de nachten voordat hij een beroemdheid werd; misschien wachtte ik alleen maar totdat hij een keer zijn verzet zou opgeven en wel met me wilde praten. Maar dat gebeurde niet. Hij werkte daar in volslagen anonimiteit tot die eerste vrijdagnacht, toen een of andere klerelijer het in zijn hoofd kreeg om die goeie Ronny Lawton eens op te zoeken. Dat was de eerste van al die pelgrims die daarna onder het scanderen van zijn naam naar Denny's kwamen.

Ik bleef er ook dat hele eerste weekend. Ik worstelde die eerste vrijdag met een groot vraagstuk over enkele ingenieurs die een dam bouwden en de verplaatsing van water. Er waren vectoren die elkaar zus en zo kruisten, en er waren afnemende massa's die in de marge genoteerd stonden, maar het was allemaal shit, en toen hoorde ik opeens een lawaaiige optocht uit het duister komen en raapte ik snel alles bij elkaar om het te verbergen.

Ze stroomden naar binnen en vulden de stilte van dit late uur met hun gejoel.

Ronny Lawton leek van zijn nukkige houding los te komen en gaf een brede glimlach ten beste. 'Zijn jullie hier voor Ronny Lawton?'

Er klonk gejuich: 'Ronny! Ronny! Ronny!'

Het restaurant stroomde vol met tieners.

'Hé, Ronny! Je stopt geen stukje van je vader in mijn eten, hoor!'

Ronny Lawton sloeg op zijn dijbeen van het lachen en zei: 'Dat is pas grappig, klootzakken.' Die eerste nachten voerde hij achter het doorgeefluik een grote show op. Hij zei bijvoorbeeld: 'Ronny Lawton weet waar jullie hufters wonen.' Hij hief zijn hakmes, zette het met de stompe kant tegen zijn keel en haalde het langs zijn hals. 'Ronny Lawton moet je niet boos maken!'

'Weet je zeker dat dit niet de lul van je vader is, Ronny?' Iemand hield een saucijsje omhoog.

'Wil je de lul van Ronny Lawton soms zien?'

Ronny sprak nu over zichzelf in de derde persoon, presenteerde zich als een ware verschrikking en genoot er zichtbaar van.

'Ik heb hier een meisje dat er alles voor over heeft om je te ontmoeten, Ronny!' Een paar football-typen hielden een klein blond meisje bij haar armen vast, alsof ze geofferd zou worden. Ze gilde. De hele tent scandeerde: 'Ronny! Ronny! Ronny!'

Buiten arriveerden de vaste klanten, de sombere prooidieren, maar ze maakten rechtsomkeert en trokken naar een ander 24 uurs-restaurant, een andere rots waar ze hun eenzame bestaan konden hervatten met het verleiden van enkele trieste vrouwen van onze soort.

Linda Carter had voor zaterdagavond laat een uitzending op locatie in Denny's georganiseerd en filmde tieners die hun vuisten balden en hun spierballen toonden, terwijl ze zijn naam riepen. Ronny verscheen in een schort vol bloedspatten en zei op uiterst berouwvolle toon: 'Linda, ik denk dat je wel kunt zien dat het volk heeft gesproken. Iedereen staat voor honderd procent achter Ronny Lawton.' Achter hem ging een geweldig gejuich op. Ronny Lawton stak langzaam zijn hand omhoog, alsof hij je een stigma wilde tonen, en zei zachtjes: 'Ronny Lawton is onschuldig.' En weer werd er gescandeerd: 'Ronny! Ronny! Ronny!'

Enkele dagen later sprak ik in het restaurant met de hoofdschuddende manager Hank Rogers, een kerel die ik nog van de middelbare school kende. Er stond een wachtrij van tieners buiten Denny's. Het leek wel een rockconcert. Uit autoradio's klonk luide muziek. Hank wenkte me en zei: 'Bill, ik zeg dit niet officieel, maar onze nachtelijke winst is 350 procent hoger in de nachten dat Ronny werkt. Ik bedoel, ik heb extra mensen in dienst moeten nemen om de vraag bij te benen. Hij werkt hier op woensdag-, donderdag-, vrijdag- en zaterdagnacht, en alle middelbare scholieren uit onze stad en uit Carlyle, Cass en Plymouth County komen in drommen naar binnen. Nou ja, ik bedoel, Bill, je hebt het zelf gezien. Als we entree zouden heffen, kwamen ze ook. Ronny Lawton is de grootste attractie van de stad.'

Hank nam me mee naar zijn kantoor en sloot de deur. 'Moet je horen, Bill. Ronny kwam hier op een dag binnen en eiste een forse loonsverhoging. Ik bedoel driemaal het minimumloon, hij wil acht dollar per uur. Hij dreigde dat hij anders naar Big Boy zou gaan. Hij zei dat hij met hen in onderhandeling was. We hebben het wel over een klootzak die zijn vader in stukken heeft gehakt, en hij zegt gewoon: "Ik blijf niet de hele dag wachten, Hank. Ga je het betalen of niet?" Ik bedoel, wat kon ik verdorie anders? De winst is 350 procent hoger in de nachten dat hij werkt.'

Ik zei: 'Je moet doen wat je goeddunkt, Hank.'

'Hij eiste dat hij tot "medewerker van de maand" werd uitgeroepen. Jezus christus, ik kon er niets aan veranderen, Bill.' Hank keek me hoofdschuddend aan. 'Heb je enig vermoeden of ze hem binnenkort in de boeien slaan, Bill?' Ik hoorde zijn stem van angst trillen.

'Ik weet van niets.'

Op de deur van Hanks kantoor hing een bordje waarop in grote rode letters stond: MORS GEEN TIJD, HOUD HET SCHOON! Ik zag dat bordje nog dagenlang voor me. Dat is waarschijnlijk het soort flauwekul waar ik razend van word, die agressieve houding tegenover ons gevangen-zijn, de verlaging van onze taal tot loze kreten.

Er was nog steeds een patstelling. Het was drie weken sinds Ronny Lawton zijn vader in stukken had gehakt, en er was eigenlijk geen greintje bewijs waarop ze hem konden pakken. De pick-up van zijn vader was nog steeds vermist. Er was ergens in een of ander laboratorium een vinger die was geanalyseerd en er was van alles uit Ronny Lawtons huis weggehaald. Maar nog steeds hadden ze niets, alleen de manie van zijn recente demonische faam, een extra attractie in het nachtelijk vermaak hier in het Midwesten.

Zelfs Sam en Ed waren nauwelijks op de krant aanwezig. Ik hield me zoals gewoonlijk bezig met de alledaagse flauwekul, en daarmee was ik in een uurtje of zo klaar. De rest van de dag zat ik thuis, in mijn hol schuilend tegen de hitte buiten; ik slobberde talloze stukken watermeloen naar binnen en spuugde de zaadjes in een kom. Ik keek televisie, overwegend politiefilms, waarin de boeven er tegen het eind een bekentenis uitflapten. Ik keek ook naar tekenfilms op UHF. *Magilla Gorilla*, *Underdog*, *Top Cat*, *Mr. Magoo* en *Tom and Jerry*: een caleidoscoop van kleur in het grijze souterrain tijdens de middaguren. Ik was verslaafd aan Scooby Doo en zijn bende. Je moet naar de dynamiek kijken van wat er gebeurt: Fred, die blonde knul, is altijd alleen met dat trutje Daphne en stuurt de hersenen van het stel, Velma met haar breedgerande bril, er in haar eentje op uit om het misdrijf op te lossen; en Shaggy, dat armzalige exemplaar van slungelige mannelijke puberteit, geeft zich over aan een gesublimeerde frustratie door als een varken te gaan zitten vreten in het gezelschap van zijn boezemvriend Scooby. Ik bedoel, Shaggy heeft testosteron genoeg, hij moet toch inzien dat er iets aan de hand is met

Fred en Daphne. Dat programma biedt een vulkaan aan seksuele spanningen als je er oog voor hebt. Soms riep ik: 'Vergeet de verdomde geesten nou maar en ga terug naar Fred en Daphne!' Ik vermoed dat daarin het slimme van het programma schuilt, dat suggestieve dat net buiten het bereik van kinderen ligt, die subtiele zinspeling die voor iemand als ik overduidelijk is. Je kunt *Scooby Doo* op ontelbare niveaus ontleden.

Wanneer ik genoeg had van het geroep naar de televisie, waaraan ik me toch wel erg vaak te buiten ging, deed ik even een avondslaapje voor mijn wake in het restaurant. Ik keek steevast naar de herhalingen van Linda's live-verslag vanuit Denny's met daartussendoor wat tekenfilms. Linda Carter had Ronny Lawton wel te pakken gekregen.

Het fiasco van Ronny Lawton was een vervelende kwestie voor de lokale politiek geworden. Ik had de burgemeester al geïnterviewd en had een citaat van hem voor de ochtendeditie van de volgende dag. De burgemeester verscheen nu ook op televisie en vertelde dat hij zijn vastgelopen onderzoek doorschoof naar de autoriteiten op staatsniveau. Tegen de tijd dat de krant morgen uitkwam met mijn citaat waarin hij precies hetzelfde zei, was dat oud nieuws. Met dat soort problemen had ik dus te kampen. Ik werkte in het kielzog van de actuele televisie. Ik leek wel een bakker die donuts van een dag oud verkocht.

De burgemeester had een wit overhemd aan dat doordrenkt was van het zweet. Hij zei dat het walgelijk was wat er in Denny's gebeurde, maar dat hij er niets tegen kon doen. Er was hoe dan ook iemand dood en hiertoe was het nu gekomen: een gruwelcarnaval met langs de weg letterlijk anderhalve kilometer aan stockcars, opgevoerde auto's en jongelui in stationwagons die uit hun dak gingen en Ronny Lawtons naam scandeerden.

Die avond belde Pete me. Hij zei dat hij opdracht van de burgemeester had gekregen om de situatie bij het restaurant te regelen.

Ik ging met hem mee in de politieauto om wat te eten in het café Fat Bertha's net buiten de stad. Hij zei: 'Die puinzooi zit me helemaal niet lekker. De burgemeester heeft me vandaag uitgekafferd;

hij zegt dat ik niks bijdraag aan het onderzoek, dat ik het uit de hand heb laten lopen.' Pete nam enkele happen van een stuk appelkruimelgebak met ijs. Midden op tafel stond een kan koffie te dampen.

Ik gaapte alleen maar. Ik dacht aan mijn toelatingsexamen. Ronny Lawton was bijna geheel uit mijn bewustzijn verdreven. Hij behoorde Linda Carter toe.

Pete at maar door recht voor mijn neus. Ik wenste dat ik thuis was gebleven. Dit werd weer zo'n avond van eten en praten... Jezus, als dat niet een paar mannen van Denny's waren, die nukkige roofdieren die bij de balie met de enorme Bertha zaten te praten. Ik had schoon genoeg van deze stad.

We gingen op pad in de politieauto. Pete zocht een plekje op het parkeerterrein van Howard Johnson en doofde de lichten. We zagen een stoet van personenauto's en bestelwagens met versierde ramen langs het restaurant op en neer rijden alsof er een of andere reünie was. Pete zei: 'Er hoeft maar een ongeluk te gebeuren en dan breekt de pleuris uit.'

Ik weet niet eens waarom ik die avond bij Pete ben gebleven. Het grootste deel van de tijd zat hij zwijgend te kijken; een trek aan zijn sigaret haalde hem even uit de schaduw. Elk halfuur belde hij Larry, die ergens verderop langs de weg op een ander parkeerterrein stond. Ik denk dat het bij Dairy Queen was. Pete sprak allemaal onzin als: 'We trekken het vangnet dicht, Larry.' Ik vond het maar flauwekul: het was niet meer dan de politiepraat die we tegenwoordig allemaal bezigden. 'Begrepen.' Toen startte Pete de auto, schoot tussen duim en wijsvinger zijn sigaret uit het raampje en haalde een hendeltje over, waarop het gehuil van de sirene klonk en de bloedrode lampen ronddraaiden. Hij schoot vanaf het parkeerterrein vooruit in de richting van het restaurant om een auto tot staan te brengen, een gehavende oude stationwagon met namaakhouten zijpanelen die helemaal doorgeroest waren. Ik keek toe terwijl Pete uitstapte en naar de auto liep, met zijn zware billen in een uniform dat te kort voor hem was. Hij hield zijn hand op zijn holster. Ik zag hoe ook Larry tot stilstand kwam, uit zijn auto sprong met zijn hand op de holster en riep: 'Iedereen blijven zitten, verdomme!'

Ze haalden acht tieners uit die auto. Het leek wel een soort circusact, de een na de ander, ieder rond de zestien jaar, de eerste zomer dat ze mochten rijden, met het gevoel dat ze waren bevrijd van dat saaie fietsen, met het verlangen om erbij te zijn waar het allemaal gebeurde. Pete sleurde hen stuk voor stuk uit de auto, zette ze er buiten tegenaan en begon ze te fouilleren. Er reden auto's langs, langzaam, met dreunende muziek en jongens die floten en riepen.

Pete hanteerde zijn gummiknuppel, tikte tegen de benen van de jongens zodat ze wijd uiteen stonden, klopte langs de binnenkant van de dijen en sloot verraderlijk af met een tik tegen hun ballen. Ik zag ze een voor een ineenkrimpen van de pijn, maar Pete hield ze in het gelid, duwde hun hoofd tegen het dak van de auto. Hij riep alsmaar: 'Blijf staan, klootzakken!' Ze stonden voorover tegen de auto geleund met hun handen achter hun hoofd.

Larry kwam op de proppen met een zakje hasj van vijf dollar en een kratje Little Kings. Hij zei: 'Kijk eens wat we hier hebben' en grijnsde tegen Pete, die een stapeltje identiteitskaarten in zijn hand hield alsof hij poker speelde.

Op dat moment stapte ik uit en degene die de auto had bestuurd, keek me aan. De jongen zei: 'Hé Bill... jij bent toch die kerel van de krant? Ik ben het, Ernie Tyler, van het zwemmen in Cass County. Weet je nog?' Ernie had een groot blotebillengezicht, met littekens van de acne, en kortgeknipt haar. Maar hij had de atletische gestalte van een zwemmer, een lijf dat al veel te volwassen was voor zijn ronde, jeugdige hoofd.

Ik knikte de jongen toe en zei: 'Hoe gaat het, Ernie?' Ik had een verhaal geschreven over het team dat voor het eerst in tien jaar de finale van de staatskampioenschappen had gehaald, met een foto erbij van hun kaalgeschoren koppen alsof ze model stonden voor een behandeling tegen kanker. Dat was echt 'in' toen: je hoofd kaalscheren op de dag voor de wedstrijd. Het was een uiting van de onderlinge solidariteit.

Pete draaide zich om en keek me aan: 'Ken jij deze klootzak?'

'Ik ben net als iedereen hier in de buurt. Ja toch? Waarom hebben ze mij opgepakt?' schreeuwde Ernie. Hij dacht misschien dat hij in mij een bondgenoot had.

Pete sloeg de jongen zo hard met de gummiknuppel op de rug dat hij naar adem snakte en op zijn knieën viel.

Ik zei 'Pete' en probeerde hem apart te nemen, maar hij wilde van geen wijken weten. Ik zei stilletjes: 'Pete, die jongens hebben de finale van de staatskampioenschappen in Cass County gehaald. Ze zijn daar heel beroemd. Ik zou het niet doen als ik jou was.'

Pete draaide zijn hoofd als een uil om en stuurde me zo ongeveer weg; ik ging dus maar op een afstandje staan. Pete sloeg Ernie nog een keer. 'Wat zei je, meneer de slimmerik?'

Larry deed met hem mee: 'Ja, meneer de slimmerik.'

Ik stond erbij en keek ernaar.

Pete trok Ernie omhoog tot hij stond. Larry had zijn pistool getrokken, maar stak het weer terug in de holster.

Ernies gezicht was nog van pijn vertrokken door de klap, maar hij hield zich moedig. 'Ik heb niets gedaan. Hé Bill... dit is politiemishandeling!'

Pete zei: 'Klootzak, ga jij me de wet voorschrijven? Ik heb geen tijd om jullie nu allemaal te arresteren. Ik zal je dus zeggen wat we gaan doen. Ik heb hier jullie identiteitsbewijzen. Jullie maken onder elkaar maar uit wie de bezitter is van deze hasj. Ik heb hier al jullie namen en morgen komen jullie met jullie ouders of voogden naar het gerechtsgebouw om te vertellen hoe het zit.' Hij greep Ernie nogmaals vast en draaide diens krachtige arm om. 'Met een strafblad, jongen, zal geen enkele universiteit nog iets met je te maken willen hebben. Universiteiten zijn niet geïnteresseerd in drugshandelaars, meneer. Heb je me gehoord, klootzak?'

Daarmee kreeg hij Ernie en de anderen wel rustig. Ze gingen op een afstandje langs de weg staan, terwijl Pete de autosleutels pakte en de auto naar het parkeerterrein van Howard Johnson reed. Hij liet hem daar staan en ging naar binnen om de manager over de auto in te lichten.

Ik keek de jongens aan. Ik zei: 'Ik zie jullie wel in het najaar. Denken jullie dat je een kans hebt bij het verdedigen van de titel?'

Ernie keek zuur. Hij hield zijn handen diep in zijn zakken. 'Ik denk het wel.'

Ik zei: 'Pete doet alleen maar zijn werk. Misschien kan ik ervoor zorgen dat hij de zaak laat vallen. Oké?'

Ik greep zelfs de hand van de jongen en schudde die. Ik bedoel, shit, jongens als zij brachten voor mij brood op de plank, zij waren de specie van elke kleine krant. Sportberichten waren het grootste deel van het jaar mijn voornaamste onderwerp. Daarvoor bleven de mensen de krant kopen; daarom wilden ouders exemplaren met artikelen over hun zonen en dochters hebben.

Ik kreeg Pete zover dat hij de jongens hun rijbewijs teruggaf, maar hij bleef kwaad. Hij hield het bier en de hasj.

We volgden de zwemploeg op hun weg van het restaurant vandaan, totdat ze echt naar huis gingen. Pete zuchtte geërgerd en zei: 'De school kan niet snel genoeg weer beginnen. Dan zal het wel afgelopen zijn. Dat hoop ik tenminste wel, verdomme.'

Ik zei: 'Je ben een sadist, Pete.'

Hij zei: 'Ik weet niet wat je daarmee bedoelt, maar wat de wereld nodig heeft...'

'Zijn sadisten,' zei ik.

'Juist, sadisten,' zei Pete.

We parkeerden de auto en gingen opnieuw in hinderlaag. Ik zei: 'Pete, kun je me naar huis brengen?' Dit leek wel een vervelend afspraakje waar je niet van afkwam.

We reden naar mijn huis. Mijn god, het duurde een eeuwigheid. Pete zei: 'Als een van die jongens daar doodgaat, krijg ik het op mijn brood. Bill, ik heb al te veel goeie jongens zwaargewond achter het stuur van een auto aangetroffen. De hele verdomde stad kan wel vervolgd worden om al die rotzooi. Daar gaat het om, Bill. Je eigen hachje redden, ervoor zorgen dat de klootzakken tot een redelijke leeftijd opgroeien zodat ze een idee krijgen van wat goed en slecht is, zodat ze misschien iets om anderen geven. En dus, ja, moeten er kerels zijn als ik. Er moeten... Hoe noemde je mij ook alweer?'

Ik zei: 'Sadist.' Jezus christus, ik wilde dat ik hem geen nieuw woord had gegeven. Daar had hij blijkbaar behoefte aan, nieuwe definities voor zichzelf.

Hij zei: 'Die ga ik opzoeken.' Hij glimlachte en stak zijn hand naar me uit, een klasgenoot van de basisschool, een man met een gummiknuppel, de sadist die Ronny Lawton in een kamer apart kon nemen om uit hem te krijgen wat niemand anders lukte, een man met het vermogen om Ronny Lawton het geheim van zijn vader te laten vertellen, om te doen wat de wetenschap niet was gelukt, en ik nam zijn hand, ik schudde de sadist de hand. Ik gaf toe dat mensen misschien in elkaar geslagen moesten worden, en toen veranderde ik van gedachten en ging weg.

Hij riep me na: 'Hoe spel je "sadist", Bill?'

'Net zoals je het zegt,' riep ik en in huis deed ik de deur achter me op slot.

De volgende avond hield ik me bij Denny's afzijdig in mijn eigen auto om te kijken wat er gebeurde. Vervolgens haalde ik mijn vragen voor het toelatingsexamen tevoorschijn en dook diep in een probleem over wetenschappers die probeerden een ruimteschip van de maan terug op aarde te krijgen. Het was onmogelijk ingewikkeld, met onder meer de hoek waaronder het de dampkring binnen moest gaan, de snelheid, de zwaartekracht en het minimale gewicht. Ik noteerde de basisgegevens, maakte berekeningen met globale getallen en dan nog kwam ik nergens. Ik had het licht aan in mijn auto, ik was alleen in deze kleine grot der wanhoop, terwijl ik in de weer was met het delen van getallen en het vermenigvuldigen van dit en van dat, totdat ik naar de telefooncel liep, Diane belde en de vraag eruit gooide: 'Wat is de juiste snelheid voor een terugkeer in de dampkring, Diane?'

In het restaurant was het weer een tumult van jewelste. Ik hing op en ging er een kijkje nemen. De hele meute zat er aan de banana splits, sorbets en milkshakes. Er vlogen lepels door de lucht. Met rietjes schoten de jongens propjes naar elkaar. Het was nog steeds dezelfde puinhoop met het scanderen van 'Ronny! Ronny! Ronny!' terwijl Ronny Lawton weer een cheerleader als offer kreeg toegeworpen. Ze schopte haar lange slanke benen de lucht in, en iedereen keek naar haar minieme witte ondergoed. Haar shirt zat tot bij haar bh. Je kon de afscheiding zien tot waar ze door de zon gebruind was, een bleke rand onder haar borsten.

Ronny Lawton hield een spatel in zijn hand om het geheel te dirigeren en riep: 'Hier met haar, jongens!' Hij was daarachter bezig hamburgers om te draaien. Ze vlogen door de lucht en vielen met een kleverig gesis terug op de bakplaat. Ronny kwam naar voren en legde een bloedrode hamburger op de balie. Het bloed druppelde op de garnering.

Het cheerleader-type gilde, terwijl haar haar als een zeeanemoon werd gevangen in het onnatuurlijke gele licht van het restaurant. Het was voedertijd in de dierentuin van onze waanzin.

Ronny lachte. Hij sloeg op de tafel. 'Hier met haar!' Hij deed de truc met HERE en NOW weer, toonde de menigte het raadselachtige NOWHERE, liet de tieners zijn ongrijpbare aanwezigheid voelen, zoiets als wat kinderen in hun nachtmerries zien. Hij was kolossaal. De donkerrode littekens op zijn bovenarmen waren weer opengebarsten tot pijnlijke wonden. Hij was als verdachte in de schijnwerpers geplaatst en hij had het doorstaan. Hij deed weer aan gewichtheffen met die cementblokken in zijn kelder en spoot zich weer vol anabole steroïden. Hij was uitgegroeid tot de grootsheid van zijn eigen verschrikking, met een intuïtie voor het spektakel dat hij nog kon worden. Je vraagt je af of er mannen zijn die hun ziel graag aan de duivel zouden verkopen? Ronny Lawton was zo'n man. Hij brulde alsmaar: 'Hier met haar! Hier met haar!' Daarna voegde hij er zomaar aan toe: 'Ronny Lawton heeft een lul van vijfentwintig centimeter!' Ik bedoel, er hing van alles in de lucht, een opeenhoping van tienerlust, kerels die op de tafels beukten, een stortvloed van milkshakes over het formica, meisjes die in een aanval van hysterie gilden toen Ronny Lawton naar voren stapte. De football-typen hielden de cheerleader bij haar armen en benen, en jonasten haar heen en weer. Ze hyperventileerde en worstelde om los te komen als het meisje in *The Exorcist*. Haar rechterborst was volkomen bloot, ter grootte van een halve grapefruit met de tepel als een klein uitspruitsel. De jongens joelden: 'Ronny Lawton heeft een lul van vijfentwintig centimeter!'

Ik reed in de nacht terug naar huis. Ik merkte dat ik steeds weer bij mezelf zei: 'Ronny Lawton heeft een lul van vijfentwintig centimeter!' Ik zette de radio heel hard aan en begon op mijn hardst mee te zingen, maar in mijn hoofd dreunde nog steeds die kreet: 'Ronny Lawton heeft een lul van vijfentwintig centimeter!' Hij was besmettelijk.

Thuis knipperde het lampje van het antwoordapparaat. 'Terugkeer in de dampkring onder tweeëndertig graden met een snelheid van 370 kilometer per uur.'

Ik werd er gek van. Ik belde haar antwoordapparaat en zei: 'Diane, alsjeblieft, ik smeek het je.' Ik zei: 'Ik weet dat tijd en afstand de grootste verraders in het leven zijn. Het is niet jouw schuld. Er speelt een onzichtbare fysica mee in ons leven.' Ik zweeg even en fluisterde toen: 'Wat is de juiste snelheid voor een terugkeer in jouw leven, Diane? Zeg me dat, alsjeblieft.'

6

Het etentje bij Ed was niet iets waarop ik me erg verheugde toen ik over Lincoln Avenue langs de uitgebrande oude pakhuizen van rode baksteen reed. Nou ja, ik was aangeschoten. Jezus, je kunt niet met al je zintuigen intact bij zo'n barbecue aankomen. Ik had flink uitgepakt met de single-malt whisky van mijn grootvader, het goeie spul waarvan hij had gezegd dat we eraf moesten blijven totdat hij van de doden was weergekeerd. In de drankkast zat een geheelonthouders-plaquette. Er stond eenvoudigweg: 'Ik krijg geen hoofdpijn. Die geef ik!' Dat credo had mijn grootvader aangehangen in zijn zakelijke en in zijn persoonlijke leven. Hij zei dat voortdurend tegen jonge managers op de gieterij: 'Ik krijg geen hoofdpijn. Die geef ik!'

Ik pakte wat ijs uit onze befaamde vrieskast, snoof de koude mist op in mijn neusgaten, schonk de lauwe whisky in en wachtte tot het ijs knapte. Jezus, er is niets heerlijker dan zo nu en dan dronken worden.

Weet je, bijna had ik dit allemaal niet gekregen, dit grote huis en het geld. Bijna had ik deze achternaam niet gedragen. Ik werd verwekt als buitenechtelijk kind in een of ander motel vlak bij een kleine universiteit in het Midwesten. Een meid uit de buurt had in die tijd een relatie met mijn vader. Zij was een onbekend figuur, één van zes meisjes uit een gezin met ook nog vier zonen. Mijn vader zei dat ze zijn enige ware liefde was geweest, maar dat was misschien alleen maar wat flauwekul om mij te plezieren. Ik denk niet dat ik ooit een man zo van vrouwen heb zien houden als mijn vader toen hij nog leefde. Volgens mij was hij waarschijnlijk zo geworden omdat hij jaren geleden al een manier zocht om te ontsnappen aan het vuil en de smerigheid van de fabriek. Van mijn grootvader had ik te horen gekregen dat mijn moeder uitschot was. Mijn vader hing jarenlang smachtend binnen en buiten de meisjesuniversiteiten rond en trok tijdens het football-seizoen in zijn opvallende auto naar elke campus om achter de vrouwen aan te rijden en ze op te pikken. Dat gebeurde natuurlijk lang voordat ik geboren werd. Dat heb ik gehoord en het meeste ervan moet wel waar zijn. Mijn vader had een fotoalbum van zichzelf, met de auto op de weg, foto's van hem en meisjes op de motorkap; dit album van vervlogen verlangens had hij op zolder bewaard. Al vroeg in mijn tienerjaren heb ik het gevonden. Ik heb er nooit iets van tegen mijn vader gezegd, maar het bood een geheime toegang tot de man die hij vroeger was. Het maakte hem menselijker voor me. Mijn vader eindigde meestal met meisjes uit de stad die hij in een bar had opgepikt. Ze waren dol op zijn flitsende auto en zijn gemakkelijke omgang met geld. Hij verdween telkens voor een week of twee naar de stad. Hij werd een legende omdat hij dromen in vervulling kon laten gaan, een vent die naar de stad kwam, wat met de vrouwen dronk en dan fluisterde: 'Wat zou je het liefst van de hele wereld willen doen als je, zeg maar, een week de tijd had?' Dan boog hij zich dichter naar haar toe en zei zachtjes: 'Ik heb de tijd, het geld en de auto. Je hoeft alleen maar mee naar buiten te lopen...' Het was een soort uitdaging. Zo heeft hij ook mijn moeder ontmoet, in een bar tijdens een wedstrijd. Hij nam haar mee naar Chicago, waar ze een week lang naar jazzclubs gingen. Samen hielden ze zich verborgen voor de wereld van de industrie, terwijl ze de hele nacht in donkere hoekjes zaten te drinken en de sfeer van de blues uit de Zuidelijke slavernij over zich heen lieten komen, liedjes van droefheid en verlangen, eeuwige weeklachten. Hij nestelde zich in haar zachte lichaam, overwinterde in de beschutting tegen de buitenwereld, bleef dronken en tevreden. Maar het deed haar meer dan al die andere vrouwen. Mijn grootvader zei dat er vrouwen waren die alleen maar wachtten om zwanger te worden van iemand als mijn vader. Mijn moeder eiste een afkoopsom van de familie toen ze zwanger werd. Enkele weken later kwam ze boven water in de koude realiteit van haar stad, het droogdok van de harde werkelijkheid, met pijn in haar buik of wat vrouwen ook maar mogen voelen wanneer ze weten dat ze iemands kindje in zich dragen. 'Je hebt de smaak van geld te pakken gekregen en dat is erger dan alle andere verslavingen,' zei mijn grootvader over zijn leven in het algemeen, maar ook over mijn moeder in het bijzonder. Volgens mij heeft hij me dat allemaal verteld omdat hij bang was dat er een soort besmetting in mij huisde, zodat ik op mijn hoede moest zijn voor het latente verleden. Ik heb een foto van mijn moeder in haar trouwjurk, een foto uit het plakboek op zolder. Je kunt zien dat mijn moeder van mij in verwachting is, de zwelling van haar buik, bijna vijf maanden heen. Maar ze is een mooie vrouw, met hoge jukbeenderen die haar Scandinavische afkomst verraden, lange vingerkootjes waarmee ze een boeket bloemen voor haar buik omklemt, een sierlijke hals en lachende ogen. Ze is misschien het soort vrouw dat ik voor mezelf zou uitkiezen. Het is vreemd om zo over de jaren heen naar de persoon te kijken die je ter wereld bracht terwijl je letterlijk niets van haar weet. Op de foto draagt mijn moeder zo'n trouwjurk die vanaf haar middel als een parachute uitwaaiert. Mijn vader was in het geheim met haar getrouwd. Dat denk ik nu tenminste, nu ik die foto bekijk: alsof ze een parachutist was die mij achter de vijandelijke linies dropte. Ik infiltreerde in de familienaam. Ze stierf op haar negentiende tijdens de bevalling in de achterkamer van haar huis, buiten de stad. Mijn grootvader had geweigerd haar in de buurt van ons huis te laten komen, maar ik heb het overleefd.

Ik liep naar de markering van het fatale pistoolschot dat voor mijn vader aan alles een einde had gemaakt. Ik had het laten zitten omdat ik wilde dat het ijsmonster zou zien wat er van zijn zoon was geworden, omdat ik hem wilde confronteren met de realiteit van wat een kogel kan doen met de hersenen terwijl hij ook nog zo'n gat in een stenen muur kan achterlaten. Je hoefde alleen maar vanuit zijn slaapkamer over het terrein van de ijzergieterij en de oude brouwerij uit te kijken om te beseffen dat dit helemaal geen slaapkamer was, maar een directiekamer, de natte droom van een industrieel die opstond bij het gebrul van de machines en de geur van brandende zwavel en steenkool. Ik zei: 'Waarom hebben ze jou in het tsaristische Rusland niet neergesabeld, kankerende klootzak? Ik bedoel, hoe kon je in godsnaam vanuit het feodalisme, en ik bedoel echt feodalisme, een industriebaron worden?' We hebben nog steeds zijn oude grijze soldatenjas uit de tijd dat hij in het leger van de tsaar zat, gehavend en gescheurd, in een glazen vitrine in de salon. Weet je, geen whisky is sterk genoeg om het ergste weg te nemen van de herinnering aan mijn grootvader. In mijn tijd aan de universiteit dacht ik alsmaar: hier zit ik, ik bestudeer Voltaire en rommel wat rond in proustiaanse evocaties van sfeer en achtergrond, terwijl die klootzak van een grootvader op mijn leeftijd door Europa zwierf of al op weg was naar Zuid-Afrika.

Tja, maar de grootste vergissing in mijn leven was dat ik na mijn studietijd naar deze stad ben teruggekeerd, dat ik ben weggeslopen naar deze erfenis. Ik zeg je, het was alsof ik een wereld had geërfd na een nucleaire catastrofe, waarin er niets van waarde meer over was; ik zwierf rond door een hoop puin en was een roepende in de stilte van een ontvolkt universum. Na de dood van mijn vader is de woning eigenlijk in verval geraakt, een afbrokkelend reliek van baksteen. Het huis had het altijd al te verduren gehad als een grote last voor ons allemaal. Ik herinner me nog hoe ons grote huis in de jaren zestig te lijden had tijdens de sage van de rassenrellen in ons land. De huizen om ons heen werden in brand gestoken, de weg werd opgebroken en de lantaarnpalen werden neergehaald en bij de ergste plunderingen als stormram gebruikt om deuren in te beuken. Ons huis heeft het overleefd, hoofdzakelijk omdat het hoog op deze kunstmatige heuvel staat die mijn grootvader had laten aanleggen toen hij stinkend rijk was geworden. Hij bezat de slimheid van de Oude Wereld om in te zien dat een huis een fort moet zijn. Hij begreep dat mensen van je af willen nemen wat je hebt. En ja, hij heeft ook tegen die relschoppers gevochten. We hadden een heel stel waakhonden die tijdens de ongeregeldheden van onze fabriek naar het huis waren overgebracht. Zo bleef het ons bespaard dat we door brand uit ons huis werden verdreven, en zo werd ons huis daarna een eiland in deze woestenij. We raakten geïsoleerd, stuurloos, te midden van de chaos om ons heen. En toch, zelfs na wat er met mijn vader was gebeurd, voelde ik me nog tot deze plek aangetrokken, omdat de woning iets uitstraalde van veiligheid en geloof. Het was het paradijs van mijn jeugd na de zondeval. En natuurlijk keerde ik terug vanwege de baan die me was nagelaten bij *de Waarheid*. Ik dacht dat ik heel misschien wel iets te vertellen had.

Maar dat is flauwekul. Ik ben teruggekeerd omdat ik het zo erg had verknoeid bij die klotedenkspelletjes, die verdomde hersenkrakers voor het toelatingsexamen van de rechtenstudie die ze hebben ontworpen om vast te stellen of je wel de goeie kop hebt om het te maken in de echte wereld.

Oké, dus ik was dronken, maar je kunt maar beter weten met wie je te maken hebt. Je moest je wel goed vol laten lopen voor de reis die ik op het punt stond te ondernemen. Ik ging dus op pad met een bekerglas whisky en klotsende ijsblokjes, en het was bloedheet. Het was alsof je een klap met een koekenpan kreeg. Ik startte die enorme auto van mij, de Buick Electra 225 cabriolet, de laatste van onze grote uitspattingen, een fort op de snelweg. Maar ik was wel zo verstandig om het dak van canvas omhoog te laten komen. Ik ging eropuit naar het oude industriële deel van de stad, omdat je daardoorheen moet als je naar het westen wilt. Er is geen andere weg. Ik stopte aan het eind van onze oprijlaan, haalde de post uit de brievenbus en barstte in lachen uit. Daar waren ze dan, die verdomde kredietaanbiedingen voor mijn vader. Hij had een soort onsterfelijkheid bereikt bij een kring van adressenlijsten. Hij kreeg een hoop troep in de loop van de zomer. Hij was populairder dan ik. Hij kreeg brieven waarin hem werd meegedeeld dat hij mogelijk tienduizend dollar had gewonnen en dat hij onmiddellijk moest reageren. Publishers Clearing House klopte praktisch bij hem aan de deur om ervoor te zorgen dat hij op zijn nieuwe fortuin reageerde. Hij was bij voorbaat al goedgekeurd voor een klantenkaart van Sears. Craftmatic wilde dat hij thuis een van hun nieuwste bedden zou uitproberen voor een periode van dertig dagen, zonder enig risico. Ik had zijn onthoofde lijf weleens op dat bed willen zien. Hij kreeg een couponboekje met vijftig procent korting op de Clapper, de lichtinstallatie die je aan en uit kon zetten met een slimme klap in je handen. Ook niet echt wat een dooie nodig had. Ik gaf hem wel op voor een tijdelijke levensverzekering omdat hij daarvoor ook al was goedgekeurd. Ik liet hem intekenen op tien platen voor een cent van de platenmaatschappij Columbia en, jawel hoor, de dooie kreeg zijn platen. Aan dit handeltje hield ik de Eagles, Led Zeppelin en het Electric Light Orchestra over.

Het was al bijna kwart voor zeven en de zon hing met een invalshoek van profetische somberte boven de weg, terwijl het brandende rood en het explosieve geel van de vurige vlammen in de resterende fabrieksruiten schitterden. Ik wenste bij mezelf dat dit alles verteerd zou worden in een of ander immense rampzalige brand, dat een koe als in de oude legende van de weduwe O'Leary in Chicago dit tijdperk in de as zou leggen. De enorme parkeerterreinen waren grote open spleten van in verval geraakte droombeelden van teer, waar het gras door open wonden de hoogte in schoot waar voorheen mannen in dag- en nachtploegen werkten, een wereld die vierentwintig uur per dag doormaalde. Deze voorgrond van verdorven leegheid bracht je aan het twijfelen, deed je inzien dat deze plek was ontdaan van grote aantallen mensen, goede mensen. Ik voelde die verlatenheid. Op de pakhuizen prijkten nutteloze borden TE KOOP, alsof iemand nog naar deze hel zou komen om er iets te kopen. Dit was een museum van industriële neergang, omsloten door prikkeldraad. Bij wijze van entree hoefde je alleen maar af te zien van je persoonlijke veiligheid, had je alleen maar de durf nodig om het terrein te betreden. Elke kapotte ruit was een ingelijst portret van de mislukking, een galerie van een in onbruik geraakte industrialisatie, met werktuigen en gietvormen die waren doorgeroest.

Het maakte me bang. Ik deed mijn portier op slot. Ik wenste dat ik meer bescherming had dan een dak van canvas, dat je met een mes kon opensnijden. Ik kon hier uit de auto worden gesleurd en letterlijk worden verslonden. Ik zou anders wel snel hebben gereden, maar de weg lag bezaaid met glas en puin, en ik wilde niets morsen van mijn behulpzame drankje. Ik hield het bekerglas tussen mijn benen geklemd. Ik voelde de kou tegen mijn kruis. Misschien was dat het enige echte gevoel dat ik ervoer, het enige gevoel dat tegen de angst was opgewassen. Er was altijd de vrees voor die verschrikking dat je werd aangevallen, de plotselinge bewegingloosheid van een auto die langzaam tot stilstand komt, en de reële mogelijkheid van een onstuimige horde die de auto als een snel muterende bacterie omsloot en mij opslokte. Jezus, daaraan dachten we vandaag de dag nog het meest: de persoonlijke veiligheid tegenover anderen, en ook tegenover onszelf, ons innerlijk. Ik bedoel, in eigen land, tegen geweerschoten van wanhopige mannen die het allemaal niets meer kon schelen, mannen als wijzelf die in restaurants zaten en zich de maaltijden thuis herinnerden, mannen die zich de betaaldag herinnerden, mannen die zich herinnerden wat een gevoel van eigenwaarde inhield en die niet meer in de spiegel durfden te kijken. Het was hier eenvoudig een jungle van krioelende graffiti, een virus dat zich heimelijk verspreidde via de lanen langs de oude prairiehuizen die nu leegstonden, en zich een weg baande langs de statige huizen met witte pilaren van industriëlen die inmiddels naar Miami Beach waren ontsnapt. Deze huizen waren ooit verkocht aan de hand van de Sears-catalogus en waren binnen een paar weken in elkaar gezet. Ik staarde naar die uit celdeling voortgekomen architectuur, keek langs de weg voor me en zag dat de huizen die er nog stonden, per kamer werden verhuurd aan mannen die meestal in kleine volgepropte kamertjes zaten, waar ze bij het licht van een kaars aten en poepten, met koude bonen uit blik als maal.

We waren ons maar al te goed bewust van ons falen. Het was te zien op het avondnieuws. Iemand schoot op een menigte mensen vanuit het raam van een kantoorgebouw waar hij voorheen had gewerkt, omdat hij niet van de maandag hield. Uit gewoonte kwamen de slachtoffers nog terug, maar er was geen werk meer, en ze treurden om hun verleden, om hun zelfrespect en hun waardigheid. Shit, maakte ik dit niet elke godganse nacht door! Ik nam nog een teug whisky, voelde de koelte in de inwendige warmte van mijn organen binnendringen. Op televisie werd nooit iets gezegd over de individuele waardigheid wanneer je iemand in een vastgelopen confrontatie met politieagenten zag; je hoorde nooit een redactionele ondertoon van politieke en persoonlijke crisis. De politiek werd overschaduwd in ons Amerika. Je zag meestal het beeld van een man die met een wapen zwaaide en tegen de politie schreeuwde, een megafoon in de hand van een onderhandelaar achter een politieauto, kranige leden van een bijzondere eenheid die wachtten tot ze hem in het vizier kregen, en dan de plotselinge uitbarsting van geweervuur, het als een zak aardappelen ineengezakte lichaam in een poel van zijn eigen bloed, terwijl de leden van de bijzondere eenheid, uitgerust met gevechtstenue en masker, tevoorschijn kwamen uit steegjes, deuropeningen en van daken. Wat je hiervan kon leren, was dat er een staand leger bestond om je neer te maaien, om je met gas uit je huis te verdrijven, als je een pistool tegen het hoofd van je vrouw zou zetten, als je zou schreeuwen: 'Het lukt ons nooit de hypotheek te betalen! Hoor je me? Ik woon hier al vijftien jaar! Ik ben mijn baan kwijt!' Het enige wat de televisie je liet weten, was dat je ervoor moest boeten, dat je hoofd eraf zou worden geschoten.

Er was in onze stad een totale verwoesting gaande, met daarbij temperatuurschommelingen al naargelang de seizoenen. De hittegolven van de zomer en de sneeuwstormen van de winter veroorzaakten speling tussen de bakstenen, versnelden de totale neergang. We konden in een absolute vergetelheid verdwijnen, een verloren volk in een postnucleaire holocaust, een Pompeji van de twintigste eeuw, begraven onder een grijze as van radioactieve neerslag, ondergestopt in de uitgestrekte vlakten met maïs, een wond die was gedicht, de *homo sapiens* van de twintigste eeuw, een archeologische vindplaats in de verre toekomst, opgegraven in een overvloed aan maïs. Onze geschiedenis lag niet vast, maar verdween voor onze ogen. Ik reed maar door en keek om me heen, klaar om meteen om te draaien of de auto zo nodig als wapen te gebruiken. Ik hield mijn drankje stevig tussen mijn benen. Het was allemaal nog geen tien jaar van wanhoop en teloorgang, maar elk jaar leek steeds meer toe te voegen aan de onontkoombare wegvaging. Je kunt dit allemaal niet duidelijk genoeg zeggen. Het kan me geen zier schelen wat je ervan vindt. Zie je, we waren nog maar tien jaar verwijderd van een leven aan de top, van stedelijke vernieuwing. Maar ook toen al viel de sluier van de dood overal te ontwaren langs onze Rust Belt, een plaag van armoede die kennelijk geen enkele hoop meer kon bieden. Zie je, we wisten ons geen beeld te vormen van onszelf als een volk dat deze ruimte opnieuw moest koloniseren. Het was die vreselijke overgangstijd voor de sportcafés, goedkope eettenten en discountwinkels op de vlakten, een tijdje voor de junkbonds, voordat we decentraliseerden, een tijdje voordat we niets meer moesten hebben van overheidsbemoeienis, een tijdje voordat de vakbonden voor ons hadden afgedaan, voordat we de betekenis van diversificatie begrepen, voordat we de vrouwen voorgoed hun vrijheid gaven, voor de kolonisatie van verlangens en behoeften, voordat we de betekenis volledig doorgrondden van halfedelstenen en Cabbage Patch-poppen. Ik zeg je, we waren hier helemaal vastgelopen in de doodlopende straat van ons industrieel darwinisme. Binnen een paar maanden zouden we zien hoe onze gijzelaars werden belaagd in Iran, hoe de marionettenregeringen van ons imperialisme ten val kwamen, hoe de fanatieke islamisten onze vlag verbrandden en ons vervloekten. We konden alleen maar wachten op de komst van cowboy Reagan om ons te redden. Maar dat lag allemaal nog in het verschiet, zo ver reikte ons begrip nog niet. Dus voorlopig hield ik mijn portier op slot en reed ik verder naar het huis van Ed Hoskin voor het etentje.

Ik kwam er enigszins verbouwereerd aan, moet ik eerlijk zeggen, aan het eind van een lang pad, ver buiten de stadsgrenzen te midden van de droge, bruine landbouwgronden. In mijn achteruitkijkspiegel was de zon een enorme oranje bal. Het was alsof Jupiter in onze dampkring was neergedaald.

Ed woonde in een huis in boerderijstijl midden tussen de wuivende maïs. De lucht zat vol plakkerig stuifmeel. Ik bracht de auto abrupt tot stilstand, omdat ik bijna over het beeldje was gereden van een kleine zwarte jockey in rode rijbroek die een lamp ophield. Ik was gearriveerd, ladderzat, met de nederige gift van een tiental maïskolven en een doos met een slagroomtaart. Ze waren er allemaal, buiten aan de zijkant van het huis, waar ze op tuinstoelen bij elkaar zaten: Ed, zijn vrouw Darlene en Sam. In de lucht hing de geur van brandspiritus en houtskool.

Ik liep verder over de lange oprit. De garage was verbouwd tot schoonheidssalon en op de garagedeur waren lippenstiftroze sierletters geschilderd. Een kleine sticker gaf aan dat Darlene de cosmetische lijn van Mary Kay propageerde.

Langs de zijkant van het huis kwam een verdomde poedel aanrennen die zich vastbeet in mijn broekspijp. Ik schopte wild om me heen en daardoor werd het een chaos.

'Gretchen! Gretchen!' hoorde ik gillen.

Ik probeerde die klotepoedel van mijn been los te krijgen.

Ed riep naar de hond, waarop die zich terugtrok en langs het huis wegrende. Ik hoorde een vrouwenstem nog steeds de naam van de hond gillen.

'Shit, houd hem uit de buurt van het vuur,' zei Sam toen hij mijn ogen zag en de whisky in het bekerglas rook.

'O jee,' zei Ed. Hij was gekleed in een bermudashort, een hawaïhemd en chique zwarte schoenen. In zijn hand had hij een pina colada met een gebloemd parasolletje. Ik keek hem alleen maar aan en glimlachte. Het was alsof iemand Eds hoofd had genomen en op een ander lichaam had gezet.

Toen zei Ed: 'Bill, ik zal je even voorstellen aan Darlene.'

Zelfs de single-malt van mijn grootvader kon me niet beschermen tegen deze verschrikkelijke benauwenis. Darlene dook op uit een camouflage van kleurrijke motieven, maakte zich los van een opzichtige plastic stoel met die verdomde poedel in haar armen en riep: 'Je hebt Gretchen toch niet geschopt, hè?'

De poedel voerde een jammertruc uit alsof hij zwaargewond was.

Ik keek Darlene aan en zei: 'Mevrouw, waarom draagt u in vredesnaam een suikerspin op uw hoofd?'

Sam reageerde: 'Dat is niet aardig van je, Bill.' Hij wilde mijn arm vastgrijpen en prompt viel die verdomde taart die ik had meegenomen op de grond; hij plofte ineen als een koeienvlaai met een modderstroom van chocola. 'Kijk nou weer wat je doet, godallemachtig Bill.' Sam pakte het bekerglas uit mijn hand, rook aan de whisky en trok een gezicht.

Daarna moest ik van hen op de ligstoel in de tuin plaatsnemen, tussen een kolonie roze flamingo's van plastic en dwaas grijnzende kabouters die ijverig kruiwagens met bloemen voortduwden. Ik moest een kan water van hen drinken totdat mijn blaas bijna barstte, en liet me daarna weer uitgeput neervallen.

Ik hoorde Sam zeggen: 'Hij heeft problemen met zijn vriendin, Darlene.'

'Dat is nog geen excuus om mijn honnepon te schoppen.' Daarna zei ze: 'Wat is er verdomme verkeerd aan mijn kapsel? Zie jij iets raars aan mijn kapsel, Sam?'

Ik zei: 'Darlene, het spijt me, het spijt me echt.'

Ik hoefde maar iets te zeggen, of de hond barstte los in een stuiptrekkend geblaf.

Sam zei: 'Rustig maar, Bill.'

Ik antwoordde: 'Oké Sam. Je zegt het maar.' Het was alsof ik was uitgetreden en naar mezelf in die stoel luisterde, met die plotselinge helderheid van het moment dat je jezelf ziet zoals je werkelijk bent, dat akelige ogenblik van dronken verlichting, en toen was ik even van de kaart totdat Ed, die klootzak, een verkoold stuk vlees onder mijn neus hield. Ik kwam met een ruk weer bij bewustzijn terwijl Darlene de blender aanzette en ijs fijnmaalde voor een nieuw tropisch drankje. Ze had een uitgeholde ananas naast zich die eruitzag als een grote granaat.

Ed zei: 'Wat vind je ervan om een hapje te eten, Bill?'

Ik ging dus maar op de berouwvolle toer en overgoot Darlene met complimentjes, zoals zij de ribbetjes en stukken kip had overgoten. Ik had gewoon geen woorden genoeg voor deze barbecue... hoe het vlees loskwam van het bot. 'Je moet me dat recept beslist eens geven, Darlene. Dit is een heerlijke saus, met stroop, honing, iets wat het bindt. En wat heb je op de kip gedaan, Darlene? Je hebt die toch met iets gekruid? Heb je de boter met azijn gemengd?' Mmm, aaah, hap, hap, hap, ik kloof die kippenbotjes en ribbetjes helemaal af, legde die lange grijze, losgehakte beenderen neer, at alles op totdat alleen het karkas resteerde, en spoelde het weg met een bloedrode Dracula-limonade.

Vervolgens liep ik weg naar het maïsveld en prompt kwam alles uit mijn maag omhoog. Ik keerde terug met een bungelende sliert aan mijn kin en Ed gaf me een rol keukenpapier.

'De wasberen ruimen dat wel op,' zei Ed.

Ik zal het wel allemaal uit mijn lijf hebben gegooid, want ik begon me al vrij snel normaal te voelen.

De tropische drankjes gingen rond. Darlene had een setje gelamineerde kaarten met drankrecepten erop. 'Wil je zout bij je margarita, Sam?'

'Jazeker.'

Ed keek me aan en zei: 'Darlene houdt vaak happy hour in haar schoonheidssalon. Ze probeert altijd weer iets nieuws te bedenken.'

Ik reageerde: 'O.'

Daarna ging Ed door over Darlene, hij was een en al lof over haar en vertelde hoe zij zich over hem had ontfermd toen het slecht ging en de stad verkommerde.

Darlene was me wel een tante, bijna 1,70 meter en ruim 105 kilo, al zorgde de suikerspin wel voor ruim 20 centimeter extra boven haar hoofd, als een mierenhoop. Zoals Ed naast haar zat, leek hij wel een krekel die net uit het maïsveld was gekomen, broodmager met uitstekende botten, als een exoskelet dat zij naast zich hield.

'Darlene,' zei Ed, 'vertel Sam eens over je nieuwe idee "autodiefstal". Dat is een van haar beste tot nu toe, Sam, dat moet je horen.'

Ik hees me omhoog op een onderarm. De zon was bijna verdwenen. De wind blies in golven door de maïs, een zacht fluisterend geritsel in de verte. Om ons heen gloeiden de citronellakaarsen. De asresten van de houtskool knisperden. We leken wel een kleine sekte die bijeen was gekomen om dank te zeggen.

Darlene maakte aanstalten om ons op haar nieuwe idee te vergassen. Terwijl ze haar hond streelde, zag ik haar als een verschuivend donker vlak waarvan de contouren afstaken tegen het kaarslicht. Haar gezicht bleef duister. 'Heeft Ed jullie al verteld dat we foto's maken voor het schoolgala, omdat de meiden hier dan toch zijn om hun haar door mij te laten doen?'

Sam knikte.

Ed voegde eraan toe: 'Darlene heeft een contract met Mary Kay.'

Darlene leek zich in haar volle omvang naar hem te wenden om hem tot stilte te manen.

Ed zei: 'Vertel het maar op jouw manier, Darlene.' Hij maakte een bespottelijk geluid, alsof hij lachte.

Sam hief zijn armen ten hemel. 'Ik ben een en al oor.'

'Zo bied je alles bij elkaar aan: het haar, de foto's, de cosmetica en de drankjes van het happy hour,' ging Darlene verder. 'Daarom zat ik erover na te denken, omdat die meiden het hele jaar door bij me komen en me vertellen dat het allemaal niet zo goed gaat met ze. Meestal zijn het problemen met mannen, mannen die niet meer communiceren, mannen die helemaal verschrompelen en zich waardeloos voelen. En toen kreeg ik dat idee. Ik vroeg me af: "Waaraan is een man het meest gehecht?"'

Er was een ogenblik stilte. Het was nu echt donker geworden. 'Nou?' vroeg Darlene. 'Waaraan is een man het meest gehecht?' We leunden allemaal naar voren in het flakkerende kaarslicht.

'Zijn vrouw,' opperde Sam. En Darlene reageerde: 'Larie. Je moet niet zeggen wat je denkt dat ik wil horen, Sam. Denk als een man.'

Sam bewoog zijn hoofd en dook op in de lichtkring van de kaars. Hij schudde zijn hoofd. 'Ik weet het niet, Darlene.'

Darlene keek mij niet eens aan. Ze fluisterde: 'Je auto...' En Sam zei: 'Daar heb je gelijk aan, mijn auto...'

Ed begon te praten, hij wees naar Darlene: 'Een telepate van de menselijke conditie.'

Darlene snauwde: 'Wil je nou eens even je mond houden, Ed?'

'Mijn auto,' zei Sam weer en hij tikte me aan. 'Dat klopt, nietwaar?'

'Ik denk het wel,' antwoordde ik, maar mijn mening had niets te betekenen.

'Juist, daarom heb ik besloten een service aan te bieden die ik "autodiefstal" noem. Eerst vragen we je om ons de sleuteltjes van de auto van je man te overhandigen en door te geven welk nummerbord de auto heeft en op welke uren van de dag je man aan het werk is. Wat wij dan doen is: we gaan naar zijn werk, we stelen zijn auto, halen die weg en gaan die wassen en poetsen, en ook alles binnenin... stofzuigen, de asbakjes legen en met een luchtverfrisser een lekker luchtje spuiten. Daarna zetten we de auto helemaal glimmend terug op het parkeerterrein.'

Sam riep: 'Godallemachtig, dat is me wat.' Hij kletste op zijn dijbeen. Ik sloeg achter in mijn nek. Er waren muggen door de barrière van rook gebroken en hadden onze verdediging van citronella geïnfiltreerd.

Darlene zei: 'O hemel, moet je het gezicht van die kerel zien wanneer hij naar buiten komt en merkt dat zijn auto er als nieuw uitziet! Zijn mond valt gewoon open. Je ziet ze om hun auto heen lopen alsof die niet van hen is. Ze controleren het nummerbord, ze proberen het sleuteltje in het portier, en ja, het gaat open, dus is dit hun auto, maar ze staan helemaal perplex. Het is als...'

Ik vulde aan: 'Als *The Twilight Zone*.'

Ed herhaalde wat ik zei: 'Als *The Twilight Zone*. Dat is het precies, Bill. Shit, als een aflevering van *The Twilight Zone*.'

Sam keek Darlene aan. 'Neem me niet kwalijk, maar hoeveel vraag je daarvoor, Darlene? Ik bedoel, dat is wel heel wat werk.'

'We hebben verschillende arrangementen: "autodiefstal" en haarknippen, "autodiefstal" en een permanent, "autodiefstal" en een pedicurebehandeling, plus cosmetica en de drankjes van happy hour voor vijftig dollarcent. Als je intekent voor de foto's voor het schoolgala en een postorderjurk, kunnen we weleens een "autodiefstal" gratis aanbieden. Ik weet het niet precies, Sam. Het hangt ervan af. Echt, het hangt er maar van af. We hebben zoveel verschillende arrangementen.'

Ik ging rechtop op de ligstoel zitten, totaal verward. 'Zullen de vrouwen het uiteindelijk niet aan hun man of vriendje verklappen? Ik bedoel, dit kan niet oneindig doorgaan.'

'Je zult er versteld van staan hoe goed vrouwen een geheim kunnen bewaren, Bill. En hoe dan ook, we laten ze een contract tekenen waarin ze beloven niets te zeggen.'

Ik zei: 'En er zijn hierbij nog geen doden gevallen?'

Darlene keek strak naar mijn gezicht dat in de schaduw was. 'Ik heb verdomd veel mensen die verklaren dat de "autodiefstal" hun relatie beter heeft gemaakt. Het is een honderd procent betrouwbare methode om het voor elkaar te krijgen dat een man zich scheert en goed voor zichzelf zorgt. Misschien denkt hij dat er een geheime bewonderaarster in het spel is en herwint hij zijn zelfvertrouwen, of misschien weet hij uiteindelijk diep vanbinnen wel dat al die tijd zijn eigen lieveling erachter zat, maar als het vuurtje eenmaal is ontbrand, is er geen houden meer aan. Ik heb vrouwen die op het formulier hebben geschreven dat ze meerdere orgasmes hebben gehad en dat hun man geen genoeg van seks kan krijgen.'

Ongelovig vroeg ik: 'Formulier?'

Ed zei: 'Bill, de liefde is een wetenschap. Het verschilt niks van al het andere wat je doet. Je moet eraan werken.'

'Geweldig,' riep Sam. Hij hield een granaat met een tropisch drankje in zijn hand.

Je kon zien dat er een merkwaardige intimiteit tussen Sam en Darlene groeide. Hij was in de ban van haar begrip van de menselijke conditie. Hij zei: 'Ed, hoe heb je haar ooit gevonden? Heeft ze een zus, Ed?' Daarop proestten ze het uit van het lachen. Darlene bewoog onder haar tentjurk met kleurrijke motieven. Ze boog voorover en haar kapsel raakte Sams gezicht.

'Heb je nooit kinderen gehad, Darlene?' vroeg Sam.

Darlene leek te aarzelen en zich terug te willen trekken, maar ze zei: 'Er zijn ook andere lotsbestemmingen dan het krijgen van kinderen. Ik ben hier om op een andere manier goed te doen. Kijk Sam, al die vrouwen zijn mijn kinderen. Ze komen hier en vertellen me al hun geheimen, en ik luister naar hen en help hen.' Darlene begon de poedel onder zijn kin te aaien. Hij kroop met zijn kleine lijf tegen haar aan.

Darlene begon te snotteren. Ed raakte haar dikke arm aan en Sam zei: 'Wat...'

'Het is niet jouw schuld, Sam. Ik huil niet om mezelf, maar om al die meiden die ik nooit zal kunnen redden. Al die meiden die een moeder nodig hebben.'

Ik rolde alleen maar met mijn ogen. Ik had weer honger gekregen, al dat eten was gewoon uit mijn maag gesprongen voordat ik er iets van had verteerd.

'Is het goed als ik een stuk kip pak, Ed?'

Darlene zei: 'Kijk maar binnen. Het ligt in de koelkast, in folie verpakt.'

Ik liep behoedzaam over de landingsbaan van tuinlampen in de richting van het huis en betrad de kleine, compacte huiselijkheid van hun leven. Daar stond een van onze koelkasten, de grote oude kast met een vriesvak, een groentela en eierrekjes. Het deed me goed om in de strook koude lucht te staan, terwijl het lampje een rechthoek van licht over de vloer wierp.

Ik pakte het eten eruit en legde het op een schaal. Ik hoorde ze allemaal buiten lachen. Ik stapte op een zacht verend speelbot op de vloer.

Stilletjes liep ik door een donkere gang langs de slaapkamers. Aan de muur hing een reeks foto's van Darlene met de hond. De hond was te zien in verschillende kostuums, op enkele foto's ook met linten aan zijn oren. Het was heel merkwaardig.

Ik opende een deur van een kamer aan het eind van de gang die rook naar chemicaliën en bleekmiddel. Ik zocht naar een lichtknopje, deed het licht aan en daar strekte zich een hele wereld van vrouwelijke apparaten voor me uit: roze wasbakken en houders voor douchekoppen om haar te wassen, een ruimtehelm-haardroger, planken vol shampoos en haarlakken, glitternagellakflesjes, ronde vergrotende spiegels om in de diepte van je poriën te turen, een wirwar van snoeren die waren verbonden met haardrogers, krultangen en kleine kommetjes hardgeworden hars om te ontharen. Ik stapte dat land van cosmetica binnen, schoof langs een kralengordijn dat als afscheiding diende voor wat kan worden omschreven als de enclave van een droom die uit het bewustzijn van Darlenes psyche was gesijpeld en tot dit kleine hok was versteend. Het tartte eigenzinnig alle normale ideeën over ruimte, als een psychologisch domein van dromen en verlangens. Het roze was er als handelsmerk van Mary Kay. Ik was me bewust van het ironische feit dat het dezelfde roze kleur was als van Eds middeltje tegen maagzuur.

Naast de haardrogers stond een rek met folders in roze en zachtgele kleuren die de meisjes konden lezen. Ik bedoel, het waren landmijnen voor de psyche. Ik wierp een vluchtige blik op de folders: *Verander van een verliezer in een winnaar, Verkoop jezelf aan jezelf, Het geheim om te krijgen wat je wilt, Creatief dagdromen, Respect: het meest begeerde maar minst gegeven geschenk, Voer voor je ego, Oefen in vragen aan anderen: hoe kan ik het beter doen?* En mijn favoriete titels deden me verlangen de hele boel kort en klein te slaan: *Armoede is... arme mensen zonder dynamische dromen* en *Zoek deeltijdwerk... als je eigen psychologische therapie.*

Ik vond een catalogus met jurken voor schoolgala's en officiële gelegenheden, en bekeek de pagina's vol chique foto's. In de hoek linksonder stond een verhaaltje dat bij de jurk hoorde, iets om je bij je beslissing te helpen of je persoonlijkheid wel bij de jurk paste.

Lea op het bal – lichtblauw, jurk van kant tot op de enkels. Ze heeft erg hard gewerkt. Soms slaat ze feestjes, wedstrijden en dansavonden over om goede cijfers te halen. Of om haar tekst uit het hoofd te leren. Of om als serveerster het geld voor haar opleiding te verdienen. Maar vanavond gaat ze dansen en feesten en vieren dat ze met zulke goede cijfers geslaagd is dat ze een beurs voor de universiteit kan krijgen en de afscheidsrede van de klas mag houden.

Fancy op het bal – ijsblauw, met ruches die de schouders bloot laten. Fancy wist instinctief wat ze moest doen. Ze zou deze avond als een uitdaging beschouwen... een avontuur. Vanavond gaat ze naar haar eerste ceremonie aan de universiteit. En vanavond zal ze haar nieuwe wereld laten zien waaraan ze haar naam te danken heeft, Fancy.

Darlene moet hebben gezien dat het licht in de schoonheidssalon brandde. Ik hoorde haar protesteren, en binnen de kortste keren zaten ze me allemaal vanuit de donkere gang op de huid, voordat ik me uit de kamer had kunnen terugtrekken.

Ik wist nog net op tijd het album met jurken weg te leggen. Darlene zei: 'Je hebt het gevonden dus.' De poedel begon te blaffen en Darlene sprak: 'Rustig maar, Gretchen, zo is het genoeg.' De hond ontblootte zijn tanden, maar hield zich stil. Je kon Darlene maar beter niet overschreeuwen. Zelfs de hond wist dat. Hij kroop zo'n beetje weg in Darlenes dikke armen.

Ik keek naar de posters met verschillende landschappen; Darlene greep dat aan om uit te weiden over de sterke punten van meisjes die een bepaald tafereel zouden kiezen. Zo had je Florida Keys, met een palmboom tegen een zonsondergang en een optionele blonde man in een smoking. Het meisje kon door een truc met de belichting en een lagere scherpstelling van de camera worden gefotografeerd alsof ze daar met hem wandelde. 'Niet alle meisjes kunnen naar het schoolgala,' zei Darlene zachtjes. 'Teleurstellingen op het laatste moment, jongens die zich terugtrekken. Zo'n foto is iets voor het geval dat, een arm waarop je kunt leunen.'

Ed liep de kamer in en ontrolde een tafereel uit een map die veel weg had van de houder voor landkaarten op school, maar dan veel groter, zodat het de hele wand in beslag nam. Ed draaide aan een hendel en er kwam een tropisch eiland omlaag met een zwembad op de voorgrond. Darlene bescheen het van opzij met een lamp, zodat er een kwikzilverachtige glinstering van maanlicht over het zwembad gleed. Sam stapte het tafereel binnen en, jeetje, het leek wel alsof hij met een soort tijdmachine was verplaatst. 'Ed, wil je een foto van Sam maken?'

Ed stelde het licht bij. Darlene gaf Sam een papieren bloemenslinger en een armband van koraal, en toen alles was geregeld, nam Ed een foto met een lange sluitertijd. Ik kwam terecht in een avondtafereel op een plein in een of andere mystieke Europese stad, op de trap van een chic hotel. Ze hesen me in een zwart avondkostuum dat me slecht paste, maar Darlene deed net alsof ik de paspop van een kleermaker was en speldde de stof in een grote plooi op mijn rug vast, op een plek waar het bedrog voor het oog van de camera verborgen bleef. Terwijl ik in deze kleine bakstenen oase te midden van de maïsvelden stond, werd ik een rijk man die op de trap van een oud Europees hotel aan de champagne nipte. Ik stond stil terwijl Ed en Darlene enkele gekleurde plastic filters verwisselden om een middernachtelijke sfeer te creëren. Binnen de dimensie van wat eens Eds garage was geweest, had Darlene de heimelijke verlangens van een generatie van vertrapten nieuw leven ingeblazen. Ze had iets ontwaard van wat er in hun hoofd speelde, had onder de buitenaards aandoende haardrogers hun dromen eraan onttrokken. Ze was een illusionist van het hoogste niveau, medeplichtig aan onze dromen, een stem die fluisterde: 'Je kunt alles zijn wat je wilt.'

Hoe beter je keek, hoe meer je ontdekte in dit hok. Er waren verslagen van schoolgala's in het verleden en een collectie van foto's die Ed had genomen. Bij de cosmetica hingen foto's van meisjes met hevige acne voor en na de behandeling, die hij met een kaasdoekfilter had gekiekt, zodat ze de zachte teint kregen van meisjes in een reclamefilmpje van Oil of Olaz.

De avond mondde daarna uit in een lange discussie over Ronny Lawton en over de mogelijke locatie van het lijk. Was hij echt schuldig? Sam zanikte dat hij op zwart zaad zat, dat hij het niet veel langer kon volhouden. Dat bedierf de stemming. Hij ging door over Linda Carters exclusieve interview met Ronny Lawton: *60 Minutes* had besloten het uit te zenden.

Nu was het mijn beurt om hem te troosten. Ik legde mijn arm om Sam en staarde naar de schilferige rode nagellak op Darlenes dikke tenen die zichtbaar waren in haar sandalen. Ze leken te wriemelen uit ergernis. Ze was nog niet met ons klaar. We gingen weer tussen de kaarsen zitten bij de kabouters en de flamingo's. Darlene gaf Sam een van haar magische drankjes dat de kleur van koelvloeistof voor auto's had, maar ongeacht hoeveel tropisch paradijs er ook in hem werd gegoten, Sam werd jankerig.

Darlene vertelde ons over een van haar andere plannen; het was nog niet helemaal rond, maar dat zou spoedig veranderen. Het heette 'Weekend in het paradijs' en voor deze fantasie kocht je een verzorgingspakket van heerlijkheden: kleine blikjes kaviaar met crackers, rode en witte wijnen, oude kazen uit het buitenland, leverpatés, koude kalkoenenbouten en rosbief, fruitmanden enzovoort... Ze was er nog niet helemaal uit.

Ik bracht te berde: 'Misschien voordelige en luxe versies, met kostuums.'

Darlene antwoordde: 'Het woord "voordelig" gebruiken we nooit,

Bill. Ik zeg altijd maar: "Goedkope spullen kopen om geld te besparen is hetzelfde als de klok stilzetten om tijd te winnen."'

Ik reageerde: 'O.'

'Zo is het, Bill. We hebben het nooit over "voordelig". We zien meer in "grande" en "plus grande"? Ze mat zich een perfect Frans accent aan.

Daarna begon ze weer uit de doeken te doen dat je natuurlijk een achtergrond kon kiezen van diverse ontwerpen: een boudoir van Franse verfijning uit de achttiende eeuw of een klassieke Griekse omgeving compleet met druiven om je minnaar toe te stoppen. Ze wilde ook een gratis telefoonnummer voor bestellingen aanvragen. Ed zei: 'Dat is een goed idee.'

Ik kon het me goed voorstellen: de geïndividualiseerde bloeduitstorting van onze treurigheid werd aan de kant gezet voor een lang weekend waarin niemand zich openlijk uitsprak, een weekendje van felle sneeuwstormen in februari, opgesloten in een korst van ijs, onze stad weggeborgen als een wereld van farao's, ridders, prinsen en koningen, waar alles nog volop mogelijk was.

Als afscheidscadeau kreeg ik de polaroidfoto van mezelf op de trap van dat statige hotel. Ik zag er geweldig uit, alsof ik voor een dergelijke grandeur geboren was. Ik heb een sterke aristocratische kin. Dat zei ik tegen Darlene. We waren nu onafscheidelijke vrienden. Ze stemde ermee in, die tovenares van het verlangen. Ze drukte zich met haar grote lijf tegen me aan. 'Ja, inderdaad, Bill. Je hebt een sterke aristocratische kin.' Alsof ik ooit iets zou geloven van wat zij zei, maar jezus, het was wel zo.

Ik stond in de gang met Darlene en haar hond, Ed en Sam. We schuifelden allemaal naar de deur. Erboven hing een borduurlap, vagelijk verlicht, niet voor wie het huis binnenkwam, maar voor wie vertrok, en voor Darlene zelf ongetwijfeld. Er stond op: WANNEER IEMAND NEE ZEGT, BEDOELT HIJ EIGENLIJK MISSCHIEN. WANNEER IEMAND MISSCHIEN ZEGT, BEDOELT HIJ EIGENLIJK JA.

Sam leek te aarzelen. Hij keek Ed aan en schudde zijn hoofd. 'Wat jij hier hebt, Ed, daar kunnen de meeste mannen alleen maar van dromen.' Hij glimlachte tegen Darlene. Weer een ogenblik van melancholie.

'Florida, Sam... Daar zijn vrouwen, rijke vrouwen, rijke weduwes, Sam.'

'Is het al zover?' Sam haalde zijn schouders op. 'Ik een afspraakje?'

Darlene omhulde Sam met haar enorme dikke rechterarm.

'Ik wil van die geschiedenis van Ronny Lawton af, zo snel mogelijk, en dan ga ik er als een haas vandoor. Ik ben niet van plan de laatste jaren van mijn leven te besteden aan verslagen over de gekken van deze stad. Nee, dat dacht ik niet.' Hij keek ons stuk voor stuk aan. 'Ik wil dat Bill hier opschiet met zijn verhaal en het afmaakt, er een punt achter zet. Misschien kunnen we het met een knaller afsluiten, zodat we nog een keer op televisie komen.' Sam keek me aan. 'Daarvoor hebben we Bill. Ik reken op hem.'

Daar kwam hij zomaar uit het niets mee op de proppen, zodat ik alleen maar flauwtjes kon glimlachen uit erkentelijkheid omdat ik degene was die het moest oplossen. Het was alsof de drank bij Sam diep vanbinnen iets in werking had gezet, hem even van zijn stuk had gebracht, of misschien had alleen de aanblik van Darlene dat wel gedaan.

Ik zei: 'Weet je dat ze hem bij Denny's tot "werknemer van de maand" hebben uitgeroepen?'

Sam keek alleen maar triest. Hij reageerde: 'Misschien moeten we daar een foto van maken; wat denk jij, Ed?'

Ed zei: 'Tuurlijk.' Ik denk dat hij wilde dat we vertrokken. Het was laat. Muggen zoemden in de nachtelijke lucht.

Darlene glimlachte en stapte op een ander onderwerp over. Ze zei: 'Ik heb een boek met een begeleidende videoband erbij, Sam. *Seks! Ook na de menopauze.* Het is een klinisch overzicht van de erotische plekjes die in iedere vrouw schuilen.'

Sam keek Darlene alleen maar aan, die wegliep om dat verdomde boek met de videoband te halen, zelfs al zag Sam eruit alsof hij hard wilde wegrennen.

Darlene presenteerde Ed als een bekeerde minnaar, een vent die ze in een goede seksuele conditie had gekregen. Ed deinsde terug bij haar openhartigheid, een magere losbol met witte plastic schoenen en een polyester broek.

Sam vertrok als een schooljongen met het boek onder zijn arm.

Darlene riep Sam na: 'Kennis is macht!'

Toen ik die avond vertrok, dacht ik dat Darlene mogelijk een genie was. Ze had misschien wel de sleutel tot een andere dimensie in haar bezit, een vorm van tijdreizen, ze was een pionier van het nieuwe innerlijk, een weids geestelijk landschap dat zich uitstrekte tot ver buiten onze vlakten, een gebied dan groter was dan Montana. Ik reed terug door de nachtmerrie van onze oude industrie en wenste dat Darlene meekwam om een van haar façades te ontvouwen, om alles te laten verdwijnen, te bedekken, en de angst te verdrijven. Ik was klaar voor een wereld van schijn. Die was beter dan de huidige. Er zijn tijden dat je de nieuwe kleren van de keizer wilt zien, omdat dat beter is.

7

Enkele dagen later werd de dierentuin verblijd met de komst van Paul, de python uit het huis van Ronny's vader. De slang was gigantisch, wel tweeënhalve meter lang. Op de een of andere manier had hij zich in leven gehouden met de muizen en ratten onder het huis, al verkeerde de slang wel in slechte conditie toen ze hem vonden, half verveld en sloom. Hij was kennelijk zo groot geworden dat hij daar in de val zat. Ronny kwam van Denny's naar huis, pakte Paul op van het kapotgescheurde beddengoed op de vloer en kwam naar buiten met de slang om zijn nek. Het dier verroerde zich nauwelijks, al schoot de gevorkte tong wel heen en weer om de lucht te proeven. Er stond een enorme menigte rond zijn huis. Ik heb er zelf niets van gezien. Linda Carter was wel ter plekke. Het viel allemaal op televisie te bewonderen. Het droeg nog meer bij aan de mythe van Ronny Lawton, maakte hem des te meer een schrikwekkend figuur. Er gingen geruchten dat Ronny misschien de stukken van zijn vader aan de slang had gevoerd. Ik wist dat pythons alleen levende wezens eten, maar sommige mensen geloven nu eenmaal graag wat ze willen geloven. Er werd zelfs beweerd dat de dierenartsen van de dierentuin voor alle zekerheid de slang open gingen snijden, maar Pete zei dat het allemaal flauwekul was. 'Ze maken er een röntgenfoto van; dat is alles.' Ed had op de een of andere manier op tijd van de slang gehoord zodat hij wel bij het huis was. Hij had een foto van Ronny met de python gemaakt en die stond de volgende dag bij ons op de voorpagina. Ik kreeg bovendien de röntgenfoto van Paul uit de dierentuin. Die twee foto's haalden opnieuw het AP-nieuws en de algemeen-nieuwspagina's van alle grote dagbladen. We waren weer iets op Linda Carter ingelopen.

Op de krant lachten we ons kapot; Sam deelde Dutch Masters-sigaren uit en we paften de hele middag door. Ik lachte me te barsten. Ik kon die naam Paul gewoon niet uit mijn hoofd zetten. Daaraan zag je hoe simpel Ronny Lawton eigenlijk was. Wie noemt zo'n beest nu gewoon Paul? Ik weet niet waarom ik het zo grappig vond. Ik herhaalde de naam telkens weer: 'Paul.' Ed en Sam lagen steeds weer krom. Ik dacht dat het misschien met de Dutch Masters-sigaren te maken had. Shit, ze kunnen je flink naar het hoofd stijgen als je er niet aan gewend bent. Maar achter al die sigarenrook en al dat gelach waren we eigenlijk heel nerveus; we dachten: Wat nu? Hoe vaak hebben we weer geluk?

In de loop van de volgende dagen ging de banaliteit van het verhaal in onze kleren zitten als sigarenrook, bitter. De speciale uitzending van Linda Carter over Ronny Lawton kwam steeds dichterbij, en de stemming op kantoor daalde zienderogen. Zodra ik mijn werk had gedaan, vluchtte ik weg naar de koude, betegelde YMCA, trok mijn zwembroek aan en dompelde me urenlang onder, weg van de buitenwereld, totdat de huid van mijn vingers verschrompeld was en mijn lijf was uitgedroogd door het chloor.

Op de krant lieten Sam en Ed geen woord los. Ik nam aan dat ze probeerden een of andere regeling te treffen om de krant van de hand te doen. Een wijdvertakte nieuwsdienstgroep had wel interesse voor opname van een krant als de onze. Ze wilden een vaste basis van meer algemene nieuwsberichten creëren die als tussenzetsel op pagina drie en vier kon dienen, terwijl ze voor elke regio afzonderlijk de voorpagina zouden reserveren voor het plaatselijke nieuws. Een jaar voordat ik bij de krant kwam, was de zaak bijna rond geweest, maar Sam had het aanbod als belachelijk van de hand gewezen, had zich verder koest gehouden en was blijven wachten.

Ik had echt niets anders te doen dan zwemmen, zodat ik Teri, de ex van Ronny Lawton, maar eens belde. Ik kreeg dezelfde tirade weer over me heen in de trant van: 'Ik hoop dat hij de stoel krijgt,' maar ik zei: 'Misschien kun je eraan meewerken om dat huis te krijgen, Teri. Misschien ben je nog iets vergeten.'

Ze moest om vier 's middags aan het werk bij de Osco en daarom zei ze: 'Dan moet je hier om twee uur zijn.' Voordat ik ophing, zei ze ook nog: 'Hé, denk je dat je twaalf flesjes Old Milwaukee en een pakje Marlboro kunt meenemen?'

Ik antwoordde: 'Tuurlijk, Teri.'

Ze had een stem alsof ze glasscherven had ingeslikt.

Daarna volgde zo'n gênante samenloop van omstandigheden die wringt qua geloofwaardigheid, maar ja, in onze stad kruisen de paden van mensen elkaar. We zijn geen metropool.

Ronny Lawtons ex was een van die heerlijke exemplaren van menselijk onkruid dat op de mesthopen van onze industriële woestenij tot bloei komt.

Ik verliet de hoofdweg, reed langs een open stuk land tussen de verdorde maïs en kwam uit op een open veld van droge aarde. Jezus, weer een dag zonder regen, weer een dag van ruim dertig graden, waarbij de lucht 's nachts een bloedrode gloed aannam door het stof dat in de lucht dwarrelde.

En toen zag ik hem, een eenzame caravan die vanuit de ruimte op dit open veld leek te zijn neergedaald.

Ik zette de motor uit.

'Ben jij die vent van de krant?'

'Ja.'

Ronny Lawtons ex was mooi op een vulgaire manier, met donkerblond haar dat in een paardenstaart was gebonden. Ze had de aanblik van een vrouw van wie de meeste mannen dromen dat ze die redden, en die vaak wordt vergeleken met een ruwe diamant. Ze zat naast de caravan gehurkt bij een plastic zwembadje, waarin een klein kind zat te spetteren. Ze stak haar hand uit naar haar kind, dat wil zeggen het kind van Ronny Lawton. Ze zat met haar rug naar mij gekeerd; de korte broek van spijkerstof zat strak tegen de spleet van haar achterste, zodat de welving van beide halvemaanvormige billen duidelijk zichtbaar was. Ik aarzelde en stond alleen maar naar haar te kijken. Ze scheen die houding net een seconde te lang aan te houden, waardoor ik besefte dat ze zich ervan bewust was. Toen draaide ze zich om, zette het kind op haar heup, schoof enkele haren achter haar oor en zei: 'Heb je bier meegenomen... Hoe heet je ook alweer?'

'Bill.'

'Heb je het meegenomen, Bill?'

'Jazeker.'

Ze droeg een rode katoenen bloes die boven haar middel was dichtgeknoopt, zodat het zachte bolle knopje van haar navel zichtbaar was als de knoop in een ballon. Haar huid was bruin van de dagen dat ze hier in de zon buiten was geweest.

We liepen naar de deur van de caravan, vanbinnen was het een haveloze, verroeste bak met grote plastic bloemen die wiegden in de wind. Er hing een warme drukkende lucht, de urinelucht van het kind, en een biscuitachtige geur. Er piepte een enkele ventilator, die de geur en de warmte in het rond blies. De ramen stonden allemaal open, maar toch absorbeerde het metalen frame de hitte van de dag. Buiten pruttelde een kleine generator, een vitale verbindingslijn die het leven nog net draaglijk hield voor haar en haar kind, en de koelkast liet functioneren.

Ronny Lawtons ex wist wat ik dacht. Arme mensen hebben dat vaak, een voorgevoel van de afkeer die ze bij gewone mensen oproepen. Ik vermoed dat het een verdedigingsmechanisme is. Ze moeten weten met wie ze te maken hebben.

Ik zette het bier en de sigaretten op de formicatafel. Ze pakte twee bekers.

'Je hebt geen erg hoge dunk van mij, klopt dat? Jij met je superde-luxe wagen.'

Ik had geen praktische ervaring in de omgang met vijandige getuigen. Ik hield me in: 'Ik probeer er alleen maar achter te komen wie de vader van Ronny Lawton heeft vermoord en misschien kan ik je helpen dat huis van hem te krijgen.' Ik zei het met een stalen gezicht en op vlakke toon.

Daarna begonnen we met drinken, we zopen ieder drie flesjes leeg voordat ze me iets wilde vertellen. Ik kreeg te horen dat ze de middelbare school nooit had afgemaakt, dat ze in haar tweede jaar zwanger was geraakt van een jongen die ze nauwelijks kende, dat ze bij Ronny introk toen het kind nog geen jaar oud was, en dat ze kort voordat Ronny het leger in ging, weer zwanger werd. Ronny was nijdig over het eerste kind, hij sloeg het voortdurend, zodat ze het naar haar grootmoeder in Iowa stuurde, die een huis en wat geld bezat. Ze woonde in het huis van de familie Lawton terwijl Ronny in het opleidingskamp voor mariniers zat. Ze werkte soms bij de Osco Drug, maar bleef meestal thuis en kookte dan voor Ronny's vader en hield zo nu en dan Ronny's moeder gezelschap, maar die was in haar laatste paar maanden nauwelijks meer bij kennis. Het enige wat ze kon doen, was de lakens verschonen, Ronny's moeder omdraaien en haar huid afsponzen. Ronny's vader zat echt in de put nadat de bladmetaalfabriek waar hij werkte de poort had gesloten. '"De olieprijs schoot omhoog en de mensen werden bang om grote auto's en campers als de Winnebago te kopen." Dat had Ronny's vader tenminste gezegd, toen hij nog leefde.'

Eindelijk kwamen we dan bij de vader van Ronny Lawton. Ik schonk haar flesje bier uit in haar beker. Het had lang geduurd. Maar het kind begon te huilen en Ronny Lawtons ex doopte zijn fopspeen in het bier en stak het in de mond van het kind. Het zoog erop en ging rustig zitten in een kleine box naast de tafel.

Ik wist niet goed hoe ik het gesprek moest sturen, dus zei ik maar gewoon: 'Ik heb één vraag en ik wil graag dat je het me ronduit zegt. Denk je dat Ronny zijn vader heeft vermoord?'

Ronny's ex zette de beker aan haar lippen en dronk hem leeg, veegde haar smalle lippen af en leunde een beetje tegen me aan. Ik kon haar goedkope parfum ruiken, die de grauwe hitte doorsneed. 'Natuurlijk heeft hij het gedaan, Bill. Zijn vader en hij konden elkaars bloed wel drinken.'

Ik schrok van haar: de plotselinge intimiteit, dat ze mijn naam zo zei, zelfs al is het een naam die snel tot vertrouwelijkheid leidt. Toch, ik nam mijn hand langzaam terug, ging weer recht op de haveloze bank zitten en zei zachtjes, nadat ik mijn keel had geschraapt: 'Heb je ook een idee waarom Ronny zijn vader heeft vermoord?'

Ze knikte, trok zich ook wat terug en stak een sigaret op. Ze gooide haar hoofd in haar nek en blies een stoot rook uit in de kleine ruimte van de caravan. De rook steeg op naar een halfopen raampje van plexiglas in het dak.

'Ronny was een klootzak, maar zijn vader was nog erger. Ik zal je vertellen hoe ik het weet, en dan mag jij beslissen. Zoals ik het heb gehoord, was de moeder van Ronny er echt heel erg aan toe, pijn en bloeduitstortingen, vrouwenproblemen... ze had een operatie nodig. Al die tijd had ze pijn. Ronny's vader hield gewoon vol dat er niks met haar aan de hand was. Hij was een klootzak, Bill. Een echte klootzak.' Ze boog voorover, liet de overweldigende schoonheid van haar gezicht in de kom van haar handpalmen rusten, met de ellebogen in balans op de tafel, en zei: 'Ronny vertelde dat ze het 's nachts vaak uitschreeuwde van de pijn. Ronny's vader kon er niet meer tegen en ging in het holst van de nacht vissen om maar bij haar vandaan te zijn. In die tijd raakte Ronny's vader ook zijn baan kwijt, en daarmee ook hun verzekering. Ronny bleef dan alleen met zijn moeder.' Ronny's ex raakte haar slapen aan. 'Misschien ben ik het vergeten te zeggen: Ronny had een broer die in Vietnam is omgekomen.'

'Charlie,' zei ik zachtjes.

'Ja, zo heette hij. Misschien had Ronny's moeder daarom de wil om te leven verloren, omdat haar zoon zo was omgekomen.' Ze zweeg even. 'Kun je het nog volgen?'

'Zeker, je vertelt het heel goed.'

Ik aarzelde en Ronny's ex keek naar haar zoontje in de box. Toen keek ze mij aan. 'Heb jij kinderen?'

'Ik ben niet getrouwd.'

'Dat is verstandig van je, Bill. Het is lang niet zo geweldig als ze zeggen.' Ze schonk nog eens in. Ik kneep in de brug van mijn neus en voelde de hitte om me heen.

'Nou, waar was ik? O ja. Ronny kwam langs wanneer zijn vader weg was en ging dan naar zijn moeder om haar rug met zalf in te wrijven, haar water te brengen om zich te wassen, de lakens te verschonen en haar schijfjes appel en sinaasappel te voeren. Volgens Ronny begon hij op zijn veertiende bij Dairy Queen te werken; hij had een briefje van school gekregen met toestemming om vijftien uur per week te werken. Hij spaarde geld bij elkaar en nam zijn moeder mee naar de stad voor een bezoek aan de dokter. Dat was nog lastig genoeg omdat Ronny toen nog geen rijbewijs had. Zijn moeder zei: "We kunnen niet met de auto," maar Ronny luisterde niet naar haar. Ze gaan daar dus heen en de dokter onderzoekt haar vijf minuten, laat ze natuurlijk bijna een uur in zijn wachtkamer wachten en zegt dan: "Ze heeft nog zes maanden, hooguit een jaar, als ze haar baarmoeder niet laat verwijderen." Daarna liep hij weg, en hielp de verpleegster Ronny's moeder om zich weer aan te kleden. De dokter gaf haar een recept tegen de pijn. Ronny vertelde me dat hij vanbinnen huilde, maar niets liet merken. Hij ging haar medicijn halen bij de Osco en betaalde ervoor met het geld dat hij had verdiend. Daarna nam Ronny zijn moeder mee voor een ijscoupe in de tent waar hij werkte. Hij maakte de ijscoupe zelf, strooide er gemalen nootjes over, vermaalde ook de pillen, mengde die erdoorheen en zette de ijscoupe met zo'n lange lepel voor haar neer.'

Ronny Lawtons ex pakte mijn hand en kneep erin. Ik zag dat ze terugging naar een betere tijd, dat ze ronddwaalde in haar goede herinneringen. Ze was zichtbaar aangeschoten, met een vage glimlach op haar gezicht, en die agressieve, schorre stem klonk nu zacht en kalm. Ik knikte tegen haar dat ze door moest gaan, omdat ik er niet goed in was om het gesprek te sturen.

'Shit, kijk mij nou eens...' Ze snoof en veegde haar neus af met de rug van haar hand. 'En Ronny neemt haar mee naar het restaurant van de Holiday Inn aan Main Street. Ze hebben daar de beste saladebar en de beste biefstukken uit de hele omgeving, maar ze hebben er ook kledingvoorschriften. Ze zeiden: "Je moet wel een colbertje dragen, jongen!" en Ronny nam die dikke vent apart en zei: "Dat is mijn moeder en ze heeft vandaag te horen gekregen dat ze doodgaat." Ik bedoel, hij sloeg helemaal niks of niemand. Zo kon hij toen nog wel zijn. Dus kwamen ze op de proppen met wat die vent "een dodemansjasje" noemde voor het geval dat iemand niet keurig gekleed was. Ze trokken Ronny dat mosterdgele jasje aan, en hij liep naar binnen met zijn moeder aan zijn arm. Ze aten wat ze maar wilden. Ronny stond op, liep naar de ober en zei: "Wanneer u de koffie brengt, meneer, doe deze pilletjes dan even in de koffie voor mijn moeder. Ze heeft net te horen gekregen dat ze doodgaat." Ze kregen koffie met slagroom en de pillen werkten echt goed. Ronny's moeder hoefde geen moment te huilen of zo. Ze keek alleen maar rond naar die chic geklede zakenlui met hun meisjes die daar kwamen dineren. Er was ook een vent in smoking die piano speelde. Ronny's moeder zei: "Ik vraag me af of hij misschien iets van Duke Ellington kent, Ronny. Wat denk je?" En Ronny loopt naar hem toe met wat geld in zijn hand, die hij boven de vissenkom hield waar die kerels hun fooien in stoppen, en vraagt zachtjes: "Is het misschien mogelijk dat u iets van Duke Ellington speelt, meneer?" En die kerel antwoordt hem: "Misschien over een poosje, jongen." Daarop buigt Ronny zich heel rustig naar hem toe, alsof hij hem een geheimpje wil verklappen, en zegt: "Mijn moeder heeft zojuist vandaag te horen gekregen dat ze doodgaat," en die vent zegt: "Godallemachtig." Hij kondigt Ronny en zijn moeder aan, vraagt de mensen om op te staan en hun een applaus te geven, en zingt daarna "Tie a Yellow Ribbon Round the Old Oak Tree". Hij kende geen nummers van Duke Ellington. Daarna stapten ze op, maar het was al avond en toen ze thuiskwamen, wachtte Ronny's vader hen op met een riem. Volgens Ronny werd hij bijna doodgeslagen, en ik weet dat hij niet loog omdat ik de littekens op zijn rug heb gezien. Ronny's moeder gilde dat hij Ronny met rust moest laten, maar Ronny's vader bleef hem maar slaan. Hij zei alsmaar: "Jij bent hier niet de man in huis, niks daarvan." Hij sloeg Ronny zo erg dat hij daarna bloed pieste.' Ze haalde haar schouders op. 'Dat is het hele verhaal. Daarom weet ik dat Ronny zijn vader in mootjes heeft gehakt.' Ze stopte abrupt en vroeg: 'Hoe laat is het?'

'Tien over drie.'

'Shit. Misschien nog eentje dan. Kun je mij eventueel in de stad afzetten, Bill? Ik moet om vier uur op mijn werk zijn.'

'Ja, natuurlijk.' Het zweet gutste langs mijn lichaam in die caravan. Ik veegde het prikkende vocht uit mijn ogen, terwijl ik naar haar zachte gezicht keek, het vreemde trieste verlangen dat sprak uit de manier waarop ze erover praatte. Ze reikte omlaag en raakte het jochie aan. Het was zo goed als naakt, met alleen een luier om, en zat in zijn kooi met een plastic bal te spelen.

Jezus, het was echt bloedheet daarbinnen. De ventilator wiebelde en gaf een klik bij elke keer dat hij rondging. Ik keek door het raam naar buiten, waar een verzengende zon hoog aan een blauwe hemel stond. Ik vroeg: 'Heb je wat ijs?'

Ronny's ex pakte een paar ijsblokjes uit de kleine koelkast, een van ons, een kleine draagbare. Ze nam een blokje, wreef het achter langs haar nek en stopte het daarna in haar mond. Met een ander ijsblokje wreef ze over het voorhoofd van haar zoon. Hij keek op en nam het ijsblokje in zijn kleine, pafferige handjes. 'Niet opeten, Lucas.'

Ik wreef mijn ijsblokje over de binnenkant van mijn pols. Mijn grootvader had gezegd dat je daar met het ijs moest wrijven, op de plek waar het bloed het dichtst onder de huid stroomt. Ik zei: 'Ik snap het niet. Het lijkt wel alsof je van Ronny houdt!'

Ronny's ex zette haar tanden in het ijs en duwde het blokje naar de zijkant van haar mond, zodat haar wang iets bolde. Ze boog zich over haar beker en liet het ijs erin vallen. Ze fluisterde: 'Misschien heb ik wel van hem gehouden. Maar hij werd de zoon van zijn vader.' Ze sperde haar ogen wijd open. 'Hij had misschien wel liefde in zich, maar die werd er die avond helemaal uitgeslagen. Hij vertelde me dat verhaal toen we voor de eerste keer uitgingen. Ik zei bij mezelf: "Die man wil ik in mij. Ik wil dat die man mij kinderen geeft." Maar zo is het nooit echt tussen ons geweest, niet echt. Misschien was hij anders voordat zijn moeder ziek werd, maar daarna verschilde hij in niks van zijn vader. Ik heb ze samen in het huis gezien, vader en zoon, terwijl ze tekeergingen als twee straathonden.'

Ik had niet moeten zeggen wat ik daarna zei, maar ik deed het wel. Ik zei: 'Waarom ben je dan zwanger geworden?'

Ze schudde haar hoofd en kon een glimlach niet onderdrukken. 'Zo is het, hè, zo is het precies. Jullie chique lui willen altijd weten waarom we alsmaar baby's krijgen. Jullie willen weten hoe we overleven, toch?'

Ik zei: 'Dat had ik niet moeten zeggen.'

'Het doet er niet toe, omdat je het hoe dan ook dacht. Je hebt die wagen van je, die cabriolet, en je komt hierheen, je ziet mij en je denkt: "Hé, waarom wil zij niet met me neuken?" Je denkt: "Verdorie, ze heeft eerder ook op haar rug gelegen. Ze ging om met een moordenaar en ze heeft een kerel die zich niet eens een echt huis kan veroorloven, alleen maar een caravan." Is dat waar of niet, Bill?'

'Nee.'

'Je liegt. Weet je waarom ik bij Ronny ben gebleven?'

'Waarom dan?'

'Omdat hij de grootste penis heeft die ik ooit heb gezien. Ik was dol op zijn grote penis.'

Ik zei: 'Sorry.'

'Waarom zeg je sorry, lul?'

Het kind begon te huilen en daarmee was het afgelopen. Ik voelde me wee worden, mijn mond hing open als bij een hijgende hond. Ik dronk nog wat bier. Ik zei: 'Ik dacht dat je er belang bij had om dat huis te krijgen. Daarom ben ik hierheen gekomen, om te zien hoe het ervoor stond, wat je me misschien nog zou kunnen vertellen over Ronny, over de plek waar hij de lichaamsdelen van zijn vader misschien verstopt heeft. Meer niet.'

Het was kwart voor vier. Ronny's ex leek geen enkele aandacht meer voor me te hebben. Ze hield het kind in haar armen, nam het mee naar een opklapbed en verschoonde zijn luier. Ik keek toe hoe ze zijn benen omhooghield alsof ze een kalkoen schoonmaakte, en hoe ze de roze billen van het kind met witte zalf insmeerde en daarna talkpoeder over de edele delen strooide.

Ik zei: 'Luister, het spijt me. Oké?'

Ronny's ex draaide zich om. 'Je moet me naar de stad brengen.' Ze overhandigde mij het kind. 'Wil je heel even met Lucas naar buiten gaan?'

Ik nam het jongetje in mijn armen en liep naar buiten, naar het zanderige bruine veld. Het joch trok aan mijn oor. Ik liep naar de rand van het maïsveld en hoorde het geritsel in de wind. Vanwaar ik stond, kon je de voren tussen de rijen maïs tot ver in het veld zien lopen.

Ik draaide me om en liep terug naar de caravan, toen ik een glinstering van staal op de grond opmerkte. Ik liep erheen en pakte een heggenschaar op, die ik snel onder mijn bloes stopte. Ik liep naar de auto en legde hem achterin.

Ronny's ex riep me. 'Breng hem maar hierheen.' Ze had zich verkleed en een spijkerbroek met een wit shirt en linnen schoenen aangetrokken. 'Breng hem maar hierheen, Bill.'

Ze nam het kind van me over, zette het in de box en sloot die met een houten rek bij wijze van deksel af, zodat het kind in een kooi zat. Het kind begon te huilen, maar Ronny's ex zei alleen maar: 'Lucas, Karl neemt iets van McDonald's voor je mee als je ophoudt met huilen.' Ze duwde een gekleurde bal in zijn richting. Die was gevuld met kralen en maakte geluid. Vervolgens sloot ze de deur van de caravan af en stapten we in de auto. Ik wilde net wegrijden, toen ze zei: 'Misschien moeten we het niet achterlaten alsof we een feestje hebben gehad.' Ze gaf me de sleutel. 'Ik wil niet dat Lucas weer begint te huilen als hij mij ziet. Ga snel naar binnen en pak die flessen en sigaretten.'

We reden in een stofwolk weg langs de open strook van bruine aarde, totdat we een verharde weg bereikten die naar de stad leidde. Terwijl we de stad in reden, somde ze voor mij een lijst op van locaties om na te lopen, plekjes op het terrein waar Ronny haar mee naartoe had genomen. Zo was er een tornadobunker in de buurt van de overwoekerde ruïne van de boerderij die Ronny Lawtons grootouders hadden gebouwd toen ze naar het Midwesten waren gekomen. 'Ik weet dat hij daar vroeger altijd zijn bier verstopte, ver weg van zijn vader. Hij had daar ook een bed, waar hij me mee naartoe nam bij onze eerste afspraakjes. Ik zeg niet dat daar iets is, heus, maar het is gewoon een plek waar hij veel kwam. Het is vrij moeilijk te vinden, misschien wel meer dan een kilometer van het huis waar ze nu in wonen. Je ziet nu een grote groep bomen waar vroeger het oude huis aan Kinsey Road stond. Vandaar loop je vijftien meter verder door het hoge gras. Je moet een beetje zoeken om te voelen waar de fundering van het huis ligt; vanaf dat punt is het misschien nog zo'n dertig meter verder het veld in. Kijk gewoon of je een inham ziet. Ik weet niet of ik de bunker zelf nog zou kunnen vinden, maar hij is er wel, en het lijkt me wel de moeite waard om daar een kijkje te nemen.'

Terwijl ze in het spiegeltje van de zonneklep aan de passagierskant keek, begon ze make-up aan te brengen. Ze pakte een Mary Kay-lippenstift uit haar tasje en vroeg: 'Hoeveel kost zo'n auto eigenlijk, Bill?'

Ik vertelde het haar en ze glimlachte.

'Hoe hard kan zo'n auto eigenlijk, Bill?'

Ik vertelde het haar en weer glimlachte ze. Ze ging gewoon door met zich opmaken. 'Je ziet er niet uit als iemand die voor een krant werkt.'

'Wat bedoel je daarmee?'

'Je ziet er niet uit als een saaie piet.'

'Hoe zie ik er dan uit?'

Ze glimlachte naar me. 'Zit je naar een complimentje te vissen, Bill?'

Ik zei niets. Ik reed gewoon door en toen zei ik: 'Waar koop je dat spul?'

Ze keek me aan. 'Dit bedoel je?' Haar haar wapperde in de warme wind.

'Ja, de make-up.'

'Die koop ik waar ik mijn haar laat doen, aan Birch Road.'

'Bij Darlene Hoskin?'

Ze haalde haar schouders op. 'Ja, heb je soms een vriendin die daar ook naartoe gaat?'

Ik zei: 'Ik ken Darlene.'

'Darlene is een bijzonder mens! In de tweede klas heb ik een baljurk van haar gekregen. Haar man heeft een foto van mij gemaakt, daar bij haar. Het zijn echt heel aardige mensen. Ik geloof niet dat ik haar ooit alles wat ik haar voor de jurk schuldig was, heb terugbetaald. Zo zijn ze.'

We reden het parkeerterrein van de Osco op. Ronny's ex had zich in een mooie verschijning omgetoverd, met blauwe oogschaduw en een lichte blos op haar wangen. Ze depte wat parfum in haar kleine decolleté. Ze drukte haar mond tegen een papieren zakdoekje en liet een afdruk achter van haar zachte, vochtige lippen. Ze vroeg: 'Hoe zie ik eruit, Bill?' zonder enig teken van bewuste opzet, als een kind, alsof we elkaar al jaren kenden. Ze leunde tegen het portier en keek me aan. 'Nou?'

'Geweldig, denk ik.'

'Hoe bedoel je dat nou weer, verdomme?'

'Ik bedoel geweldig, gewoon geweldig.' Ik hield mijn handen stevig aan het zwarte stuur, gespannen.

Ze haalde een paar opzichtige ronde oorhangers tevoorschijn en stak de haakjes door het gaatje in elke oorlel, terwijl ze op bijna afwezige toon zei: 'Ik ben geen klikspaan. Volgens mij doen mensen allerlei dingen die alleen een zaak voor hen en de slaapkamermuren zijn. Ik wil niet dat je denkt dat ik een klikspaan ben, maar Ronny heeft me nooit financiële steun voor het kind of wat dan ook gegeven. Hij ontkende zelfs dat ik zwanger van hem was. Hij zei dat het niet kon, dat hij het precies wist, dat ik zwanger was geworden toen hij naar het opleidingskamp voor mariniers was gegaan.' Ze zweeg even. 'Ik bedoel, het is toch zo duidelijk als wat. Lucas lijkt sprekend op Ronny!'

Ik zei: 'Ja.'

Ronny's ex haalde haar schouders op. 'Ik moet zo goed mogelijk zien te overleven, dat is alles. Wat ik je daarginder heb verteld, was de waarheid. Ronny is niet altijd een beest geweest. Ik geloof niet dat ik ooit van een beest heb gehouden. Ik neem het hem niet kwalijk. Het was...'

Er ging misschien iets verborgen in die onafgemaakte zin. Ik aarzelde en wachtte tot ze nog iets zou zeggen. Ik wilde het niet overhaasten. Uiteindelijk moest ik het toch afmaken: 'Je hebt recht op iets beters dan dat.'

Ze boog voorover en kuste me op mijn wang, met een zachtheid waarvan ik ondersteboven raakte. Ik leunde op de claxon van het stuur en schrok, waarop zij in lachen uitbarstte. Ik zag de lichte kleur van haar nek doordat ze haar haar hoog had opgestoken, de sierlijke lijn van haar hals, de smalle vrouwelijke beenderen.

'Wat ben jij onhandig, Bill.' Ze keek me nog wat langer aan. 'Maar je bent lief, Bill. Ik praat graag met je. Als je wilt, kun je me misschien nog eens komen opzoeken? Misschien herinner ik me dan meer. Ik ga elke dag pas om vier uur aan het werk. Je zou me een keer wat kunnen helpen, als je tenminste tijd hebt.'

'En die kerel dan met wie je samenwoont?'

'Karl, wat heeft Karl ermee te maken? We praten toch alleen maar, Bill? Ik help je bij een onderzoek, dat is alles. Hoe dan ook, hij gaat altijd om zeven uur 's ochtends weg en komt niet eerder thuis dan zes uur 's avonds. Hij werkt daar bij Elkhart.'

Ik hoorde mezelf haar mijn telefoonnummer geven. Ze schreef het met haar lippenstift op een papieren zakdoekje. Ze glimlachte tegen me. 'Voor het geval dat me nog iets te binnen schiet...'

Ik keek hoe ze wegliep over het glimmende asfalt. Ze riep: 'Ik vind het echt een fijne auto, Bill,' en liep de Osco binnen.

Ik was me bewust van een onderhuidse suggestiviteit; die was ongetwijfeld te wijten aan de drank. De zon sloeg neer op mijn hoofd. Het papieren zakdoekje met haar mondafdruk lag op de passagiersstoel. Het was allemaal heel onwerkelijk, en dan dat kind van haar in zijn kooi. Dat was een misdrijf, dat was verwaarlozing. Ik had die toestand weerzinwekkend moeten vinden. Ik had zonder meer de districtsafdeling van de kinderbescherming moeten bellen. Ik reed het parkeerterrein van de Osco af en ging in de richting van de krant. Vóór tien uur in de avond moest er weer een editie klaar zijn. Ik was deze middag alleen maar op pad gegaan om iets te weten te komen over het motief, en over de plek waar Ronny Lawton misschien de lichaamsdelen van zijn vader had verstopt, en het eindigde ermee dat ik Ronny's ex mijn telefoonnummer gaf en een soort afspraakje met haar maakte. Ik bedoel, jezus christus, ik had er als de bliksem vandoor moeten gaan. Ik maakte er gewoon een zootje van.

Het enige wat ik na wekenlang werken aan dit verhaal echt te weten was gekomen, was dat Ronny Lawton waarschijnlijk een lul van vijfentwintig centimeter had. Dat werd ondersteund door het commentaar uit de tweede hand van zijn vrouw. Dat was het hoogtepunt van mijn bedrevenheid in onderzoek verrichten, een grote krantenkop: JOURNALIST BEVESTIGT: RONNY LAWTON HEEFT EEN LUL VAN VIJFENTWINTIG CENTIMETER. 'Jezus christus, ik ben niet geschikt voor dit soort werk,' schreeuwde ik uit. 'Ze vindt het verdomme een fijne auto, dat is alles! Ze wil het huis van Ronny, dat is alles!' Inwendig bleef ik maar schreeuwen. 'Je hebt haar je verdomde telefoonnummer gegeven!' Ik zei: 'Je kunt nu maar beter in dat examenboek duiken, klootzak. Je mag weleens opschieten, meneer!' Ik stopte in Main Street en ging iets bij Burger King eten. Pas over een paar uur zouden op de krant de gerechtelijke bekendmakingen binnenkomen. Ik zat daar maar in de koele lucht van de airconditioning en dacht na over wat ik nu eigenlijk van mijn leven maakte. Ik had dat verliefde gevoel in mijn buik alsof ik een jongetje uit een van de laagste klassen van de middelbare school was. Ik probeerde mezelf nog steeds voor de gek te houden en net te doen alsof ik honger had, maar dat was niet zo. Welke klootzak krijgt er nu een stijve bij de ex van een verdachte?

Werktuiglijk propte ik de friet in mijn mond. En toen herinnerde ik me opeens de heggenschaar. Hoe had ik die toch kunnen vergeten? Ik rende naar buiten naar de auto, opende het achterportier en voelde onder de zitting. Ik porde tussen de vinylzittingen en ik maakte de kofferbak open om te zien of hij soms langs de afscheiding was gevallen, maar de schaar was weg. Jezus! Ik had hem op de zitting gelegd. Ik wist zeker dat ik hem daar had neergelegd. Mijn hart bonsde. Het enige echte bewijsstuk dat ik misschien had, was verdwenen. Ik was het kwijt! Was het gestolen? Ik haalde me voor de geest wat er gebeurd was, probeerde de gebeurtenissen op een rijtje te zetten. Ik sloeg op de motorkap van de auto. Verdomme! Zij moest de schaar achter in de auto hebben zien liggen. Daarom had ze mij terug naar de caravan gestuurd om de bierflesjes en sigaretten op te halen. Zij had hem gezien! Ik keek nog eens achter in de auto, viste onder mijn zitting, en toen voelde ik hem, ver weg onder mijn stoel. Hij moest naar voren zijn geschoven toen ik over het lange zandpad reed. Ik zei bij mezelf: 'Jezus! Je mag wel wat voorzichtiger zijn. Kom op nou!' Ik pakte de heggenschaar en keek naar de glinstering in het zonlicht, totdat ik me realiseerde dat hij nu vol zat met mijn vingerafdrukken. Ik wikkelde hem in een oude krant en liep naar kantoor.

8

Ik wachtte bijna twee hele dagen voordat ik iets met de heggenschaar deed. En toen begon een van de langste dagen in mijn leven, met een spanning die me geestelijk volkomen uitputte, bijna zoals toen ik zo verschrikkelijk trilde dat ik naar een inrichting werd gestuurd nadat mijn vader zelfmoord had gepleegd. Ronny Lawtons ex had iets met me gedaan, ze had iets in mij geraakt wat zich afzijdig van de wereld wilde houden, wat me deed terugdenken aan Diane en de tijd die we samen hadden doorgebracht. Ik overwoog zelfs om kalmerende middelen te halen om beter te slapen. Die schaar was het probleem. Ik gedroeg me als een hond met een bot. Ik verborg hem achter in mijn huis, achter een verzameling oude boeken. Ik liep om de boekenkast heen met de territoriumdrift van dieren, haalde de schaar tevoorschijn, keek ernaar en verborg hem op een andere plek, in de kelder bij de boiler, daarna boven op zolder. Wat als het huis afbrandde? Ik begroef hem buiten in een plastic zak met ziploc-sluiting aan de voet van de oude eikenboom in onze tuin. Ik was helemaal buiten zinnen. Ik liep door de grote tuin naar de afrastering waarachter de dieren liepen. Ik kon mijn eigen hart horen, het bonzen in het duister, maar het was niet mijn hart dat bonsde. Voor mij stonden die stomme dieren met hun lange nek, de emoes, door het hek naar mij te kijken. Hun bek ging open en dicht in een soort stille conversatie, alsof ze praatten over wat ik had gedaan. Ze hadden een taal die afweek van die van alle andere dieren, een hol gebonk van onder uit hun lange hals, het geluid van een hart zoals je dat door een stethoscoop hoort. Dat geluid hoorde ik aldoor, een alomtegenwoordige verschrikking à la Edgar Allan Poe van het verraderlijke hart, de weerklank van het geluid in dat duister. Het was alsof de duisternis bonsde van angst om dit begraven geheim. Ik strompelde bij de vogels vandaan. Ze volgden mij langs het hek totdat ik me omdraaide en terug naar het huis rende. Mijn hoofd werd in tweeën gespleten door de spanning. Ik was nog niet lang binnen of ik werd bang dat een eekhoorn misschien had gezien hoe ik de schaar begroef, en dacht dat het om een voorraadje noten ging. Uiteindelijk liet ik hem daar wel. Ik nam drie slaappillen met wat melk en pakte een plaat van Duke Ellington uit mijn vaders collectie om die op te nemen met de draagbare cassetterecorder die ik had gekocht toen ik op de universiteit probeerde Frans te leren.

Ik wijdde me weer aan het examenboek, daalde af naar de koude kelder van ons grote huis en trok me terug uit de wereld. De hitte was het bovenste deel van het huis binnengedrongen en deed het hout krakend uitzetten. Het was moeilijk om de ramen te openen. Ze zaten vast door de hitte. We hadden nu al twee weken een temperatuur van boven de vijfendertig graden. Het leven nam het apathische karakter aan van slapen en bij ventilatoren hangen. Zo ging het altijd gedurende de zomers op de vlakten: zweten en je koest houden. Ik hield me koest in de kelder. Ik ploos alle manieren na om Ronny Lawton te pakken te krijgen, om iets te vinden wat belastend voor hem was. En toen dacht ik aan Ronny's ex en wat ze had verteld over Ronny, dat hij heel erg was geslagen. Ik wist niet of ik echt wilde dat Ronny bekende. Misschien zijn er vormen van gerechtigheid die hun beloop buiten de wet moeten hebben. Ik dacht aan Ronny en zijn moeder, aan die avond uit in de stad, een jongen die voor het eerst als man optrad en moest omgaan met ziekte en dood. Ik dacht aan mijn eigen moeder. Weet je, ik denk dat ik Ronny Lawtons gevoel ten opzichte van zijn vader wel begrijp. Zo voelde ik me ten opzichte van mijn grootvader. En zo had mijn vader zich gevoeld, in de wetenschap dat iemand misschien in leven was gebleven als hij voor de juiste doktersbehandeling had gezorgd.

Ik wist dat het aan het huis lag dat de oude herinneringen zich met het heden verstrengelden. Ik kon niet eten van alle angst. Ik schreeuwde: 'Grootvader, klootzak!' Ik balde mijn vuist en schudde die tegen het voorgeslacht, daar beneden in ons huis. Misschien deed ik het ook wel voor mijn vader. We hadden natuurlijk nooit goed met elkaar kunnen opschieten, maar dat lag aan mijn grootvader. Hij vernederde ons en hield ons ondergeschikt aan zijn nukken. Hij hield onze erfenis op afstand, liet ons als ezels achter een wortel aan lopen die steevast buiten bereik bleef. Het geld druppelde slechts binnen via maandelijkse cheques uit een beheerd fonds, zodat we altijd een nijpend geldtekort hadden. Zelfs dit huis, dit klotehuis, moest behouden blijven. Die voorwaarde had mijn grootvader in zijn testament opgenomen: alle financiële toelagen waren uitdrukkelijk afhankelijk van het feit dat je in het huis woonde. Die klootzak die de hele wereld over had gereisd, ketende ons vast aan de vlakten en isoleerde ons hier in het hart van de industrialisatie. Maar heel misschien was ik in staat om me van dit alles los te maken, als ik erachter kon komen waar Ronny Lawton de lichaamsdelen van zijn vader had verborgen.

Ik besefte dat ik veel te veel aan mijn grootvader dacht, maar hier te midden van zijn bezittingen leefde hij gewoon nog steeds voort. Het enige ware geschenk dat hij me misschien had toebedacht, was mijn naam: Bill, niet William, gewoon Bill stond er op de geboorteakte. Hij had me mijn naam gegeven, niet mijn vader, en uiteraard was mijn moeder toen al dood. Hij zag me als iemand die was voorbestemd voor industriële relaties, om gesprekken met vakbondsleiders te voeren, om een algemene zakelijkheid tentoon te spreiden, om als vredestichter op te treden. De mensen hielden van mijn naam. Ze gebruikten die vrijelijk. Ze herinnerden zich mijn naam ook altijd. Het was voortdurend 'Hé Bill' dit en 'Hé Bill' dat. In deze tak van de berichtgeving was het handig om die naam te hebben. En de naam had een dubbele betekenis waar mijn grootvader, die oude industrieel, ontzettend om moest lachen. Bill had in het Engels ook de betekenis van 'rekening'; ik was een woordgrap voor hem. Dat was vooral de betekenis van Bill voor die ouwe, nog voordat hij wist dat Bill een naam was. Vroeger, toen mijn vader nog leefde, schaterde hij van het lachen wanneer we elkaar weleens in de fabriek tegenkwamen en hij tegen zijn klanten zoiets zei als: 'Hebben jullie onze Bill al gezien? Ik zal je onze Bill eens laten zien.' En dan liet hij mij aantreden en brulde hij van het lachen, totdat iedereen de grap ervan inzag en het verband legde. 'O, Bill en *bill*... Ja, dat is een goeie.' Dat was het soort droge humor dat we moesten ondergaan. Mijn grootvader had met alles een bedoeling. Dat zag ik ook wel in. Hij zei dat de naam van iets een essentieel onderdeel van het wezen ervan uitmaakte. De naam stuurde het in een bepaalde richting. Toen hij door Europa zwierf, droeg hij de naam Vladimir, maar die veranderde hij in Igor zodra hij op de vlakten verscheen en met de verkoop van zijn ijs begon. De naam 'Igor' had een zekere kracht, iets van een zigeunerachtig mysterie dat hij goed kon gebruiken in een handel waar zielsverwantschap geen positieve factor was. Die ijsbusiness was een verkopersmarkt. Zielsverwantschap deed de prijs alleen maar zakken, was een verspilling van tijd, veroorzaakte een ongemakkelijk gevoel bij de verkoper en dan werden hij en de klant het te snel eens. Mijn grootvader introduceerde in de woestijnhitte een vergankelijk product. Soms dacht ik aan hem als de kindervanger van *Chitty Chitty Bang Bang*. Met zijn hakkelige taaltje en slechtzittende zwarte kleren die in de hitte om hem heen wapperden, richtte Igor zijn onheilspellende ogen op zijn klanten, terwijl hij hijgend en grommend het ijs losbikte. Hij nam geregeld zijn kunstgebit uit zijn mond en zei dan weeklagend: 'In die tijd was ik gezegend met slechte tanden. Ik had een lach als een wegrottend bos.' Hij had een schonkig paard, een kreupel beest dat langs de horizon van glinsterende vlakten strompelde, gekluisterd in zijn paardentuig. Mijn grootvader liep zoveel als hij kon naast het paard, in veterloze laarzen met zwarte bungelende lipjes, op een lijn met zijn paard in een gezamenlijke reis naar de hel zonder enige hoop, elkaars gevangene, terwijl bij het paard het schuim angstaanjagend uit zijn neusgaten kwam. Mijn grootvader wendde een misère voor die nog erger was dan die van zijn klanten. 'Dat, mijn jonge vriend, weerhield anderen ervan om ijs te gaan verkopen. Ze zeiden bij zichzelf: "Kijk hem eens, de ijsman, in die handel kan haast geen geld zitten."'

Wie weet of er iets van die flauwekul klopte. Misschien was het allemaal later verzonnen als onderdeel van de mythe, maar de rest van zijn leven behield hij die karige instelling wel, zodat je wist dat het gevoel erachter oprecht moest zijn. Gedurende heel mijn jeugd moest ik in de herfst en de winter mee op pad met mijn vader en grootvader; samen kapten we bomen en hakten die in stukken als brandstof voor de houtbrander die mijn grootvader per se wilde gebruiken. Die maakte deel uit van zijn immigrantentraditie, van de drang om in zijn eigen onderhoud te voorzien, om paraat voor de strijd te blijven. Vaak kwamen er mensen langs onze grote poort, de gewone arbeiders die op weg naar de fabriek waren, en dan zagen ze dat we de hele dag aan het hakken waren; het hout versplinterde met een scherp gekraak in de koude lucht zodat het geluid tot buiten de poort reikte en bij de klap van de ijzeren bijl de houtgeur vrijkwam. Het was een en al vertoon en gegrom: mijn grootvader zong revolutionaire liederen en riep dingen in zijn moedertaal, wij als zijn afstammelingen gingen gekleed in laarzen en wollen truien, volkomen ouderwets als Paul Bunyans in geruite bloezen. We waren figuren van drie generaties die hijgden van de inspanning terwijl in de koude lucht de damp van ons afsloeg.

Maar dat was al zo lang geleden. Alleen in de kelder, stond ik nu voor de vraag hoe lang ik dit zo verder liet gaan. De heggenschaar lag buiten. Had ik de moed om uit te zoeken of Ronny uiteindelijk toch niet de dader was, of zijn ex en haar nieuwe vriend Karl een plan hadden verzonnen om Ronny erin te luizen, zodat zij het huis kon krijgen? Ik bedoel, wie zou het zeggen? Ik had geen enkel houvast.

Ik moest weer contact opnemen met Ronny Lawtons ex. Ik wist dat het dwaasheid was, maar ik dacht dat ze misschien iets bezwarends over haar vriend Karl zou zeggen. Ik geloofde niet dat zij de vader van Ronny Lawton had vermoord. Karl had het gedaan, vanwege het huis. Misschien was zij er niets eens van op de hoogte. Misschien had Karl er genoeg van gehad om telkens over dat huis te horen en had hij zelf iets ondernomen. Maar natuurlijk kon je helemaal niets met dit alles. Voor elke theorie moest je over tastbaar bewijs beschikken.

Ik ging naar boven, naar de hel van de woonkamer, waar de plaat van Duke Ellington halverwege in een kras was blijven steken. Ik zette de cassetterecorder uit. Het was al laat, al zo laat dat Ronny Lawton aan het werk zou zijn. Ik was sloom van de slaappillen. Ik werd juist door slaap overmand op het moment dat ik in actie moest komen. Ik zette een pot koffie en ging in de keuken zitten wachten. Ik nam twee koppen sterke zwarte koffie met suiker.

Bij Denny's had Ronny Lawton even een nachtelijk intermezzo nadat de jongelui net naar huis waren gegaan. Hij was helemaal alleen in het heldere licht. De tafels waren bezaaid met hoge milkshakeglazen en half leeggegeten borden met hamburgers en friet. De drie extra vrouwen die voor de nacht in dienst waren genomen, stonden aan het eind van de balie te roken, terwijl ze zo nu en dan hun hoofd in de nek gooiden en lange rookpluimen de lucht in bliezen.

Ze negeerden me toen ik langs hen liep. Op een bordje stond te lezen: KIES ZELF JE PLEK.

Ik voelde hoe de slaappillen en de cafeïne strijd voerden in mijn bloed door het komen en gaan van een schrikachtige alertheid. Ik was kortademig als gevolg van vermoeidheid, maar ervoer ook een lichte aarzeling, een passiviteit in mijn rechterarm toen ik de cassette tevoorschijn haalde. Een van de serveersters kwam naar me toe en schonk een kop koffie in, ongevraagd, uit gewoonte vermoed ik.

Ik werd weer zo'n vijf minuten enorm zenuwachtig en keek alsmaar op mijn horloge. Ronny was aan de telefoon. Hij stond rustig te praten.

Ik zette het volume van mijn cassetterecorder hoger en drukte op de afspeelknop.

De mensen schrokken, keken om en riepen me enkele scheldwoorden toe.

Ronny stond met zijn rug naar me toe, maar bij het geluid draaide hij zich langzaam om en keek me indringend aan. Hij hield de telefoon op enige afstand van zijn oor. Zijn mond stond wijd open.

Ik liet de cassette nog zo'n vijftien seconden draaien en zette hem toen stop. Een van de serveersters zei: 'Waar ben jij verdomme mee bezig?' Maar ik hield mijn ogen strak op Ronny Lawton gericht. Hij liep langzaam op me af. Hij was fysiek zeer aanwezig, met de littekens op zijn gezicht, zijn kleine ogen als spleetjes, de hangende voorouderlijke Lawton-kin, de gapende opening van verschrikking. Hij gleed naast me op de halvemaanvormige zitplaats. Hij rook naar marihuana. Midden in zijn gezicht stak een brandende sigaret.

Ik zei zachtjes: 'Ik heb het motief, Ronny. Ik weet hoe erg je moeder heeft geleden. Ik weet dat je met haar naar de dokter bent gegaan...'

Ronny's ogen knipperden in het felle licht. Hij nam de sigaret uit zijn mond. Ik kon elke porie in de huid van zijn gezicht zien, de blauwe gloed van de aderen in zijn dikke nek. Linksboven op zijn werkkiel stak een metalen speld waarop WERKNEMER VAN DE MAAND stond. Ronny keek me aan. 'Je hebt met dat kutwijf gepraat zeker.'

Ik vroeg: 'Wie?'

'Dat is allemaal flauwekul, wat zij zegt,' brulde hij bijna in mijn oor. 'Ik ga vrijuit.'

Dat was ook weer zo'n uitdrukking die rechtstreeks van de televisie kwam.

De serveersters keken naar ons.

Ik hield voet bij stuk. Ik liet hem zijn lijf tegen het mijne duwen. Hij droeg een netje over zijn haar. Hij rook ook naar gebakken vlees en kruiden, al was de marihuanalucht bijna zoetig bedwelmend.

Ik zei: 'Ik heb gehoord dat je bij zo'n hitte als nu je moeders rug met zalf inwreef. Ik heb gehoord dat je met je moeder naar de dokter bent gegaan. Ik weet dat je erbij was toen ze te horen kreeg dat ze niet lang meer te leven had.'

Ronny rolde met zijn ogen. 'Noem je dat verdomme bewijs? Dat heeft helemaal nergens wat mee te maken.' Ronny tikte met zijn sigaret tegen zijn slaap.

Mijn stem klonk mat. Ik hield mijn hand boven de cassette.

'Dat kutwijf zegt zeker dat ik het gedaan heb, hè?' Zijn ogen gingen even wijd open voordat ze weer spleetjes werden.

'Ze heeft misschien wel met je te doen,' antwoordde ik.

Ronny kneep in de brug van zijn neus. 'Dat is allemaal onzin.' Hij boog zich over de tafel. 'We hebben niks meer samen.'

'Wil je soms zeggen dat dat met Duke Ellington nooit is gebeurd?'

'Ik zeg niet dat het nooit is gebeurd. Ik zeg dat het niet betekent dat ik mijn vader in mootjes heb gehakt.'

Er plakte een stukje tabak aan een van zijn tanden, zodat het leek alsof er een bruin rottingsplekje zat. Daardoor zag hij er des te gevoellozer uit, met net dat extra beetje lelijkheid dat iemand in onze ogen veroordeelt. Zijn grote rechterwijsvinger tikte op de rug van mijn hand. Zijn gezicht was dicht bij het mijne. Hij zei: 'Je kunt maar beter geen ruzie met mij maken; doe dat dus niet.' Hij pakte de cassette uit mijn recorder en stopte die in de borstzak van zijn kiel.

Het was waarschijnlijk de grootste gok die ik ooit met Ronny Lawton zou nemen, terwijl hij daar stond en me aankeek. Ik gaf hem geen vuistslag, ik schold hem niet uit en ik bedreigde hem ook niet, omdat hij dát juist graag wilde: geweld. Ik besloot gewoon wat sentimentele onzin te fluisteren op het moment dat hij wegliep. Toen hij zich omdraaide en weg wilde lopen, zei ik: 'Misschien heb je me niet goed begrepen, Ronny. Toen ik Duke Ellington hoorde, zag ik een vrouw met pijn voor me en een zoon die zalf in haar nek wreef. Ik zag liefde.'

Ronny Lawton draaide zich om en kwam terug, met een wrange glimlach op zijn gezicht. Zijn ogen traanden van vermoeidheid. Zijn hand trilde toen die langzaam op mijn schouder neerdaalde. 'Ik wil niet dat je het ooit nog over mijn moeder hebt. Begrepen?' Ik voelde de druk van zijn hand die zich in mijn schouder groef en tot op mijn bot kneep. Hij leunde dicht tegen me aan. Zijn ongeschoren wang raakte de mijne. Hij blies rook in mijn gezicht. 'Ik heb gehoord dat je in het gekkenhuis hebt gezeten. Ik heb gehoord dat je vader zich door zijn kop heeft geschoten. Ik heb gehoord dat hij jouw hond heeft vergiftigd. Jij hebt toch een tijdje in het gesticht gezeten?'

Ik antwoordde: 'Ja.'

Ronny Lawton hield zijn mond bij mijn oor. Het was bijna obsceen, alsof hij me kuste. Hij fluisterde: 'Je moet weten dat de mensen over je praten.'

Ik slikte en wendde mijn ogen af. 'Wat zeggen ze dan?'

Ronny schudde zijn hoofd. 'Daar wil ik niks mee te maken hebben.'

Ronny liet zijn sigaret in mijn koffie vallen, hij siste en stoomde, en ging toen uit.

Ik vertrok en Ronny volgde me over Main Street en langs het oude industriële deel van de stad. Ik zag hem in mijn achteruitkijkspiegel, was me bewust van de omgekeerde psychologie van zijn bedreiging, de manier waarop hij me ondermijnde als een krankzinnige. Ik reed in een boog terug langs de rivier en kwam weer uit op Main Street. Ronny gaf me een signaal met zijn koplampen. Ik reed het parkeerterrein van Denny's op en wachtte. Shit, ik was bang dat ik misschien bij hem een gevoelige snaar had geraakt en dat ik de sluimerende passie tot leven had gewekt die hem ertoe had gedreven zijn vader in stukken te hakken. Ik wachtte alleen maar, klaar om het zo nodig op een schreeuwen te zetten, toen hij op het zijraampje tikte als een agent die je rijbewijs wil zien. Gehoorzaam draaide ik het raampje omlaag.

Ronny's gezicht was in het duister.

Ik verroerde me niet en hield mijn handen op het stuur.

Ronny leek in zichzelf te praten. Hij zei: 'Voor het eerst in mijn hele leven heb ik wat geld op zak. Ik ben daar werknemer van de maand.' Hij keek naar Denny's en staarde naar dat wereldje van licht. Daarna wendde hij zich weer naar mij. 'Begrijp je wat het voor iemand als ik betekent om voor het eerst wat geld te hebben, om mijn naam op een plaquette te zien?'

Ik zei laconiek: 'Jawel.'

Ronny vertelde me over de verdiensten van zijn Ford Mustang, hoe je kon terugschakelen om het toerental snel op te voeren. Hij deed geluiden van loeiende motoren na, hij had het over de omwentelingen per minuut en over nokkenassen, allemaal onzin waar ik niet zoveel van afwist. Hij had die auto gekocht met een financieringsplan van een handelaar die hem gunstige voorwaarden bood, een autoverkoper die wilde dat Ronny al zijn verklaringen voor de pers en de politie vanuit die auto gaf. Dat vertelde hij me allemaal. Zijn hand kwam de auto binnen en vond mijn schouder, als een tentakel die zijn prooi zocht. Hij zweeg abrupt en borduurde daarna voort op een andere gedachte. 'Ik heb een broer gehad die voor dit land is gestorven. Weet je hoe dat is, wanneer je thuis een brief krijgt waarin dat staat? Weet je hoe dat is voor mensen die zo'n brief krijgen en stoppen met wat ze aan het doen zijn, wanneer het tot ze doordringt dat ze dagenlang gewoon bezig zijn geweest terwijl hun zoon in die tijd ergens dood lag? Misschien is dat het ergst van alles, die periode dat je omviel van het lachen of stomme ongein uithaalde, terwijl je broer dood was.' Hij stak zijn hoofd door het raampje, zijn hete adem dicht bij mijn oor. Ik verroerde me niet. 'Jullie hebben die foto's van mijn vader, mijn broer en mij uit de tijd dat dit allemaal begon, jullie hebben die foto's van ons uit de diensttijd, en daarmee hebben jullie ons tot de vijand gemaakt. Dat was onterecht, hoor je? Dat was onterecht!' Zijn vingers knepen in mijn schouder. 'We zouden allemaal ons leven hebben gegeven voor dit land, wij allemaal. Wat je zag, waren de gezichten van mannen die zich in dienst van het vaderland hebben gesteld.'

Ik won een beetje zijn vertrouwen, kreeg toegang tot zijn triestheid. Zijn hand op mijn schouder had zich ontspannen. Ik zei zachtjes: 'Jij weet toch wel waar het lichaam van je vader is, Ronny?'

Ronny fluisterde: 'We leven nu allemaal in die tijd van lachen en stomme ongein uithalen, in die periode dat we niet zeker weten of hij dood is. Het is net als met mijn broer en hoe hij stierf. Begrijp je dat? Dat is het moeilijkst: het niet weten, het wachten. Jij begrijpt dat toch, hè, dat het wachten aan je vreet?'

Dat was niet zo en daarom zei ik weer: 'Jij weet toch wel waar het lichaam van je vader is, Ronny?'

Ronny keek me niet aan, maar hij zei: 'Wat moet ik doen om te voorkomen dat ik uiteindelijk op de stoel beland? Als ik je vertel waar ik denk dat mijn vader misschien begraven ligt, denk jij dat ik het heb gedaan. Mijn vader kan op geen enkele manier plechtig begraven worden, tenminste voor zover ik weet, zonder dat ik op de elektrische stoel beland.'

Heel zachtjes zei ik: 'Mij kun je het wel vertellen.'

Ronny Lawton deed een stap terug en keek even naar de kleine experimentele kooi waar hij probeerde te overleven, naar Denny's, het restaurant waarin hij nu meer geld verdiende dan hij zijn hele leven had bezeten. Bij die beweging viel het licht op zijn gezicht. Zijn ogen wendden zich af en vingen mijn blik. Hij schudde zijn hoofd, hij herwon zich na de vertrouwelijkheid van ons heimelijke gesprek.

Ik zei: 'Waar, Ronny? Zeg het me.'

Ronny bracht het raadsel van zijn getatoeëerde handen naar mijn raamopening, zodat het NOWHERE bijna wegviel in het verduisterde licht, een stil antwoord op mijn vraag.

9

Werktuiglijk sleepte ik me de volgende dag laat naar de krant, waar ik me plichtmatig aan de vaste bezigheden zette. Ik zag Ed voor het eerst sinds Ronny's ex had gezegd dat ze Darlene kende.

'Ed. Er is een poosje geleden iets geks gebeurd. Ik was bij Ronny's ex om wat feiten te controleren en zij vertelde me dat Darlene al jarenlang haar haar doet. Het verraste me dat Darlene er helemaal niets over heeft gezegd toen we bij de barbecue over de zaak praatten.'

'Darlene is de beste kapster van de stad, Bill.' Hij keek me aan. 'Ik snap niet helemaal wat je hiermee wilt zeggen, Bill.' Toen kwam die onderaardse gal omhoog uit de vulkaan van zijn trage spijsvertering, omhoog door het duistere kanaal van zijn slokdarm. En prompt kwam ook de zakdoek tevoorschijn.

Ik bleef abrupt staan in het kantoor. Ik keek Ed aan. 'Wat ik bedoel, is dat we misschien eerder een verklaring van haar hadden kunnen lospeuteren om een stuk te schrijven over wat zij van dit alles vond, van Ronny en zijn vader.'

Ed keek onverstoorbaar. 'Je zegt nu iets wat ik niet helemaal begrijp, Bill. Waar doel je in 's hemelsnaam op?'

'Nee Ed, je begrijpt het helemaal verkeerd. Ik "doelde" helemaal nergens op. Ronny's ex woont daar ergens bij jou in de omgeving. Darlene is kapster. Dus waarom zouden zij elkaar niet kennen? Maar ik verwonderde mij erover dat de wereld zo klein is en dat alles in elkaar grijpt. Dat is alles. Ik maak gewoon een opmerking over kleine steden, dat is alles.'

Maar Ed nam daar geen genoegen mee. Hij belde naar huis, keerde mij zijn rug toe en kreeg Darlene aan de telefoon. Hij begon met haar te praten.

Ik ging naar mijn kamer en was al begonnen met typen toen Ed binnenkwam en me op de rug tikte. Hij overhandigde me de zwarte telefoon. Darlene was nog aan de lijn. 'Bill, misschien hadden we het niet zo een twee drie door omdat Teri haar meisjesnaam gebruikt. Ze noemt zichzelf niet Lawton.'

Ik voelde Eds magere hand in mijn rug. Hij zei over mijn schouder: 'Zeg het hem maar, Darlene. Zeg het hem.'

Ik zei: 'Darlene. Ed is hierdoor helemaal over zijn toeren, terwijl ik er niks mee bedoelde. Ik was gewoon daar bij Ronny's ex en ik zag haar make-up, en toen kwam het ter sprake dat jij haar haar deed. Het heeft helemaal niks te betekenen, Darlene. Ed heeft het gewoon verkeerd opgevat.' Ik keek weer naar Ed, maar hij stond opnieuw een zure smaak te verwerken. 'Ed?' vroeg ik. Ik hield mijn mond weer bij de telefoon. 'Ik moet ophangen, Darlene. Trouwens, nog bedankt voor de barbecue die avond.'

Ed keek me nog steeds woest aan. 'Als je geen spoor hebt, begin je niet zomaar iedereen te beschuldigen. Hoor je me, Bill?'

'Jazeker... Ed, komaan. Het spijt me.'

Hij liep van me weg in de richting van de deur. Hij draaide zich om. 'Als het om Darlene gaat, geef ik niemand een tweede kans.'

Jezus christus. Ik had nog nooit een vent gezien die zo over zijn toeren raakte om niets.

Sam bleef al die tijd in zijn kamer zitten, maar ik wist dat hij meeluisterde. Ik ging door met typen, met mijn ogen dicht; ik hield me in. 'Je moet mij niet de schuld geven van jouw fouten.' Zoiets liep Ed te mompelen.

Ik stond op, liep naar de koeltank en schonk een groot glas koud water in. Ed liep weg en kwam daarna terug uit de donkere kamer met een foto van de droogte die het land teisterde. Hij liet me die zien, een bloedrode zonsondergang boven Johnson's Creek, die vrijwel helemaal was opgedroogd. Ed keek me aan en glimlachte. 'Even goede vrienden, Bill?' Ik bedoel, van het ene moment op het andere deed hij heel anders.

Ik greep zijn hand. Ik was bijna in tranen uitgebarsten.

In het uur daarna legden we de laatste hand aan de krant. Sam kwam onze kamer binnen. De toasteroven stond aan in de andere kamer. 'Ik heb warme tuna melts en chips voor iedereen.' Maar hij glimlachte er niet bij of iets dergelijks. Onder zijn oksels waren twee donkere zweetplekken zichtbaar als grijze fantoomvleugels. In de ene hand hield hij zijn flacon met whisky, in de andere een mes. Hij had de melancholieke blik van een oude hond met zo'n neerhangende kaak.

We verorberden de tuna melts. Ze smaakten goed. Bij nader inzien bleken we eigenlijk wel honger te hebben. Sam schonk een rondje whisky in. Je moest drinken op zijn voorwaarden. Dat was onderdeel van de baan.

Het grootste deel van de avond zaten we in de River's Bend Tavern, waar we whisky in combinatie met bier dronken; we goten de glaasjes whisky in de grote glazen met ijskoud bier en staarden naar de schimmen van mannen die wegschuilden voor de hitte en voor zichzelf. De River's Bend was een van die tenten die vroeger een graansilo waren geweest, een houten constructie van omstreeks 1900 die was bestreken met een dikke laag zachte hars. De spanten van het plafond leken in het duister zo hoog als van een kathedraal. Toen er nog werk was, had je in deze tent alleen maar ruimte om te staan: zitten kon je vergeten.

Ed maakte zijn stropdas losser en ging met zijn rug tegen de oude houten wand zitten. Sam had twee kannen Old Style en een halve fles Wild Turkey met een kleine karaf water besteld en deelde het gif uit. Er waren weken dat het leek alsof we in deze stad niets anders deden dan drinken. Dit was zo'n week, een drug van verveling die je innam tegen de hitte, de rustige tijd van wachten terwijl iedereen stilletjes bad dat er knetterende stormen boven de vlakten zouden uitbarsten. Boven de bar hing ook een sticker waarop eenvoudigweg stond: EEN BARKEEPER IS EEN APOTHEKER ZONDER VOLLEDIGE VERGUNNING.

Ik ging rustig door met drinken en vermeed het onderwerp Ronny Lawton en wat ik bij zijn ex thuis had ontdekt. Sam had het over de bejaardenkolonies in Florida. Hij had een brochure die hij over de post had ontvangen, een luxe uitgevoerde folder met vlotgeklede gepensioneerden die een broek met Schotse ruit droegen en in een buggy op de golfbaan zaten. 'Het is van alle gemakken voorzien, Ed. Daar, zie je? Daar zat ik over te denken; in dat roze gebouw daar, precies bij de achtste hole, worden eenvoudige appartementen te koop aangeboden.' Sam wees met zijn lange vinger naar de diverse punten. 'Er hoort een golfkarretje bij, zo een. En van zes tot negen uur in de ochtend heb je gratis toegang tot de golfbaan. 's Avonds moet je betalen, maar niet veel, misschien acht dollar voor achttien holes. Ze hebben er een eigen kruidenier, die de levensmiddelen komt brengen. Zie je, hier in de folder? Hier, Ed.'

Sam wees op een foto van een jonge student die in de camera lachte terwijl hij een papieren zak met levensmiddelen droeg. Een oud dametje hield zijn gebronsde arm vast. Het was een wolkeloze dag. Een kort aanbevelend tekstje onder de jonge student luidde: 'Todd Chambers. Florida Community College. Studierichting: Volksgezondheid. Mijn opa stierf voordat ik was geboren, en mijn oma woonde in een tehuis in Nebraska. Ik ben opgegroeid zonder dat ik hen ooit heb gezien. Ik heb altijd grootouders willen hebben. Daarom heb ik me opgegeven voor de campagne "Neem een adoptieoma". Emily is een beetje mijn oma geworden.'

Onder de oma stond heel toepasselijk, maar laconiek: 'Todd is echt een lieve jongen. Ik bak Toll House-koekjes voor hem.'

Ed floot tussen zijn tanden en boog over de tafel naar voren, terwijl ik naar een andere bladzijde keek met een vergaderzaal vol grijze hoofden die aan het bridgen waren. Eds bewegingen deden de tafel wiebelen en de bierglazen schudden. 'Darlene houdt van bridge.' Hij keek op naar Sam. 'Heb ik je ooit verteld over Sunset Living in de buurt van Naples daarginds? We krijgen haast elke week een brochure van die lui. Darlene had de vragen voor een of andere wedstrijd ingevuld en nu zitten ze ons op de huid. Ze weten heus wel wat onze plannen zijn, maar ook cynisme heeft zijn grenzen. Ik bedoel, je moet het eens zien. Het is een complex dat vlak bij witte zandstranden afsteekt tegen een blauwe lucht en palmbomen, en er wonen gegoede gepensioneerden die hier bij elkaar zitten om gezamenlijk hun geld te benutten voor een betere kwaliteit en een waardige oude dag. Ze hebben waarschijnlijk de beste medische voorzieningen die je ooit kunt vinden. Ze hebben twee orthopeden die al honderden keren een heup hebben vervangen, een huisarts die altijd ter beschikking staat, een voedingsdeskundige voor persoonlijke adviezen en kuren, en vijf verpleegkundigen. Elk appartement beschikt over een eigen alarmsysteem. Als je uitglijdt in de douche, krijgt de medische staf meteen een melding. Wanneer je daar gaat wonen, krijg je een medische armband waarin al je allergieën en medische gegevens zijn opgeslagen zodat ze geen tijd hoeven te verliezen als er iets mocht gebeuren. Ze hebben al je belangrijke informatie meteen bij de hand.'

Sam zei: 'Ik ben nog niet van plan om dood te gaan, Ed. Het klinkt verdorie als een ziekenhuis.'

'Misschien leg ik het niet zo goed uit als het in de brochure staat. Het is allemaal volkomen onopvallend, Sam. Het is een ondersteunend netwerk, een vangnet voor het geval dat.'

Sam knikte. 'Maar hebben ze ook een golfbaan, Ed? Bij mij hebben ze een algemene zaal waar gemakkelijk tweehonderd mensen terecht kunnen. Elke vrijdagavond is er een "eet zoveel je kunt"-buffet met gepaneerde garnalen, pastasalade en Royal Crown Cola. Ze hebben gezelligheidsuurtjes en happy hours voor weduwen en weduwnaren. Dat zit allemaal bij de maandelijkse servicekosten inbegrepen.'

'Ik zal Darlene eens vragen over dat golfen. Volgens Darlene kunnen we daar gewoon onze eigen schoonheidssalon openen. Oude vrouwen hebben alleen nog maar hun haar, zegt Darlene.'

Sam keek Ed aan. 'Ed, jij hebt het maar getroffen met jouw Darlene.'

Darlene was een merkwaardige obsessie voor Sam geworden. Ergens diep vanbinnen verlangde hij blijkbaar naar de moederlijke zorg van een dikke middelbare vrouw die voor hem kon zorgen wanneer hij oud werd, hem zo nodig gepureerde worteltjes en doperwten kon voeren, en een slabbetje om zijn nek kon doen. Hij had iemand nodig om de bonnen uit te knippen, iemand die erop lette dat hij de pillen voor zijn hart innam.

Ik lachte. 'Misschien moet ik ook maar eens over vervroegde pensionering gaan denken.'

Sam negeerde me. 'Als je het goed aanpakt, Ed, kunnen het de beste jaren van je leven worden.'

'Een gouden tijd,' vulde Ed aan.

Sam schonk nog een rondje whisky in en we goten die in ons bier, voegden een snufje zout toe, en dronken. We leunden alle drie een beetje achterover en keken eens rond waar we waren. Helemaal achter in de kroeg, de vaste stek voor de langdurig werklozen, stonden twee biljarttafels en een rij gokmachines die oplichtten in het grauwe duister, een zwaar beproefde wereld van weddenschappen, rood in de zak aan de zijband, drie kersen wint, geen contanten, maar meer krediet bij de gokmachine. Je komt er nooit vandaan met winst. We luisterden naar het geklik van de ballen in de grauwe hitte van de kroeg, terwijl een nutteloze ventilator warme lucht rondblies. Dit zijn de mannen die tabak pruimen, de mannen die in hun spuwbakjes staren. Die bakjes bevatten soms al hun diepzinnigheid en hun walging, bakjes die overlopen van het bruine sap. Ze lazen er hun toekomst in zoals zigeuners in theebladeren.

'Florida is me wel een paradijs, Ed,' stamelde Sam, terwijl hij van ergens ver weg naar ons terugkeerde. 'Ik ga niet tweemaal dezelfde fout maken. De prijzen voor onroerend goed gaan daar per week omhoog. Het is daar zo: of je doet vroeg mee, of je kunt het wel schudden.'

Ik keek nog steeds om me heen. Ik zei: 'Volgens mij zijn we altijd een natie van landverhuizers geweest, dus wat is er dan tegen een interne landverhuizing van onze bejaarden naar Florida?'

Sam rolde met zijn ogen. 'O jee, daar komt hij weer met zijn larie.'

We vroegen nieuwe koude glazen. Ons bier werd lauw.

Ik zag geen mogelijkheid om op dit moment de heggenschaar ter sprake te brengen. Ik had erover moeten beginnen toen ik op de krant kwam. Nu kon ik het gesprek gewoon niet in die richting sturen.

Ed had een brede grijns op zijn gezicht, met een slaphangende kaak door de drank. Hij zei: 'Laat ons eens horen wat er in dat hoofd van jou omgaat, Bill. Waar zit je nu, op dit moment, aan te denken, nu je Sam en mij hier zo ziet? Je zit aan iets te denken. Dat kan ik zien.'

Daarop trok ik de wond van mijn bewustzijn open, zette de heggenschaar van me af en verkocht wat flauwekul. Ik zei: 'Ik noem het "Een boekje open over de geschiedenis" of eenvoudig "Uitverkoop in de garage".'

Sams hoofd schudde heen en weer in het grauwe licht. 'Ik wil het niet horen.' Hij bedekte zijn oren met zijn handen en begon te neuriën.

'Sam,' zei Ed. 'Kom op nou.'

Ik beschreef de situatie. 'Garage in het Midwesten in Amerika, zaterdagmiddag, prachtige dag... Hebben jullie dat? Denk ook aan een vliegveld in Florida.

Oké. Zie ze per vliegtuig arriveren in gebloemde hemden en kaki broeken, onze bejaarden, vluchtelingen van onze industriële nachtmerrie in het Noorden, vluchtelingen van onze gure winters, mannen en vrouwen die plotseling overbodig zijn. Alles waarvoor ze hun hele leven hebben gewerkt, wordt in de garage in de uitverkoop gedaan door hun zoon van middelbare leeftijd.

Daal met mij af naar de diepste krochten van die uitverkoop in de garage. "Ma, ik weet dat je die tafel een halve eeuw lang in de was hebt gezet. Ik weet het, ma, maar je begrijpt toch wel, zo'n tafel past nooit in een eenvoudig appartement in Florida. De mensen willen tegenwoordig geen antiek meer, ma. Alles is er ingebouwd." Zo doe je ook eens wreed. Je moet streng zijn tegen die ouders, je moet ze korthouden, net als verwende kinderen. En dus verkoop je de tafel voor een appel en een ei; je wilt je vader niet eens de prijs laten weten omdat hij dan van schrik in zijn broek zou schijten. Je moet hem binnen opsluiten en het zaakje afronden op een zaterdag dat er een belangrijke honkbalwedstrijd is, twee achter elkaar. Haal een vaatje bier in huis om er vaart achter te zetten. Je moet het allemaal een beetje soepel laten verlopen. Zo doe je zaken. Geef ze een biertje wanneer ze bij je spullen komen rondsnuffelen. De oude handgrasmaaier van je vader staat genoteerd voor tien dollar, maar hij gaat uiteindelijk weg voor drie; een enorme tijdschriftencollectie van *National Geographic*, van wel dertig jaar, zonder dat er ook maar één exemplaar ontbreekt, in haar geheel verkocht voor vijf dollar aan een man die vond dat hij eigenlijk te veel betaalde terwijl hij zijn bundel twintigjes doorzocht.

Oké, dus je hebt wat drank nodig om de boel aan het rollen te krijgen. Je hebt hele collecties van *World Book Encyclopedia* en *Year in Review* die teruggaan tot de tijd dat je nog een kind was. Daarin zocht je alle feiten op toen je op de basisschool en de middelbare school zat, en zo'n kerel zegt: "Tien dollar!" Je reageert verontwaardigd. Je bladert wat door een boek zus en een boek zo, en je houdt de encyclopedie tot het laatste moment vast. In feite zit je er zowat op, bij wijze van verzet. Het ergert je wanneer mensen je zo aankijken, maar je houdt vol. Het is een verdomd mooie dag. Je glimlacht, je drinkt wat en je begint wat te ontspannen. Je zegt bij jezelf: "Ik ben de eigenaar van een hoop troep!" Dat moet je jezelf de hele tijd voorhouden. Dat is de list die je gebruikt. Het is de geef-de-troep-door-dag.

"Marge, kom eens hier." Dat is je uitdijende vrouw van middelbare leeftijd met de suikermeloentieten. "Lieverd, kun jij deze dame iets vertellen over de trouwjurk?" Een zijden trouwjurk hangt over een paspop die jarenlang heeft toegekeken hoe jij allerlei dingen repareerde. Als een soort beschermengel beneden in de kelder. De jurk is ivoorkleurig, oud en ruikt naar mottenballen, een authentiek kledingstuk van omstreeks 1900. "Kijk, je ziet hem hier op deze foto van onze overgrootmoeder uit 1897... Ja, dat is dezelfde japon!" Dat is het, Marge. Bereid je voor op je verkoopverhaal. De sepiakleurige foto uit het verleden blikt vooruit naar de jaren zeventig. Godallemachtig, je staat op het punt je voor eens en voor altijd te ontdoen van dat ellendige geval, die jurk die door de jaren heen is opgeborgen en weer tevoorschijn gehaald, die de nakomelingen hebben aangepast. Ieder meisje moest zich als een slang in de doorschijnende satijnen huid van onze matriarch uit het verre verleden wurmen. "O mijn god, kijk, Hatty heeft dezelfde lichaamsbouw als haar oma, de brede heupen en korte romp, de platte borsten voordat die bij grootmoeder opzwollen tijdens haar zwangerschap. Kijk toch eens naar die foto! Steek je haar eens op net als oma. Hatty, dat is het! O mijn god!" De meisjes vinden het geweldig, echt waar, maar geen van de nakomelingen wil de jurk bij de inzegening dragen. Hij wordt terug in de kelder gezet om naar mij te kijken terwijl ik van alles repareer. Je staat op het punt om er definitief afstand van te doen en de veilinghamer gaat omlaag bij zevenenhalve dollar voor een vrouw die de naden gaat lostornen en er iets van gaat maken, ze weet nog niet precies wat, gordijnen ongetwijfeld, voor een kleine rustieke badkamer. Dat zegt ze tenminste tegen Marge, die huilt. Het ziet ernaar uit dat je haar maar beter naar binnen kunt sturen.

Mannen gaan veel gemakkelijker met de geschiedenis om. Hé, dat hebben we al eeuwenlang gedaan. De glazen schalen van omstreeks 1900 staan genoteerd voor vijf dollar per stuk. Ze zijn met de hand geblazen in Tennessee, in een prachtig kobaltblauw. Je bent redelijk standvastig over de prijs tegenover dat lompe mens in een jurk en linnen schoenen met enorme kuiten dat de lucht in de garage komt verpesten. Je zou afstand kunnen doen van de hele set van zes, met de bijpassende borden en het zilveren bestek met benen handvatten, voor vijfentwintig dollar. Daar trek je de streep. Maar ze snuift en loopt verder. Ze wil de tafellakens er als extraatje bij. Dat zegt ze ook, terwijl ze die in haar dikke handen houdt. Je zegt dat ze "met de hand geborduurd zijn door drie generaties van nijvere christelijke vrouwen die leefden toen er nog geen televisie was, die stierven voordat er een mens op de maan had gelopen, die de Grote Depressie hadden doorstaan. U maakt toch zeker een grapje met dat bod, mevrouw?" Een dikke vrouw gekleed in synthetische stof doet uit de hoogte. Ze klaagt dat het linnen naar schimmel ruikt: "Het heeft zeker vijftig jaar op zolder gelegen." Het gaat allemaal weg voor twintig dollar, glazen schalen, bestek en linnengoed; hoogstwaarschijnlijk worden die later weer afzonderlijk in omloop gebracht op de jaarlijkse liefdadigheidsveiling in New Carlyle.

Een oude zwart-wittelevisie. "Die heeft vast en zeker nog een antenne nodig, vriend." Of ik het ding kon aanzetten. "Waarom, ik heb hier geen stopcontact in de buurt, maar je kunt me vertrouwen. Hij doet het nog goed." Je hebt er in januari nog mee naar de Super Bowl gekeken. Die televisie heeft een groenig getinte ontvangst, "alsof je terugkijkt in een tijdmachine, chef. Trouwens, pak gerust een biertje." Twee minuten later kan de man nog steeds niet beslissen. "Je hoeft hem niet eens aan te sluiten om te weten dat je hiermee een koopje hebt, vriend, je krijgt tegenwoordig nergens meer een televisie voor minder dan veertig dollar." Het toestel gaat de deur uit voor zeven dollar en die kerel is nog steeds aan het afdingen. Je hebt veel zin om hem het verdomde biertje in rekening te brengen, maar je gebruikt je verstand. Je beseft waar het om gaat. Om het spel te winnen moet je alles kwijtraken. Dat is het voornaamste doel. Het is geef-de-troep-door-dag. Een stoffige zwabber voor tien cent is een meevaller. En vijf cent voor een zware ijzeren Matchbox-raceauto.

"Hé, kijk eens, jongen. Deze speelgoedgarage heeft een oprit die omhoog en omlaag kan, en twee pompbedienden die een benzineslang vasthouden. Het gaat in zijn geheel weg voor, zeg, vijf dollar. Wat zeg je daarvan, vriend? Het is een prachtig cadeau voor Vaderdag, jongen. Kan je vader terugdenken aan vroeger. Zie je, dit vuil gaat er heel gemakkelijk van af. Wat zeg je ervan, jongen?" Verkocht voor vijf dollar. Pak het geld gewoon uit zijn zwetende handje. Auto's en bedienden zijn erbij inbegrepen, jazeker. Ik zou die kerels niet willen scheiden van hun garage – die werken er al hun hele leven, die kerels. Natuurlijk pak je het geld aan van een kind. Hoogstwaarschijnlijk heeft hij een enorm grote kelder die nog veel te leeg is. Stuur de jongen snel weer naar buiten, voordat hij van gedachten verandert, duw hem zo'n beetje naar zijn fiets toe, waarvoor iemand negen dollar heeft geboden, en Marge heeft het geld aangenomen. Shit, Marge! Godallemachtig, je hebt de fiets van die jongen verkocht. De jongen kijkt nerveus. Geef het geld terug, die jongen moet hier weg. O god, het valt niet mee om onze geschiedenis van de hand te doen. Tap nog maar eens uit het vaatje, koud bier tegen het voorhoofd.

"Hallo daar, dames. We hebben twee Spaanse poppen met grote wijde jurken die je kunt gebruiken voor het opbergen van toiletpapier. Heb je nog nooit zoiets gezien? Jullie houden me voor de gek, meisjes. Je hebt pas geleefd als je een van deze poppen hebt." Laat ze de plastic anatomie van die poppen zien. Je hebt daar verderop nog een stel die als lampenkap dienen. Je draait gewoon een gloeilamp in hun edele delen en je hebt een fantastische nachtlamp. "Voor jullie, dames, alle vier voor acht dollar." Koop gesloten voor precies acht dollar. Jezus christus, aan sukkels geen gebrek. Ze kopen een vliegenmepper waar geen prijs op staat, zodat je probeert er twee dollar voor te vangen en je genoegen neemt met anderhalve dollar. Ze hebben geen vijftig cent. Rond het af op een hele dollar, terwijl je het ding ook verkocht zou hebben voor een kwart dollar. Hé, mag het ook eens meezitten?

Het doopgewaad van oudtante Clarice, die aan tbc is gestorven, is veranderd in een fijn spinnenweb van vergaan kantwerk. Voor die troep krijg je geen cent. Marge is het daar niet mee eens. Maar je neemt haar zachtjes bij de hand. Het gewaad wordt stilletjes in een zwarte plastic zak gestopt, tezamen met teddyberen in piratenkledij met dolken, zonder ogen, sommige met verstellappen, poppen die allerhande ledematen missen, koppen van gebarsten porselein zonder lijf, en een oude ijzeren strijkbout die je op het vuur zet. Elk voorwerp heeft een uitgeblust verleden, generaties van voorwerpen die worden afgedankt door jou, hun zoon van middelbare leeftijd die al jaren wenste dat ze zouden vertrekken. Nostalgie is iets wat gedijt bij de gratie van kelders en zolders. Nostalgie heeft een ruimtelijke dimensie nodig. Het is een luxe, die geschiedenis van ons. Niemand wil de jaarboeken kopen. Het is een harde realiteit. Stop ze in dozen en zet ze op de stoep. "Dat is zeker een goede bank, maar in 1952 heb je er veertig dollar voor betaald, pa." Je vader is door de barricade gebroken van stoelen die je bij de voordeur had opgesteld. De honkbalwedstrijd is afgelopen. Maar die bank stinkt een uur in de wind. De leuningen zijn gehavend en glimmen van plakkerig vuil uit vettige haren. Je staart naar de afdruk van het smalle hoofd van je vader op de bank. Je bent geneigd je te laten vermurwen. Dat is het hoofd van je vader daar, de afdruk van een heel leven, en dan herinner je het je weer, je bent de eigenaar van een hoop troep, en dit is de geef-de-troep-door-dag. En dus moet je je vader bij zijn armen pakken en terug het huis in duwen. Het valt niet mee om een klootzak te zijn, maar je moet van die vracht af.

De encyclopedieën gaan weg voor twintig, en dan wordt het je te machtig, plotseling duikt er een herinnering op. Je denkt terug aan de tijd dat je een werkstuk maakte over het Osmaanse Rijk, toen je nog op de middelbare school zat. Je plakte al de feiten bij elkaar en je vader smeerde de lijm voor je uit op een stuk karton. Het wordt donker. Je moet de oude bedombouw met de springveren matras in stukken hakken. Je staart naar een landkaart van urine, je herinnert je de keren dat je 's nachts bij je ouders in bed kroop omdat je bang was in het donker, de restanten van hun voorbije liefde. Je gaat maar door met op je geschiedenis inhakken. Je gaat door met bier drinken, je grilt een paar hotdogs, en je vader komt bevend naar buiten. De bank is buiten op de stoep neergezet, zodat de studenten die kunnen meenemen. Je vader komt naar buiten en gaat er obstinaat op liggen. Je moeder begint te gillen dat het zijn bank is. Je moet je vader weer naar binnen sleuren en hem ergens op een stoel laten zitten. Je dwingt hem tot een samenzweerderige sfeer van zwijgen. Je drinkt maar door. De studenten hangen inderdaad al rond, je hebt ze de hele dag al gezien, terwijl ze rondjes rijden in hun stationwagon, die roofdieren op zoek naar meubilair voor hun studentenkamers. Zeg, misschien nemen ze de oude jurken ook wel mee voor een fraai gekostumeerd bal zoals ze dat tegen het eind van de herfst op de universiteit houden. Pa zegt dat ma een van die jurken op de stoep heeft gedragen bij haar eerste Sadie Hawkins-dans. Ze maakten een plezierritje naar de schuur van Abe Rosen. Je sluit je er helemaal voor af. Je houdt je voor dat zijn verstand binnenkort zo ver achteruitgaat dat hij zich hiervan niets zal kunnen herinneren. Het is een genetische manier van overleven, dit vergeten, deze dementie, wanneer het zover is. Maar voorlopig zet je al het onverkoopbare spul op de stoep. Mensen kunnen geen weerstand bieden aan iets wat gratis is, zoveel is zeker. Doe de deur dicht en ga slapen. Je zult zien, morgen is alles verdwenen, een droom.

Nou, kijk eens wat een mooie opbrengst voor een heel leven, 124 dollar en 15 cent. Je houdt me voor de gek! Je bent de hele dag in de weer geweest met het aan de man brengen van troep, en dan is dit alles? Kijk toch eens, je hebt vergeten de achttien dollar voor het vaatje bier af te trekken, plus twee voor het ijs, vier voor de advertentie in de krant en drie voor de bordjes die de aasgieren de weg naar onze straat wezen, verborgen tussen al die andere straten. Je trekt dat er ook nog van af... eens kijken... 124 min 27 is 97. Oké, de herziene opbrengst is 97 dollar en 15 cent. Dat is nog niet eens genoeg om met de Greyhound naar Atlanta te gaan.'

Ed zei: 'Asjemenou, dat heb je niet gewoon maar verzonnen, hè?'

Sam reageerde: 'Moedig die flauwekul nou niet aan, Ed.'

Ik antwoordde: 'Jawel, Ed. Je weet toch wel, in onze familie hebben we een knop voor zelfvernietiging in ons lijf.'

Sam verschool zich achter zijn drankje.

Ik veegde mijn lippen af, ik was tamelijk uitgeput.

Ed liet het er niet bij zitten: 'Dat heb je niet gewoon maar verzonnen, hè Bill?'

Er viel weer een stilte. Sam kon op zo'n manier met zijn lippen smakken dat hij aan alles een eind maakte. Er werd een oude boerenbel geluid en de barkeeper gaf ons een teken dat we een gratis kan bier kregen. In River's Bend dronk je niet gewoon wat, je dronk om dronken te worden. Er hing een klok boven de deur met daarop een gebod: ER WORDT PAS GEDRONKEN NÁ VIJVEN! De cijfers op de klok waren allemaal vijven.

Sam kwam weer terug op de brochure. Ik staarde alleen maar naar de realiteit van die pensionering, een pensionering die mijn vader nooit had gekend. Hoe meer ik keek, des te meer zag ik er de mogelijkheden van, de enorme voorziening in diensten. Neem bijvoorbeeld het eindstadium, de dood, wat er valt te verdienen aan die poppenkast nadat de artsen en de medische club hun geld hebben geïncasseerd, wanneer de verzekeringsagenten met tegenzin geld hebben uitgekeerd, wanneer ze zich van het lijk hebben ontdaan. Dan zijn er nog de bloemisten, de crematoriums en begraafplaatsen, de grafsteenhouwers, de hoveniers, de predikanten, de begrafenisondernemers, de limousinediensten, de kranten die de overlijdensberichten publiceren, de drukkerijen die de rouwkaarten vervaardigen, de notarissen die de testamenten opstellen en aanpassen, de receptionisten die je ontvangen in het kantoor van de notaris, de schoonmaaksters die 's nachts het mahoniehout komen poetsen, de vliegtuigmaatschappijen en de autoverhuurbedrijven voor de bedroefde kinderen die hun overleden ouders komen begraven, de monteurs die aan die auto's werken, de schoonmakers die de auto's reinigen, de benzinestations die de brandstof verkopen, de hotels en restaurants waar de bedroefde kinderen verblijven en eten terwijl ze de nodige regelingen treffen, de dagtochtjes naar Sea World en Disney World, omdat de kinderen, nu je toch in de buurt bent, per se Mickey en Goofy willen zien, plus de souvenirs, de T-shirts en de pennen, stiften en bekers die je moet meenemen voor de buren die op je hond Mitch en je kat Mindy passen en je hamsters Herbie en Matt, je goudvis Priscilla en je schildpad Edward voer geven.

Ed zei: 'Kijk, een kaart die je kunt opsturen voor een receptenboek, *101 gerechten voor de toasteroven.*'

Sam wuifde iets weg boven het grijs van de kroeg uit. 'Weet je, het meest trieste van alles is dat ik dood meer waard ben dan levend.' Daarna klapte Sam dicht, ineengedoken op zijn stoel, en nam alleen nog slokjes van zijn bier. Langs de zijkant van zijn mond blies hij rook naar buiten.

Ed probeerde het gesprek te sturen zoals je kon proberen een paard de andere kant op te laten gaan. Hij was dronken. Hij leunde over de tafel naar voren. 'Ik wil je nog wel iets uitleggen, Bill, over hoe ik deed een poosje geleden.'

Ik zei: 'Dat ben ik allang vergeten, Ed.'

Ed zei: 'Nee. Ik heb je wel iets uit te leggen.'

Sam sloeg afwezig een glaasje whisky achterover.

'Het blijkt dat onze hond Gretchen een schijnmiskraam heeft gehad. Darlene is er nog helemaal van ondersteboven. Je trof me op een slecht moment, Bill. Dat was alles.'

Sam leek zich uit zijn beneveling los te schudden. 'Een wat, Ed?'

Ed keek ons alleen maar aan. 'Wat we denken, wat Darlene tenminste denkt, is dat Gretchen voorwendde zwanger te zijn omdat ze weet dat Darlene altijd al graag een baby had willen hebben. Honden voelen zoiets aan. Het is wetenschappelijk bewezen, zegt Darlene. Ze noemt het een "sympathische zwangerschap".'

Ik begreep niet helemaal waar hij het eigenlijk over had. 'Bedoel je dat de hond een soort surrogaatmoeder wilde zijn?'

Sam leunde achterover en viel van zijn verdomde stoel; hij sleurde de kan bier, de whisky en alles met zich mee. Hij lag dubbel van het lachen.

De rotzooi werd opgeruimd, maar Sam kon niet ophouden de spot met Ed te drijven, tot in het holst van de nacht.

Ed antwoordde ter verdediging: 'Gretchen vertoonde de symptomen van een miskraam, Sam. Ik heb het met mijn eigen ogen gezien. Ik wil niet beweren dat ik helemaal begrijp hoe het werkt, maar op de een of andere hormonale manier gaat het wel zo.'

De malaise van verveling en dronkenschap bereikte het punt waarop het nodig was Darlene te bellen om ons door haar te laten ophalen. We hadden de situatie nu wel optimaal uitgebuit.

Toen Darlene bij de bar arriveerde, droeg ze een jurk met bloemenpatroon, als een virus van kleur. Gretchen zat buiten in de auto, in een deken gewikkeld.

Uiteraard sloeg Sam een andere toon aan met Darlene in de buurt. Hij zei: 'Heel erg gecondoleerd met Gretchen, Darlene. Ik weet dat het als een schok komt.'

Darlene zei: 'Ik was er kapot van, eerlijk waar, Sam, ik was er kapot van.' Maar je kon zien dat ze kwaad was dat Ed er iets over had gezegd.

Darlene keek me stijfjes aan. Ze veranderde van onderwerp, keek naar de menigte van dronken mannen en zei: 'Verdomme, waarom leven mannen toch steeds in het verleden?' Ze deed die uitspraak zonder enige concrete aanleiding.

Ed haalde zijn schouders op en zei: 'We zaten gewoon te praten, Darlene.'

Ik zei: 'Volgens mij heeft Emerson ooit gezegd: "De vrouw van een man heeft meer macht over hem dan de staat."'

Darlene keek me vuil aan. Ze gaf ons haar opvatting van de geschiedenis. Ze zei: 'Je kunt de tandpasta niet terug in de tube duwen. Jij niet, Ed, en jij ook niet, Sam.'

Sam keek naar Darlene en daarna naar Ed, en glimlachte alleen maar. Je kon de hechte band tussen hen drieën zien. Zoiets zag je tegenwoordig niet veel meer bij jongeren, zo'n hechtheid.

Ik hief mijn glas en riep: 'Darlene, jij bent de Nietzsche van de voorsteden!'

Op vlakke toon reageerde ze: 'Wat is verdorie een Nietzsche?'

Toen ze buiten om Gretchen heen stonden te kijken, liep ik weg. Het was een verdomd lelijke poedel, met die korte pluk krulhaar alsof Darlene die klotehond een permanentje had gegeven. Darlene ging maar door over de biologische processen van de vrouwelijke anatomie en over de synchronisering van de menstruatie wanneer vrouwen dicht op elkaar leven.

Sam zei: 'Verdomd nog aan toe!' Ik bedoel, hij zei het alsof hij het echt meende. Dat effect had Darlene op hem.

Elke kans om de heggenschaar te berde te brengen was nu wel verkeken. Een klotedag van zwijgen, van toneelspelen. Jezus christus! Zelfs al was ik dronken, dan nog was ik me bewust van de gekmakende absurditeit. Ik hield verdomme bewijsmateriaal achter. Jezus! Het drong opeens tot me door dat ik me verlaagde en belachelijk maakte. Maar ik wist wat het was, dat ziekelijke gevoel van verliefd zijn; ik wist dat ik geen actie ondernam uit angst dat Ronny's ex er last mee zou krijgen.

Die klotehond met haar sympathische zwangerschap en al die andere flauwekul. Sam zei: 'Kom toch hier, Bill.'

Het werd me plotseling te veel. Ik ging erheen om naar de hond te kijken. Darlene veegde die aangekoekte smurrie weg die poedels in hun ogen krijgen. De hond likte Darlenes hand. Darlene hield de hond vast alsof het een kindje was. Het was ziekelijk. Waarom zat ik toch in dit klotegat? Maar natuurlijk wist ik het antwoord wel: dat verdomde toelatingsexamen voor de rechtenstudie!

Ik ging met de auto enkele straten verder naar de YMCA. De conciërge was aan het afsluiten, maar hij liet me toch nog binnen. Hij had nog wel wat dingetjes te doen. Ik zwom een paar keer heen en weer en ging daarna watertrappelen om op adem te komen. Ik dook onder, liet me zinken en hield me stil; ik nam de foetushouding aan, kneep mijn ogen dicht en hield mijn adem in. Ik bleef wachten onder in het zwembad, voelde de druk op mijn oren, de vervorming van het geluid om me heen, een vochtig geluid van wat er om me heen gebeurde. Ik deed mijn ogen open voor het duistere licht, strekte mijn arm uit, staarde naar de lichaamloze hand, sloot mijn ogen weer en bleef wachten in dat embryonale stadium. Ik verlangde naar de prenatale herinnering aan de allang vergeten tijd binnen mijn moeder naar wie ik nooit meer terug kon keren en die ik me nooit kon herinneren, hoe intens ik het ook probeerde. Ik verroerde me niet en gleed weg in een nieuwe stilte; ik betrad die anaerobe dimensie met de grimmigheid van angst. Ik werd me bewust van een brandend gevoel in mijn longen, ik liet langzaam lucht weglopen totdat er niets meer in mijn longen zat, ik hield vol om de euforie van verstikking te bereiken, de paniekerige benauwdheid, de angst in de holte van mijn borst, totdat het bijna te laat was. Toen strekte ik mijn lichaam, zette af van de bodem van het zwembad en doorbrak snakkend naar adem het koude wateroppervlak. Ik had het gevoel alsof ik in een andere dimensie bovenkwam, ik was me bewust van zwevende witte vlekken voor mijn ogen, de schraperige droogte van mijn luchtwegen, het gepiep van de onregelmatige, niet te stuiten ademhaling. In het hartje van de zomer deed ik weinig anders in het zwembad; eerst zwom ik misschien twintig baantjes en dan deed ik net alsof ik dood was, bewegingloos op de bodem van het zwembad, sluimerend, wachtend om pas op het laatste moment boven te komen; ik bleef daarbeneden ver weg van de wereld, terwijl ik probeerde terug te kijken in het verleden dat voor mij ten onder was gegaan. Ik raakte zo bedreven dat ik bijna drie minuten onder water kon blijven, een donkere bol die zich verschool op de bodem van de YMCA.

Ik ging langs bij de krant, zat er een poosje en dacht over de dingen na. Mijn borst deed pijn. Het chloor brandde nog in mijn ogen.

Ik ging naar het toilet en diende wat oogdruppels toe, knipperde de zoutige tranen weg en voelde de verzachtende werking. Ik keek de overlijdensberichten voor de volgende editie na, de beknopte tekstjes die de levens van geliefden omvatten. Ik redigeerde er enkele van. Ik was bang voor wat er thuis was, voor het beeld van de begraven heggenschaar. Ik had een fatale fout begaan door die schaar zo te begraven. Ik moest de fout rechtzetten, alles weer in orde maken.

Ik belde Pete ook al was het inmiddels echt laat. Ik kon anders de nacht niet doorkomen. Ik zei: 'Kun je misschien bij mij thuis langskomen, Pete? Ik heb iets belangrijks, iets heel belangrijks.'

Pete scheen te aarzelen. 'Waarom bel je me niet tijdens de gewone kantooruren?'

'Pete, ik heb iets wat een doorbraak kan betekenen in de Ronny Lawton-zaak.'

'Nou, middernacht is niet bepaald mijn normale werktijd.'

Ik hield de telefoon dicht tegen mijn oor. Ik hoorde Petes vrouw op de achtergrond. Pete zei zo luid dat ik het kon horen: 'Het is alleen maar die kerel die me "sadist" noemde. Ga maar weer slapen.'

'Pete, in 's hemelsnaam, dat meen je toch niet, Pete?' Ik verhief mijn stem. 'Pete! Kom op!'

'Ja ja, ik heb het opgezocht, Bill. Ik ben geen sadist, hoor, niet volgens de definitie die in mijn woordenboek staat. Wat is volgens jou een sadist, Bill?'

Ik haalde diep adem. 'Ik gebruikte het figuurlijk. Kom op, Pete. Jezus, we kennen elkaar al zo lang, en wanneer ik iets heel belangrijks heb, wie bel ik dan? Jou, Pete. Kom op nou. Dit kan niet tot morgenochtend wachten.'

Ik hoorde Pete grommen, omhoogkomen en zijn voeten naast het bed neerzetten. 'Wil je dan wel vertellen waar dit allemaal om te doen is?'

'Bewijs, Pete. Tastbaar bewijs. Meer kan ik niet zeggen. Ik ben op dit moment op de krant, maar ga maar gewoon naar mijn huis en dan zie ik je daar.'

'Ik hoop alleen maar dat je niets hebt aangeraakt. Dat heb je toch zeker niet gedaan, Bill?'

Ik legde de telefoon neer voordat hij nog iets kon zeggen en vertrok naar huis.

Er was een telefoontje van Ronny's ex toen ik thuiskwam. De eerste keer nam ik op, hoorde haar stem en hing op. Ze belde nog een keer. Ik luisterde terwijl zij een boodschap op het antwoordapparaat insprak. Ze was bij de Osco. Ze was eenzaam. Ze was triest. Door alles wat ze mij had verteld, moest ze nu huilen. Ze wilde weten of ik bij haar wilde komen. Ze zei niet waarom. Ze zei: 'Ik moet hierover praten.'

Na een minuut liep ik naar de telefoon. Ik nam op terwijl ik de band in het antwoordapparaat door liet lopen. 'Praten over wat?' vroeg ik.

'Waarom heb je opgehangen toen ik belde, Bill?'

'Dat heb ik niet gedaan.'

'Lieg niet tegen me, Bill. Mannen liegen altijd tegen me. Begin jij daar niet ook mee, alsjeblieft.'

'Er komt zo meteen iemand bij me, Teri. Wat vind je ervan als ik morgen overdag bij jou thuis kom?'

'Heb je een meisje of zo, Bill?'

'Ik ben zo alleenstaand als maar kan. Daarover hoef je je geen zorgen te maken.'

'Wie zegt dat ik me zorgen maak, Bill?'

Ik aarzelde, was me ervan bewust dat ik me had laten kennen. Het was beter om de dingen ongezegd te laten, om haar het woord te laten voeren.

'Bill?'

'Ja.'

'Dat was maar een grapje, Bill. Wat zou het als jij een meisje hebt? Ik heb een man. We staan quitte.'

'Jawel.' Ik hield het simpel.

'Wil je ook weer wat bier en sigaretten meenemen? Ik krijg vrijdag pas mijn loon. Maar ik zal het je terugbetalen.'

Er volgde een ongemakkelijke stilte. Ik voelde haar adem in mijn oor. 'Kun je misschien ook wat chocolademelk voor Lucas meenemen? Ik zweer je dat ik het terugbetaal.' Ze wachtte even en zei toen: 'Bill, ben je daar nog?'

'Jawel.'

'Hoeveel vriendinnetjes heeft een vent als jij?'

'Luister, ik moet nu ophangen.'

'Bill?'

'Ja?'

'Hoe snel kan die auto van jou? Ik bedoel, als je gewoon de hele tijd plankgas rijdt?'

'Misschien zo'n 220, denk ik. Ik heb het nooit geprobeerd.'

'Wil je zeggen dat jij zo'n auto hebt en er nooit mee op zijn top hebt gereden? Dat je nooit hebt willen zien wat hij kon?'

Ik voelde de toespeling door de statische ruis van de lijn heen. Ze zei: 'Slaap lekker, Bill.' En toen was ze weg. Even later klonk de kiestoon in mijn oor.

Ik snakte naar aandacht, daar in het isolement van mijn woning. Ik speelde haar boodschap een paar keer af. Ik vond het leuk zoals ze mijn naam bleef zeggen, de zachte aanroeping van mijn naam die binnen haar hoofd echode. Ik wist dat ze aan me dacht. Dat gevoel stelde enkele ogenblikken al het andere in de schaduw. Ik wilde naar de Osco gaan om haar te ontmoeten in het harde licht van de drogisterij, haar mee naar buiten nemen om alleen maar naar haar te kijken. Ik dacht: waarom zou ze mij eigenlijk niet willen? Het was geen hoogmoed of zo, gewoon een feit, als je goed naar haar leven keek en zag wat het voorstelde.

Ik dacht daar nog steeds aan toen Pete bij de deur aanbelde. Mijn voordeur stond wagenwijd open, alleen de hordeur was dicht om de muggen buiten te houden. Er dreef een stroom warme lucht door het huis. 'Ben je daar, Bill?'

'Kom binnen, Pete.'

Pete had nog steeds de pest in toen hij arriveerde. Zijn haar zat glad naar achteren gekamd, alsof hij net onder de douche vandaan kwam. Hij droeg een korte broek en een T-shirt. 'Zo, wat wil je me dan laten zien? Ik hoop maar dat je niets hebt aangeraakt, dat kan ik er alleen maar van zeggen.' Het leek wel alsof hij wist dat ik het verknoeid had.

'Pete, ik heb al gezegd dat het me spijt.' Misschien kwam het door de hitte dat eerst Ed en nu Pete kwaad werd om niets. 'Loop maar achter me aan, Pete.'

Ik had de heggenschaar nog niet eens opgegraven. We liepen door de bibliotheek en de eetkamer naar de keuken, langs de glazen vitrine waar de oude soldatenjas van mijn grootvader door een kleine gloeilamp werd verlicht.

Ik pakte een schop en groef in de aarde; ik haalde de plastic zak, die helemaal vochtig was geworden, naar boven en daarna gingen we naar binnen. Ik legde de zak op tafel en zei met een theatrale armzwaai: 'Bewijsstuk A.'

Pete floot tussen zijn tanden. Aan de zijkant van zijn hoofd stak een plukje haar uit. 'Wat is dit verdomme, Bill?'

'Misschien is het de heggenschaar, of zo'n soort schaar, waarmee de vinger van Ronny Lawtons vader is afgeknipt.'

'Godallemachtig, waar heb je die in 's hemelsnaam vandaan?'

'Ik was bij de ex van Ronny, gewoon om haar kant van het verhaal te horen en wat zij van Ronny vond. Ik was bij haar thuis en toen zag ik deze op de grond liggen. Ik had nooit gedacht dat ik iets ten gunste van Ronny Lawton zou doen, maar misschien heeft Ronny wel de waarheid verteld.'

Pete pulkte aan zijn kin en schudde vol ongeloof zijn hoofd. 'Je hebt deze hele zaak naar de kloten geholpen, Bill. Je had me meteen moeten bellen. Ik bedoel, verdorie Bill. Iedere advocaat zal zeggen dat het kwade opzet is. Je kunt niet zomaar ergens heen gaan en een bewijsstuk meenemen. Daar zijn regels voor, verdomme. Jij hebt deze zaak helemaal verknoeid.'

Ik vermoed dat ik het al had voelen aankomen, de waarheid, dat ik tastbaar bewijs onbruikbaar had gemaakt.

Pete keek me vol minachting aan. 'Zitten jouw vingerafdrukken erop? Zeg me dat het niet waar is.'

Ik zei zachtjes: 'Ik moest de schaar snel oppakken toen ze even niet keek.'

Pete rolde met zijn ogen. 'Ik dacht dat we de schaar misschien bij haar thuis konden terugleggen, maar dat gaat niet als jouw vingerafdrukken erop zitten.'

'Veeg die er dan af. Kunnen we dat niet gewoon doen?'

'Bill. Gebruik je verstand nou eens even. Als we daar een heggenschaar zonder vingerafdrukken vinden, zal het de indruk wekken dat hij er met opzet is neergelegd.' Pete keek naar de schaar. 'Ik kan niks voor je doen, Bill. Niet bij zoiets belangrijks. Ik bedoel, shit, je had me meteen moeten bellen...' Hij hief zijn handen in de lucht. 'Je staat er alleen voor, Bill. Je hebt alles verknoeid. Ik zal rapport moeten opmaken van alles wat hier is gebeurd, Bill. Ik wil niet bij deze rotzooi betrokken raken... Het gaat verdomme wel om mijn carrière.'

Ik werd duizelig, bijna alsof ik flauw zou vallen. Ik kon nauwelijks ademhalen. 'Pete... Pete... Niemand anders hoeft het toch te weten. Alleen jij en ik.' Ik greep hem bij zijn arm. 'Ik zeg het tegen niemand. Luister, ik heb een goed contact met Ronny's ex. Ze staat binnen op het antwoordapparaat. Ze wil me weer ontmoeten.'

Pete schoof mijn hand van zich af. 'Bill, het gaat hierbij om meer dan alleen mijn verdomde baan. Medeplichtigheid aan zoiets als dit, het terugplaatsen van bewijsstukken, is een ernstig misdrijf. Begrijp je wat dat inhoudt? Ze sluiten je voor lange tijd op.' Pete deed een stap weg van de heggenschaar. Hij schudde alsmaar zijn hoofd. 'Nee, hiermee sta je er alleen voor, Bill. Ik kan je niet helpen. Ik heb een vrouw. Nee.' Hij hees zijn korte broek op met een plotselinge, abrupte beweging, een laatste weigering.

Ik voelde de afstand tussen ons. Het was eenvoudig met me gedaan. Als dit naar buiten kwam, was het afgelopen voor me bij de krant, dan was alles voorbij. Ik zou zo snel mogelijk de stad moeten verlaten, gewoon weggaan en me verborgen houden. Er kon zelfs een aanklacht tegen me worden ingediend. Uiteindelijk was ik misschien gewoon bang dat ik Ronny's ex nooit meer zou zien. In feite was dat het gewoon.

Ik zei: 'Oké Pete, ik heb het verknald. Dat ontken ik niet. Maar in elk geval weten we nu waarmee we te maken hebben. Misschien is dit toch geen overduidelijke zaak tegen Ronny Lawton. Dus wat kan die heggenschaar die ik heb gevonden, nog schelen? Zie je, Pete, ik sta nu op goede voet met Ronny's ex. Zij heeft me vanavond gebeld. Ze wil praten.'

Pete staarde naar de heggenschaar.

Ik drong aan. 'Ja, heus. Zij heeft me niet met de schaar gezien of zo. Ze vertelde mij het treurige verhaal dat Ronny was mishandeld. Zij weet iets. Ze was er wel voor om Ronny alle schuld te geven, maar ik heb het gevoel dat er iets anders gaande was. Weet je wat ze tegen me zei?'

'Nou?'

'Ze wilde weten of ze het huis zou krijgen, net zoals ze dat tegen jou heeft gezegd toen dit een tijd geleden allemaal begon. Daar heb je beslist een motief, Pete.'

Pete leek wat kalmer te zijn geworden. Hij keek me strak aan. 'Dit was een overduidelijke zaak. We hadden de heggenschaar kunnen laten onderzoeken en dan zou het resultaat haar van verdenking hebben vrijgesproken of het zou belastend voor haar zijn geweest...' Maar geleidelijk gaf hij zich gewonnen.

'Ik ga morgen naar haar toe, Pete. Ik denk dat ik wel iets uit haar los kan krijgen. Zal ik iets laten vallen over de heggenschaar om te zien hoe ze reageert?'

Pete schreeuwde het bijna uit: 'Dat moet je juist niet doen! Verdomme, Bill, je moet die schaar nu meteen uit je hoofd zetten. Dat is het hem nou juist. Zet die schaar uit je hoofd!'

'De schaar uit mijn hoofd zetten. Goed.' Ik grimaste een beetje en trok een berouwvol gezicht.

Pete raakte de brug van zijn neus aan, kneep in zijn vermoeide gezicht. Hij schudde nogmaals zijn hoofd, terwijl het idee door zijn hersenen doolde. 'Nee, ik kan dit niet goedvinden, Bill. Zie je, je begint meteen al weer over de schaar! Nee! Absoluut néé! Ik ga rapporteren wat er vanavond is gebeurd. Ik kan er niks aan veranderen. Je hebt alles verknoeid! Einde verhaal!'

Ik gooide het over een andere boeg. Ik zei: 'Oké, meld het maar. Jij dient je rapport in en je maakt een einde aan deze kwestie op grond van een verkeerde afhandeling van de informatie. Zie maar eens hoe de burgemeester dat opvat! Ja, ga hem maar vertellen dat je je verplicht voelde om bekend te maken dat een junior-verslaggever zonder goed na te denken zomaar naar Ronny Lawtons ex is gegaan en een tastbaar bewijsstuk heeft gevonden dat daar gewoon op grond lag. Ik weet zeker dat de burgemeester jouw opvatting deelt. Ik denk dat hij helemaal niet nijdig wordt omdat jij er niet eens bent gaan kijken.' Ik riep dat luidkeels, op een honende toon. 'Ze zullen je fantastisch vinden, Pete!'

Hierdoor veranderde Pete heel snel van gedachten. Hij klonk ronduit verzoenend. Hij zei: 'Wie met pek omgaat, wordt ermee besmet, vermoed ik.' Hij dacht nog steeds na, maar hij zat in de val. Hij keek me aan. 'Ik heb een vrouw om wie ik moet denken, Bill. Misschien kun je me een dienst bewijzen en doe je voortaan wat ik zeg. Ik heb nu alles wat ik maar van het leven kan verlangen. Laat me dat niet kwijtraken, Bill.'

Daarmee raakte hij wel een gevoelige snaar. Ik zag hoe menselijk de blik was waarmee hij me aankeek. Hij was bang.

Pete zei: 'Met de ex van Ronny kun je maar beter rustig aan doen, Bill, ik bedoel heel rustig aan. Je kunt niet zomaar die schaar ter sprake brengen. Je moet bij het begin beginnen. Je moet nadenken voordat je iets doet.'

Ik zei: 'Goed.' Ik manoeuvreerde Pete bij de heggenschaar vandaan en leidde zijn aandacht af van de tafel, zodat hij me recht aankeek. Ik zei: 'Misschien heeft Ronny's ex het in haar hoofd gehaald om Ronny's vader door haar vriend te laten vermoorden. Zij leeft daar in één grote ellende in een caravan. Ze heeft een kind dat ze alleen in een kooi achterlaat wanneer ze moet werken. Of misschien heeft ze het helemaal niet gepland. Misschien kreeg haar vriend er genoeg van dat ze steeds maar weer klaagde dat ze geen geld voor haar kind kreeg. Misschien, heel misschien, zeurde zij steeds maar dat zij eigenlijk dat huis verdiende te hebben, en wilde haar vriend het voor haar bemachtigen.'

Pete knikte. 'Op die manier zul je het haar moeten verkopen. Geef haar een uitweg, verschillende versies.'

'Goed,' zei ik.

Pete ontspande en haalde lang en diep adem. 'Ik zeg je dit zonder verdere bedoeling. Het kan me geen zier schelen wie de dader is van het in mootjes hakken van Ronny Lawtons vader. En dat kan ze op het gemeentehuis ook niks schelen. We moeten alleen iemand oppakken, en snel ook.'

'Het zou wel zo aardig zijn om de ware moordenaar te pakken, vind je niet?'

'Ik denk het.' Pete keek me aan. 'Ik had er vast op gerekend om Ronny Lawton te grazen te kunnen nemen. Wat hij daar bij Denny's uitspookt, is een slag in ons gezicht. Zoiets ondermijnt het hele land.' Hij zuchtte nog eens diep. 'Jezus, kijk me niet zo aan, Bill. Ik ben het maar tot op zekere hoogte met je eens.'

Ik kon er niets tegenin brengen.

Pete werd nu serieus; hij had eindelijk een besluit genomen. Hij zei: 'Allereerst moet je die heggenschaar uit je hoofd zetten. Die moet verdwijnen.'

'Hoe?'

'Gooi hem weg, Bill. Jezus nog aan toe!'

Onze ogen vielen op de schaar, en plotseling wist ik me er geen raad meer mee. Ik keek naar Pete.

Pete stond in het volle keukenlicht, zijn huid zag er ziekelijk bleek uit. Hij had de gewoonte om op zijn nagels te bijten. Hij spuugde een stuk nagel uit en leek te knikken, terwijl hij voor zichzelf bedacht hoe het zou verlopen. 'Misschien ga ik die vriend verhoren om iets uit hem los te krijgen.' Hij keek me strak aan. Hij beet nog steeds op zijn nagels, knaagde eraan en spuugde de losse stukjes uit. 'Misschien krijg ik hier later spijt van. Het wil er bij mij niet in dat Ronny zijn vader niet in stukken heeft gehakt, maar ik geef je een kans om te bewijzen dat ik het bij het verkeerde eind heb.'

Ik antwoordde: 'Bedankt.'

Pete keek weer naar de heggenschaar. 'Tja, wat we nu moeten doen, is deze fout verdoezelen en ons van die schaar ontdoen.'

Ik hield me lange tijd stil, keek hem berouwvol aan.

Pete legde zijn hand op mijn rug. 'Ik stel mijn baan in de waagschaal voor jou, Bill. Stel me niet teleur.'

We gingen aan tafel zitten en bleven maar naar die schaar kijken. Het valt niet mee om een manier te bedenken om iets te laten verdwijnen. We dachten erover hem van een brug af te gooien, of een heel eind de maïsvelden in te gaan en hem daar weg te gooien, of om de schaar in het vuilnis van de buren te verstoppen. Uiteindelijk zei Pete: 'Begraaf hem gewoon weer in je tuin, Bill. Het heeft geen zin om met die schaar in je auto god mag weten waarheen te rijden terwijl jouw vingerafdrukken erop zitten. Ik zie het al voor me dat jij met die schaar in je auto tegen een boom rijdt zodat de brandweer je uit het wrak moet loszagen. Shit, ik heb wel vreemdere dingen zien gebeuren.' Hij wierp nog een laatste blik op de schaar. 'Begraaf hem gewoon daarbuiten.'

Ik liep naar buiten en begroef de heggenschaar opnieuw, omdat ik wel moest, maar ik was beslist niet van plan hem daar te laten liggen. Ik deed het alleen maar omdat ik op dat moment niet van huis kon, maar ik wilde hem wel degelijk in de rivier dumpen. Ik liep naar achter het huis, terwijl ik peentjes zweette van angst dat de buren me zouden zien, maar alle lichten waren uit in de paar huizen in de buurt. Hoe dan ook, we hadden zo'n grote tuin met bomen dat iemand onmogelijk kon zien wat ik aan het doen was. Zodoende begroef ik de schaar maar weer.

Toen ik bij het huis terugkwam, had Pete wat vleeswaren en een glas appelsap gepakt. Hij zat buiten op de achterveranda. Ik realiseerde me dat ik de hele dag niet had gegeten. Ik pakte ook wat vleeswaren en zo zaten we daar te eten in het schijnsel van de maan.

Ik zei: 'Pete, bedankt hè.'

Pete keek me aan. 'Heb je een tomaat of een ui, Bill?'

Ik ging naar binnen, pakte een tomaat uit de groentelade, sneed hem in partjes, strooide er wat zout op en liep ermee naar buiten.

Pete nam het bord en keek me aan.

Ik bedankte hem nogmaals.

Pete hield de vork met vleeswaren boven zijn bord. Hij hield die op zo'n manier alsof hij iets wilde zeggen, maar hij bracht de plakjes vlees alleen maar naar zijn mond en at ze op.

Het was bijna half twee toen de telefoon ging. Ik sprong haast op van schrik. 'Dat moet ze zijn, Pete. Kom mee naar binnen. Wacht tot je dit hoort.' We liepen naar de voorkamer. Ik liet het antwoordapparaat eerst het gesprek aannemen, zodat alles werd vastgelegd, en pakte toen zelf de telefoon op.

'Is je vriendin nog steeds bij je thuis, Bill?' Haar stem klonk door de luidspreker.

'Waarom wil je zo graag weten of ik een vriendin heb?'

Ik keek naar Pete. Hij had zijn bord met vleeswaren in zijn hand. Hij hief zijn ogen ten hemel en grijnsde.

'Ik zag geen ring aan je vinger en daarom vroeg ik me af: hoe kan het dat zo'n kerel als jij niet getrouwd is? Ik dacht: wat speelt zich af achter die blauwe ogen?'

'Weet je nog welke kleur mijn ogen hebben?' vroeg ik, terwijl ik naar Pete knipoogde.

'Welke kleur hebben mijn ogen, Bill?'

'Lichtgroen.'

'Nou, hoe wist jij dat zo snel zonder te hoeven nadenken?'

Ik zei: 'Iemand heeft ooit gezegd: "De ogen zijn de vensters van de ziel."'

Ze ademde zwaar in de telefoon. 'Dat vind ik mooi, Bill. Misschien ga ik dat ook wel een keer gebruiken. Die jongens van de universiteit zeggen dat zeker tegen de meisjes, hè? Citaten uit boeken en zo?'

Pete trok een gezicht alsof hij onder de indruk was. Er liep tomatensap langs zijn kin. Hij veegde het weg met zijn onderarm en wachtte op wat ik verder zou zeggen.

Ronny's ex zei: 'Je denkt waarschijnlijk dat ik geen erg goeie moeder ben, omdat ik mijn kind in zijn box achterlaat. Klopt dat?'

'Dat dacht ik helemaal niet.'

'Lieg niet, verdomme!' Haar stem werd luider, daarna sprak ze weer zachter. 'Bill, lieg niet tegen me. Mannen hebben mijn hele leven al tegen me gelogen. Beloof het me.'

'Ik beloof het.'

'Erewoord?'

'Erewoord.'

Ik kon horen dat ze moest slikken, dat ze aarzelde. 'Ik heb nooit eerder met een vent als jij gepraat, met iemand die naar de universiteit is geweest, bedoel ik. Het was leuk. Als ik met jou praat, kan ik zien wat ik ben.'

'Hoe bedoel je?'

'Je hebt een gezicht dat niets verborgen kan houden, Bill. Ik heb gezien hoe je keek toen ik mijn kind opgesloten in de caravan achterliet. Het was alsof je zei dat ik dat niet moest doen. En dat dacht je ook, nietwaar?'

Pete zette zijn bord neer en ging behaaglijk in een luie stoel zitten. Hij sloot zijn ogen en hoorde het allemaal aan.

'Waarom geef je me toch geen antwoord, Bill? Is het omdat je een meisje daar bij je onder de lakens hebt? Een meisje van die katholieke universiteit verderop? Ik wed dat er heel wat studentes zijn die jou wel willen.'

Ik zei: 'Ik ken er een paar.'

Op een bepaald punt geef je toe aan dat soort vleierij. En dat had ik misschien ook wel gedaan, maar het antwoordapparaat registreerde alles, en bovendien luisterde Pete mee. Het speet me voor Ronny's ex; ik dacht eraan hoe ze aan het einde van het gangpad in het licht van de drogisterij stond terwijl haar kind in zijn kooi in de caravan zat. Misschien kwam haar vriend niet altijd meteen thuis. Er was geen telefoon; ze kon op geen enkele manier te weten komen of hij bij het kind was. Het was trouwens zijn kind ook niet.

'Hé, meneer de geleerde, ik wil je iets vragen. Is het waar dat die katholieke meisjes aan de universiteit pyjama's met een slobbroek dragen... als een baby? Dat heb ik tenminste gehoord.'

Pete tikte zijn vinger tegen zijn voorhoofd om aan te geven dat Ronny's ex krankjorum was. Hij bleef glimlachend in de luie stoel zitten. Hij greep de hendel en liet de voetensteun naar boven komen, zodat hij verder achterover kon leunen.

Ik zei: 'Ik weet het niet. Ze laten geen mannen toe op hun kamers.'

'Er is nog iets wat ik me altijd heb afgevraagd, Bill. Ze hebben toch ook een of andere slipjesroof op de meisjesuniversiteit. Is het waar dat alle jongens van de universiteit erop afkomen wanneer de studentes hun slipjes buiten hangen met hun telefoonnummer erop?'

'Ja, zo gaat het wel ongeveer. Als je een meisje ziet dat je leuk vindt, klim je bij haar huis langs de regenpijp omhoog en pak je haar slipje, en dan ga je terug naar je eigen huis en bel je haar op.'

'Is er ooit iemand getrouwd nadat ze op die manier haar slipje had laten jatten, Bill?'

'Jawel, ik weet niet precies wie, maar ik neem aan dat er genoeg jongelui zijn die elkaar dankzij de slipjesroof hebben gevonden.'

'Bill?'

'Ja?'

'Hoe komt het toch dat een man, of hij nu geleerd is of niet, altijd voor het slipje wil gaan?'

Ik gaf geen antwoord.

'Bill, ben je daar nog?'

'Ja.'

'Hoeveel slipjes heb jij te pakken gekregen?'

'Hoor eens, ik moet ophangen. Oké?'

'Zeg het nou. Hoe heet het meisje dat daar nu bij je onder de lakens ligt?'

Ik antwoordde: 'Courtney.'

'Hoe ziet ze eruit, Bill? Ik wed dat ze lange benen heeft. Is ze echt zo'n slimme meid? Ik wed dat je alleen uitgaat met slimme meisjes van de universiteit, klopt dat?' Ik hoorde Ronny's ex met een soort huivering in de telefoon ademen. Ze zei: 'Ik weet wie je bent, Bill.'

Pete werd serieus en keek me aan. Ik hield mijn adem in, ik moest bijna lachen. 'Wie ben ik dan?'

'Je woont in dat grote huis. Ik heb navraag gedaan. Je bent niet zomaar een journalist. Ik heb gehoord dat je hartstikke rijk bent. Klopt dat, Bill? Je hebt meer geld dan je kunt uitgeven.'

Op dat moment besefte ik dat ze meer over me wist dan ze liet blijken, alsof er achter mijn rug iets gaande was. Ik snapte het niet helemaal. Ik had kunnen zweren dat ik op de achtergrond iemand hoorde.

Pete gebaarde met zijn vinger langs zijn keel ten teken dat ik moest ophangen.

Ik zei: 'Wat weet jij nog meer over mij?'

Ronny's ex antwoordde: 'Het is geen geheim dat je geld hebt, Bill.'

Ik zie niets.

Ronny's ex zei: 'Bill?'

Ik reageerde: 'Wat?'

'Hoe voelt het nou om 's nachts naar bed te gaan met een hoop geld op de bank zonder dat je je ergens zorgen over hoeft te maken?'

Ik fluisterde: 'Het is niet helemaal zoals je denkt.'

'Dat zeggen toch alle rijken over geld? Geluk is niet te koop. Nou, misschien weten ze gewoon niet waar ze moeten winkelen.'

Ik zei niets. Ik kon merken dat Ronny's ex aan het roken was, ik hoorde het zachte inhaleren en het langzame uitblazen. Uiteindelijk zei ik: 'Ben je klaar met je beledigingen?'

Ronny's ex giechelde in de telefoon. Ze vroeg: 'Welke kleur hebben de ogen van Courtney?'

Ik antwoordde: 'Ik weet het niet.'

'Lieg niet, Bill. Lieg niet tegen me.'

Ik zei nogmaals: 'Ik weet niet welke kleur ogen ze heeft.'

'Kijk je niet in haar ogen als je bij haar bent?'

Ik gaf geen antwoord.

'Je weet welke kleur ogen ik heb. Hoe komt het dat je dat weet, Bill?'

Ik gaf weer geen antwoord.

Ronny's ex vroeg: 'Ben je er nog, Bill?'

'Ja.'

'Kom je morgen bij me langs, Bill?'

'Jazeker.'

Ze zei: 'Ik moet steeds denken aan wat er met Ronny's vader is gebeurd.' Ik kon horen dat ze iets achterhield. 'Ik heb het gevoel dat Ronny's vader daarbuiten ligt, in stukken gehakt...' Ronny's ex kuchte in de telefoon. Ze kon geen adem krijgen. Ik wachtte rustig. Er klonk een stem over de luidspreker; het ging over een of andere kostenlimiet.

Ronny's ex fluisterde: 'Bill, ik denk dat ik nooit echt iets heb gevoeld totdat jij opdook en me aan het denken zette. Ik heb het gevoel dat ik duizend levens heb gehad, en weet je, geen daarvan was wat ik wilde. Je weet nog niet half wat er daar is gebeurd, Bill. Ik heb het nooit aan iemand verteld, aan niemand.' Ze fluisterde: 'Niemand, Bill.' Toen werd de verbinding verbroken. Ik wachtte even en hing op.

Pete klapte in zijn handen met een grote grijns op zijn gezicht. 'Ze wil door je gelikt worden, Bill. Hé, het is zo duidelijk als wat. Asjemenou, je had niet verteld dat ze zo erg achter je aan zat... Ik bedoel, godallemachtig. Wat moet je nog met die kloteschaar als zij haar mond opendoet?'

Het was bijna twee uur 's nachts. Ik gaapte onwillekeurig en mijn ogen traanden. 'Ik heb eerder op de avond ook een telefoontje van haar gehad.' Ik liet me tegen een stoel aan zakken. Het maanlicht viel schuin door de jaloezieën over mijn gezicht. 'Ik weet niet wat ik van haar moet denken. Ik heb het je al gezegd, ze heeft een kind dat ze in een kooi opsluit wanneer ze naar haar werk gaat.'

'En?'

'En dan ziet ze mij in die auto en denkt ze bij zichzelf dat ze daar heel wat voor over zou hebben, voor zo'n auto.'

'Ik zie het probleem niet.' Pete gaf weer een grijns ten beste. 'O shit, zeg nou niet dat je bang bent dat ze alleen maar belangstelling voor je heeft om je geld.' Hij zette zijn handen op zijn dikke knieën en heel zijn dikke lijf schudde. 'Hé Bill, je blijft me verbazen.' Pete duwde de hendel van de stoel omlaag en kwam met een grom overeind. Aan zijn gezicht te zien leek hij te stikken, totdat hij weer een glimlach toonde. 'Je hebt een zwak voor haar. Jezus, het wordt ingewikkeld.' Met een opdringerige vertrouwelijkheid legde hij zijn hand op mijn schouder. Hij rook naar gegist appelsap. 'Bill, zij is het soort uitschot dat je helemaal kaal kan plukken. Wie weet, misschien heeft ze haar vriend ertoe aangezet om Ronny Lawtons vader te vermoorden, maar dan is zij ook schuldig, Bill. Nu is ze doodsbenauwd en wil ze ervan af. Misschien neemt ze die vriend van haar te grazen en laat ze hem voor de moord opdraaien.'

Pete schoof in de richting van de deur terwijl hij mij nog met zijn arm omklemde. 'Je moet dichter bij het vuur zien te komen, Bill, maar brand je niet. Als ze denkt dat je haar probeert te pakken, laat ze haar vriend jou misschien wel vermoorden. Je moet wel weten waar je nu mee te maken hebt, Bill.' Pete maakte zich van me los, deed een stap achteruit en tikte met zijn wijsvinger tegen mijn borst. 'Zo is het, Bill. Je hebt te maken met uitschot dat niet terugdeinst voor moord. Je kunt je dat maar beter nu realiseren, voordat je er echt bij betrokken raakt. Hoe je het ook bekijkt, Bill, ze is beslist uit op je geld.'

Dat kon dan wel waar zijn, maar ik wilde het niet geloven.

Buiten op de veranda fladderden motten rond een lichtbol. Het was nog steeds warm. Ik hoorde in het duister de dieren in de dierentuin achter het huis, het klaaglijke gebrul alsof we ergens op de savanne zaten. Pete keek om en luisterde naar de kreten. Hij zei: 'Die beesten maken me altijd onrustig. Ik snap niet hoe jij ermee kunt leven.'

'Je raakt eraan gewend.' Maar het was zenuwslopend, iets waarvan je je altijd bewust was. Soms drongen hun kreten door in mijn dromen, vooral in nachten dat het stormde, wanneer de kooien trilden door het geweld van de wind en de kletterende regen.

We bleven nog een tijdje op de veranda staan. Pete kruiste zijn armen en keek over de omgeving uit vanaf de hoogte van ons land, die voor een astronomisch bedrag was aangelegd in opdracht van mijn grootvader, een bolwerk van die feodale mentaliteit van hem, de behoefte aan een middelpunt in het leven.

Pete gaapte. 'Misschien moet je erover denken om een microfoontje op je lichaam te dragen. Ik kan het wel voor je regelen op het bureau.' Hij knipte met zijn vingers. 'Een fluitje van een cent.'

Ik zei: 'Geef me nog wat tijd, Pete. Ik heb hier een vreemd gevoel bij.' Ik wendde mijn blik af naar de grijze vingers van de schoorstenen op het terrein van de ijzergieterij. Ondanks de warmte hadden zwervers hier en daar vuurtjes gestookt. De vuurgloed stak fel af tegen het duister. Pete nam mijn hand en schudde die. Het was een soort bevestiging van onze samenwerking. Zijn hand was warm. Op de achtergrond hoorden we het gerammel van de kooien. Iets had de dieren verstoord. Daarna nam het gekrijs weer af.

Pete bleef eigenlijk te lang rondhangen. Ik wilde dat hij wegging, maar er schoot hem van alles door het hoofd. Ik kende dat. Hij schifte alles nog eens in zijn hoofd om zichzelf gerust te stellen, vooral wat de heggenschaar betrof. Dat moest wel het belangrijkste punt zijn waarover hij in stilte delibereerde. Zodra hij dit huis verliet, was hij medeplichtig. Daarom probeerde ik het vol te houden; ik gaapte en wachtte af.

Uiteindelijk begon Pete weer te praten. 'Bill, ik weet dat dit moeilijk voor je is, maar misschien wel negen van de tien zaken worden opgelost omdat iemand zijn mond niet kan houden. Zo wordt dit spel gespeeld: je moet erbij zijn wanneer mensen er iets uitflappen, want als ze eenmaal beginnen, krijg je praktisch het hele verhaal te horen.'

We zwegen een poosje. Pete trok zijn korte broek omhoog, liet een boer en maakte aanstalten om naar zijn auto te lopen.

Ik zei: 'Doe de groeten aan Mona.'

Pete zat al in zijn auto en gaf wat gas in z'n vrijstand. Ik keek hem na toen hij wegreed.

Er landde een mug op mijn arm. Ik keek ernaar onder de heldere gloed van het verandalicht. Ik voelde de steek, ik keek toe hoe de muggenmaag zich vulde met mijn bloed, en toen hij helemaal was opgezwollen maakte ik met mijn duim en wijsvinger een einde aan zijn leven. Er waren tijden dat ik het gevoel had dat ik naar dat definitieve verlangde, gewoon... de vergetelheid van de duisternis en het niets. Ik haalde diep adem. Ik rook de uitwerpselen van de dierentuin, een zure, rottende lucht. Het was bijna een verkwikkende stank, iets wat zich liet gelden in het duister en me bewust maakte van de andere dingen om me heen. Ik ging naar binnen. Het was 's nachts na tweeën. Het was een vreselijk lange dag geweest, met Ed en Sam in River's Bend, die merkwaardige migratieschepselen met hun verlangen naar Florida. Een of ander diepgeworteld verhuizersinstinct zei hun dat ze al te lang op deze plek waren gebleven. Ik voelde dat instinct ook nu ik was vervreemd van de vrouw in Chicago van wie ik hield. De telefoon ging weer. Het was eigenlijk een warboel in mijn hoofd. Ik herinnerde me nog de ondervraging van

Ronny's ex, de nadrukkelijke zachtheid van haar eenzaamheid en haar verlangen in de Osco. Ik wilde niet dat zij de rest van haar leven gevangen zou zitten. Ik dacht erover om misschien in mijn auto te stappen en dit alles achter me te laten, maar de heggenschaar lag nog steeds achter in de tuin. Die moest ik weghalen. Ik kreeg kippenvel van een plotselinge angst voor de dingen die ik moest doen en de dingen waarvan ik me moest ontdoen. Ik beefde, ik kreeg weer die trillingen waarvoor ik al eens in een inrichting was gestopt. De telefoon ging nogmaals. Ik schreeuwde: 'Goddomme, laat me met rust!' Ik trok de stekker eruit en liep naar beneden, naar de koelte van de kelder, waar ik in een diepe slaap viel.

10

Ik sliep een uur of vijftien aan één stuk. Het was al middag toen ik uit de kelder naar boven liep. Ik belde Sam op de krant. 'Waar hang je in godsnaam uit, Bill? Kom zo gauw mogelijk hier!'

Ik verzon een smoes, zei dat ik me niet lekker voelde. Ik douchte, zette koffie en kleedde me aan. Ik was volledig uit de pas geraakt. Ik moest uitkijken dat zoiets niet weer gebeurde, dat ik niet terugviel in een situatie waarin ik alleen nog in de nachtelijke uren leefde, dat zou erop kunnen wijzen dat ik gevaar liep opnieuw ziek te worden. Toen ik naar Denny's ging om Ronny Lawton te spreken, was ik van de regels afgeweken; ik had de normale gang van zaken doorbroken.

Pas toen ik uit de douche kwam, schoot me te binnen dat ik niet naar Ronny's ex was gegaan. Verdomme, dat zou me wel eens kunnen opbreken. Ik voelde een scherpe pijn in de rechterkant van mijn hoofd. Ik schonk een glas vol koud water in, dronk het leeg, schonk opnieuw in en dronk het weer leeg, voelde een druk op mijn blaas en ging naar de wc. Ik concludeerde dat de oorzaak van deze klachten de alcohol van de afgelopen week was, al die glazen bier en whisky, dat langdurig rondhangen in de hitte en alcohol zweten. Ik kleedde me aan en pakte het telefoonboek. Ik dacht er niet bij na, als je begrijpt wat ik bedoel, ik keek alleen even of ik de Osco in Main Street kon vinden. Met bonzend hart hoorde ik de telefoon overgaan. 'Nee, Teri werkt vanavond niet.' Ik legde de hoorn weer neer. Om de een of andere reden ging ik niet meteen naar kantoor, maar reed naar haar caravan. Ik stopte langs de weg. Het was laat in de middag en ik had een hele dag verprutst. Een enorme zon ging onder in het westen, de lange slierten avondlicht spreidden zich uit langs de hemel, zo typerend voor onze grote vlakten. Het stof filterde het licht. We hadden al in geen weken regen gehad. Tussen de lange rijen maïsstengels zag ik haar caravan staan en ik zag achter het raampje boven de tafel een lamp branden. Ik liet de auto langs de kant van de weg staan en liep het maïsveld in. Verscholen tussen de maïsplanten, te midden van de krekels en muggen, voelde ik achter me de aanzwellende aanwezigheid van die duizenden insecten met hun oorverdovende gezoem.

Er stond een gammele oude truck. Ik liep erop af en las de bumpersticker op de achterkant: 'Zoveel katten, zo weinig recepten,' wat een goed beeld gaf van het blanke uitschot waarmee ik te maken had.

Er klonken stemmen in de caravan. Ik wist dat ik beter weg kon gaan, mijn auto stond op een plek waar iedereen hem kon zien. Maar ik bleef lang genoeg om Ronny's ex uit de caravan te zien komen om een kom water leeg te gooien. Ze had niets aan. Ze was poedelnaakt, bedoel ik. Haar vriend was in de caravan en zei iets. Ik hoorde sissend een blikje bier opengaan. Hij kwam naar buiten en bleef in het schemerachtige oranje licht staan. Hij droeg een mouwloos T-shirt, een spijkerbroek en werkschoenen. Hij zei iets tegen haar, liep naar buiten, sloeg zijn armen om haar middel en kuste haar in haar nek. Ze kronkelde, draaide zich om en begroef haar gezicht in zijn borsthaar. Ik kon niet horen wat ze zei. Hij omvatte haar billen met zijn handen, zij tilde haar benen op tot zijn middel en sloeg ze om hem heen. Ik kon haar bilspleet zien.

Het was een van die warme avonden waarop de insecten onophoudelijk sjirpten en de akkers vibreerden, en de kleine caravan stond daar middenin. Karl hield nog steeds zijn biertje vast. Hij was ongeveer twee meter tien lang en gespierd, heel fysiek aanwezig. Hij nam een slok en toen dronk zij uit het blikje. Karl had een diepe stem. Hij kon met één hand haar billen omvatten. Ze schortte zich nog verder op rond zijn middel en wreef haar zachte lijf tegen hem aan. Ze lachten in de verlatenheid van het maïsveld. Ik hield mijn adem in. Om me heen hoorde ik de insecten gonzen. Het was alsof ik plotseling op Adam en Eva was gestuit, alsof die na de zondeval nog steeds leefden – de vrijmoedige naaktheid van Ronny's ex, de lange blonde slierten haar die neerhingen tot op haar onderrug. Karl kuste haar diep in haar mond. Misschien waren het twee moordenaars, een stel minnaars dat een man in stukken had gehakt. Ik keek aandachtig, zag het lome verlangen van een forse man die het frêle lichaam van zijn liefje vasthoudt, haar lange benen verstrengeld in afwachting van zijn penetratie. Ik aarzelde, wilde weggaan, maar de maïs was droog en bros en zou bij elke beweging een geluid als van brekende takken maken. Ik keek omhoog. De hemel boven mijn hoofd was helder. Het daglicht stierf weg. De trailer ving nog een glimp schemerlicht op, gloeide nog even in een zacht rood schijnsel. Karl verdween met Ronny's ex naar binnen. Ik hoorde de stem van het kind. De caravan begon te piepen. Het zachte licht gloeide in de omlijsting van het raam. Ik draaide me om en liep van de caravan weg. Het duister viel snel in. Hier op het land verdringt de nacht de dag binnen een paar minuten, het licht trekt de kleur weg uit het maïs en alles lijkt korrelig. Of misschien zag ik het zo. Ik voelde de maïsstengels, droog als perkament, langs mijn huid schuren toen ik op een drafje naar de auto liep.

Eenmaal buiten het maïsveld, snakte ik een tijdje naar adem. Mijn armen hingen slap neer, er zat totaal geen kracht meer in. Mijn nek deed pijn. Ik reed weg in de vallende duisternis en zag de lichten in de stad blinken. Ik had me nog nooit zo eenzaam gevoeld. Het was alsof ik de vrouw van wie ik hield met een ander had betrapt. Ik moest langs de weg stoppen en spuugde een beetje gal uit. Ik stapte niet eens uit, opende alleen het portier. Ik wist dat als ik één keer overgaf, dit gevoel weer zou verdwijnen. Ik veegde een sliertje spuug weg, sloot het portier en reed verder. Ik dacht aan Diane in Chicago, besefte dat het uit was tussen ons. Had ik de sleutel maar tot zo'n vraagstuk, tot die stomme examenvragen, had ik me de logica van abstractie maar eigen kunnen maken, dan was ik nu misschien bij haar. Die klote-examenvraagstukken, het eind-twintigste-eeuwse equivalent van een middeleeuws mysterie.

Doelloos rondrijdend bereikte ik ten slotte ons kantoor. Ed vertelde net over een brand die op Douglas Road meer dan drie hectare maïs had vernietigd. Hij had de foto's al ontwikkeld. Sam keek me aan en zei: 'Godverdomme, waar heb jij in 's hemelsnaam uitgehangen?'

'Ziek,' zei ik alleen.

'Jezus, wat zie jij er beroerd uit.'

Ik rook naar braaksel.

'Als je wilt maak ik tuna melts klaar,' zei Sam.

Ik zei: 'Prima.'

Ze hadden het verhaal over de brand al af. Ik mocht het saaie werk doen, de overlijdensberichten en gerechtelijke bekendmakingen. We liepen achter op het schema. Ik werkte ruim een uur, kortte de lange overlijdensberichten in, telde de woorden en noteerde de bedragen in het kleine register voor de posten van deze week. Ik leverde alles bij Sam in. Hij zei: 'Het was de grootste kom popcorn die je van je leven zult zien, Bill. Je hoorde gewoon pop, pop, pop, net als in een oorlogsgebied.' Hij liet me een foto zien van een akker die niet was afgebrand maar zo dicht bij het vuur lag dat hij de verzengende hitte had geabsorbeerd. De maïskolven waren opengebloeid tot kleine grijzige hersenmassa's van gepofte maïs.

Ed zei: 'Toch vind ik deze beter. Misschien kunnen we die op de voorpagina zetten.' Hij stond achter ons. Zijn kleren waren smerig, zwart van het roet. Hij gaf de foto aan Sam, die haar onder het licht hield en zwijgend, met zijn hoofd schuin bekeek. 'Ik heb nog nooit van mijn leven zoiets gezien, Bill,' zei Ed tegen mij, terwijl hij een hand op mijn rug legde en met de wijsvinger van de andere naar zijn foto wees. Zijn nagels waren ook zwart van het roet.

Ik bekeek de foto. Ed was de akker die gespaard was gebleven op gegaan en had de foto op zijn knieën gemaakt. Nee, dat neem ik terug. Hij was heel waarschijnlijk op de grond gaan liggen zodat hij recht omhoog naar de lucht keek. Ik vroeg het hem.

Hij zei: 'Ik moest plat op de grond gaan liggen voor dat perspectief.'

Op de foto stond een maïsstengel waarvan de kolven waren gepoft. De stengel leek tot in de hemel te reiken, ver voorbij zijn werkelijke afmetingen. Ik zei: 'Mijn god, Ed, het doet denken aan die grote stengel in het sprookje van *Jacob en de bonenstaak.*' Ik zag dat hij de stengel had afgesneden om de grenzen van het perspectief van de camera aan te geven, maar ook om meer nadruk te leggen op ons psychologisch onvermogen om de proporties van ons eigen land te bevatten. Ik draaide me naar hem om. 'Dat heb je zeker expres gedaan? Afsnijden, de stengel zo'n afmeting geven dat die ons begrip van ruimte en tijd te boven gaat?'

Ed begon te lachen. 'Nu ben je me te slim af, Bill. Ik doe gewoon mijn werk. Het leek me wel een goeie foto.'

Sam lachte spottend. Hij zei: 'Mijn god, als je zo doorgaat, komt Ed me nog om opslag vragen.'

'Ik zou het geld anders best kunnen gebruiken.' Ed glimlachte en gaf me een knipoog.

Ik keek weer naar de foto, die voornamelijk uit achtergrond bestond, de enorme zwartheid van verwoeste akkers die zich uitstrekten tot een woestenij van horizon, vastgeniet aan een uitspansel van wolkeloze blauwe lucht. Ed had oog voor proporties, hij kon het land zijn ware afmetingen geven. Daar, in de leegte van de ruimte, leefden wij, de bewoners van vlakten waarover ooit dinosaurussen rondzwierven, vlakten die door ijskappen waren uitgesleten. Wij bewoonden een soort oneindigheid. In de linkerbovenhoek van de foto leek een vlek te zitten, maar het bleek een onscherp stukje vinger dat indirect deel uitmaakte van de compositie en omvang suggereerde, het beeld van iemand die met zijn hand tegen zijn voorhoofd over het land uitkeek. Deze ene foto deed je beseffen hoe groot het belang van deze oogst was voor de onzichtbare bevolking. Je keek vanuit het gezichtspunt van de bewoner van de vlakte, en je begreep hoe groot de verwoesting, de afgelegenheid van deze plek en het verborgen lijden waren, die buiten beeld bleven. Je voelde de last van een volk dat op het punt stond het uit te schreeuwen.

Ed kuchte verlegen. Zijn hand lag nog op mijn rug, ik voelde haar trillen van spanning.

Eenvoudig en oprecht zei ik: 'Jullie zijn de Hoeders van de Waarheid.'

Ed maakte grijnzend een buiging.

Sam zei: 'Dat vind ik mooi.' Hij herhaalde mijn woorden en keek Ed aan. 'Wij zijn de Hoeders van de Waarheid.' Waarna hij mij aankeek. 'Misschien heb je mijn grafschrift wel bedacht, Bill.' Zijn gezicht plooide zich naar de zachte streep van zijn lippen, waarna hij zich weer over zijn werk boog.

Ik voelde me ineens heel vertrouwd met hen, zoals we om de werktafel geschaard waren. Ze hadden me tot hun wereld toegelaten.

Met de behendigheid van een goochelaar, plaatste Sam de foto tussen de tekst. Hij werkte snel, pakte een liniaal en nam de maat, maar het resultaat was te symmetrisch. Hij vloekte binnensmonds, kreeg het toch bijna voor elkaar. Ed haalde hem rustig over het op zijn manier te doen. Hij bracht Sam een kop koffie. Hij ging kalm in het licht van de tekentafel staan en legde zonder hulp van linialen en getallen de foto naast de krantenkop. Sam riep: 'Ja, precies daar. Dan gebruiken we een grotere letter voor de kop,' en dat deden ze ook, tot de kop de foto bijna wegdrukte, tot het angstaanjagend goed was, en je met je neus op de stilering van de foto werd gedrukt, bijna alsof je door het andere einde van een telescoop keek en alles in het verkleinde beeld vervat zag. Mede door de ogenschijnlijk kleine afmetingen was het effect zo verbijsterend. Sam dronk zijn koffie met kleine slokjes, gleed met zijn tong langs zijn lippen, knikte als een ploegbaas, zonder rancune. Hij zwichtte voor Ed en Ed zwichtte voor Sam, als handen die op een ouijabord iets onthullen. Het was een zwijgend verbond van geven en nemen, een pantomime van langzame bewegingen en zijwaartse stappen, nooit openlijk, en schijnbaar gestuurd door een natuurwet. Waarom ook niet – ze hadden tenslotte zo'n jaar of dertig samen op dit kleine kantoor gewerkt. Ze keken met dezelfde blik, namen dezelfde vluchtwegen uit deze hel, droomden van dezelfde vrouw, wilden in alles hetzelfde alsof ze één waren, en dat waren ze in zekere zin ook. Met hun hoofden bij elkaar gestoken, praatten ze rustig achter mijn rug, als een wezen met twee lichamen en één hoofd, een soort laatste evolutionaire onvermijdelijkheid. Ik moest lachen als ik alleen maar naar

Sam keek en zag hoe hij over Eds schouder hing, en hoe Eds schouders zakten terwijl hij die blik voelde en Sam door zijn ogen liet kijken. Ik trok me terug uit hun leven, vertrok die avond zonder hen te onderbreken, liet mijn werk achter op de balie – de afgezaagde en formele berichten van ons bestaan, de opeenstapeling van sterfgevallen, geboortes en huwelijken die in ons midden hadden plaatsgevonden, de aankondigingen van dingen die te koop waren en de gerechtelijke bekendmakingen.

Op de trap naar de veranda lag een envelop zonder postzegel. Blijkbaar was die daar achtergelaten door iemand anders dan de postbode, want mijn post werd bezorgd in de brievenbus aan het eind van de oprijlaan. Toen ik hem opraapte kreeg ik ineens het gevoel dat ik werd geobserveerd. Ik kwam overeind en tuurde opzij in het duister. Had iemand mij de heggenschaar zien begraven? Dat was het eerste wat door me heen schoot. Ik ging naar binnen, trok de deur achter me dicht, leunde ertegen en maakte de envelop open. Binnenin rook het naar lijm en ook een beetje naar rozen en er kwam iets tevoorschijn dat uit krantenletters was opgesteld. Ik legde de envelop onmiddellijk neer en haalde de brief eruit. Hij was samengesteld uit krantenletters van verschillend formaat en type, die samen één zin vormden: 'Het ho is gin in de torn bun bij tons oude boerderij'.

Ik kon er geen touw aan vastknopen. Er steeg een geur van rozen op die me vagelijk bekend voorkwam. Ik ademde hem in, die geur. Er waren een paar losse letters, die ik rangschikte op de keukentafel als in een scrabblespel en het kostte me een halfuur om ze zo neer te leggen dat het iets zinnigs opleverde. Uiteindelijk stond er deze grimmige boodschap: 'Het hoofd is ginder in de tornadobunker bij Lawtons oude boerderij.'

Toen ik mijn ogen sloot en diep ademhaalde, zag ik van angst donkere druppels zweven. De gruwel van de boodschap die ik had gereconstrueerd deed me overeind schieten. Konden de letters ook in een andere volgorde gelegd worden zodat er iets anders uit zou komen? Ik pakte de losse letters en begon opnieuw te puzzelen. Het leek wel een van die puzzels van het toelatingsexamen, maar elke keer als ik iets kreeg dat betekenis leek te hebben, hield ik letters over. Uiteindelijk verscheen steeds weer dezelfde boodschap – 'Het hoofd is ginder in de tornadobunker bij Lawtons oude boerderij'.

Ik voelde mijn lichaam opeens lichter worden. Instinctief wierp ik een blik op de achterveranda en zag het gordijn wapperen in het donker alsof er net iemand vandoor was gegaan. Ik kreeg opnieuw het gevoel dat ik moest overgeven, en ik ging zitten met mijn hoofd voorover tussen mijn benen, haalde diep adem en kreunde zachtjes. Ik voelde me als een helderziende die uit een nachtmerrie ontwaakt. Het koude zweet stond in mijn handpalmen, ik was klam van afschuw door de boodschap op mijn keukentafel. En toen kwam de vraag in me op en nestelde zich in mijn hoofd: Wie had deze boodschap achtergelaten?

Hierna deed ik twee uur lang niets met de brief. Ik schoof de hele zaak van me af. Ik draaide platen op mijn vaders oude grammofoon en zat in de donkere woonkamer te luisteren naar het gekras en geruis van een Duke Ellington-plaat, de muziek waar Ronny Lawtons moeder naar wilde luisteren op de dag dat ze te horen kreeg dat ze niet lang meer te leven had. Ik sloot mijn ogen, zat muisstil, en probeerde me te herinneren wat Ronny's ex me had verteld over Ronny en over het verdriet dat bij hem in haat was omgeslagen. Ik kon me wel voorstellen hoe Ronny zijn vader in stukken had gehakt – een gewichtige taak, 's avonds in hun huis buiten de stad. Hij voelde de glibberige en bloederige pezen en sneed de rand van kraakbeen langs de gewrichten weg, gleed met een mes door de lendenen en legde de kniepezen bloot en zaagde van beide benen de botten door. Het werk moest stukje bij beetje worden gedaan, in de juiste volgorde, zijn vader uit elkaar halen, het werk op de montageband. Als mij als jurylid gevraagd werd me zoiets voor te stellen, zou me dat geen moeite kosten.

De A-kant van de plaat eindigde met zachte, repeterende statische elektriciteit, alsof de tijd een lus vormde met zichzelf. Ik zette de andere kant op, ging naar de keuken en las de boodschap nog een keer. Ik maakte kwast en dronk die op de achterveranda op. De boodschap dreunde als een mantra door mijn hoofd – Het hoofd is ginder in de tornadobunker bij Lawtons oude boerderij.

Ik tuurde naar het donkergrijze duister van de dierentuin en luisterde naar het nachtleven van de beesten. Ik vroeg me af: Waarom ik? en daarna: Wie heeft me dit gestuurd? Had Ronny het misschien zelf gedaan om de situatie naar een onontkoombaar slot te sturen en een eind aan de zaak te maken? Misschien was hij de publiciteit zat, wilde hij dat het voor eens en voor altijd voorbij was. Ik had hem die avond bij Denny's genoeg onder druk gezet door zijn moeder erbij te halen. Hij wilde gewoon dat er schot in de zaak kwam. Maar de brief zou ook heel goed van Ronny's ex kunnen komen. 'Kom nou,' zei ik hardop tegen mezelf. 'Ze heeft me min of meer opgedragen naar de tornadobunker te gaan.' Ik was niet bij haar langsgegaan, had niets uitgeplozen, zoals ik had moeten doen. Ik had het lichaam niet gevonden, en nu vroeg zij zich af waar ik in godsnaam mee bezig was. Misschien probeerde ze me dat al de hele tijd te vertellen en was dat telefoontje gisteravond het begin van een bekentenis, iets wat ze in mijn oor wilde fluisteren, iets met betrekking tot Karl. Ik vermoedde al dat ze Karl haatte, want daarmee zou alles op zijn plaats vallen. Maar toen herinnerde ik me haar weer met Karl, en het simpele genot van haar naaktheid. Ik dronk de zure kwast die brandde in mijn keel. Ik had er te weinig water door gedaan. Er bleef vruchtvlees achter in mijn mond. Onder het drinken liepen er druppels langs het glas op mijn pols en langs mijn arm tot in mijn oksel. De enige conclusie die ik kon trekken was dat het óf Ronny, óf Ronny's ex samen met Karl, óf Karl in zijn eentje was, maar daarmee hield het op. Het had iets van een dopjesspel, zoals ik in gedachten elke verdachte heen en weer schoof, ieder van hen schuldig als je het goed bekeek. Misschien zou het niet gecompliceerder worden, zelfs niet op het politiebureau met de dikke man of de staatspolitie. Zonder gerechtelijk bewijs was er geen zaak. Ik had het belangrijkste bewijsstuk in mijn bezit, het lag hier onder de grond, de heggenschaar die ik had begraven, en nu was een volgend stukje van de puzzel bij mij beland.

Ik hield de elektrische klok aan de keukenmuur voortdurend in de gaten, keek naar de grote wijzerplaat en zag de tijd voorbijglijden, de lange rode wijzer die de seconden onhoorbaar aftikte. Twee eindeloos lange uren waarin ik helemaal niets deed. Ik had het besluit genomen niets te doen en was van plan niemand over de brief te vertellen. Ik was daar zelf ook door verrast, maar het werd me allemaal te gecompliceerd. Ik zou de brief in de open haard verbranden en ervoor zorgen dat er niets van overbleef, dat elke letter tot as verging. Dat zou ik doen. Ik zou ervoor zorgen hier niet verder bij betrokken te raken. De heggenschaar had ik bij toeval zien liggen, maar de brief maakte deel uit van een manipulatie, een mechanisme dat me dwong iets te doen wat ik niet volledig doorgrondde.

Ik bleef lang onder de douche staan. Daarna haalde ik zelfs dat stomme examenboek tevoorschijn en begon aan een vraagstuk. Mijn ogen traanden van vermoeidheid, maar gewikkeld in een handdoek hield ik mezelf voor de gek en staarde gapend naar de vage tekst. Ik was verschrikkelijk zenuwachtig en mijn benen trilden. Ik dacht aan de pillen die ik vroeger slikte, maar besloot daar niet aan te beginnen. Het had geen zin terug te gaan naar een leven waarin ik pas in slaap viel als ik een slaappil innam.

En toen ging de deurbel. Vlug schuifelde ik als een krab uit het keukenlicht weg en probeerde me te verstoppen. Bijna verwachtte ik Ronny Lawton op de stoep te zien staan, met een mes of iets dergelijks.

Ik hoorde de stemmen van Sam en Ed. Sam verhief de zijne. 'Hé, ouwe, ben je daar?' Hij bonkte op de deur. Ik hoorde Ed zeggen: 'Zijn auto staat er.'

Ik kon me nergens verstoppen. Soms doe je iets zonder erbij na te denken. Zonder precies te weten wat ik van plan was, kroop ik naar de badkamer, maakte mijn haar weer nat, pakte een kam, liep naar de deur en zei op verraste toon: 'Ed, Sam.'

Sam zei: 'Je stond te douchen.' Hij wendde zich tot Ed en zei: 'Hij stond te douchen, Ed.'

Ed zei: 'Dat zie ik.'

'Als het kon, zou ik met deze hitte al mijn tijd onder de douche doorbrengen,' zei Sam. Ik kon zijn gezicht nauwelijks zien in het halfduister van de gang. 'Ik houd het niet uit in deze hitte.' Hij rook naar drank. Hij had een doos met donuts en een taart bij zich, en overhandigde die mij: 'Hier.' Hij liep langs me heen in de richting van de muziek vol ruis. Ik liep achter hem aan. Ik had een wierookstaafje aangestoken en de grijze rook kringelde omhoog. Sam snoof de lucht op, waarbij hij het er nogal dik bovenop legde.

'Het schijnt vliegen weg te houden,' zei ik, bij wijze van antwoord op een onuitgesproken vraag.

Sam zei: 'Ja, ja.' Eerst leek hij niet goed te weten wat hij moest zeggen, maar ten slotte zei hij: 'Ik had nooit gedacht dat jij van Duke Ellington hield, Bill.' Hij begon weer te snuiven. 'God, Bill, je mag het vuilnis wel eens buiten zetten.' Hij liep door, ook toen ik bleef staan. Hij liep de halfduistere voorkamer in en ging zitten.

Ed bleek betere manieren te hebben en bleef aarzelend staan voor de drempel van de voorkamer, in de lange gang die naar oud hout en mottenballen rook. Hij legde uit waarom ze op bezoek kwamen. 'Je was zomaar opeens vertrokken, Bill. We maakten ons zorgen over je. Je voelde je niet lekker, en zo.'

'Kom binnen, Ed.' Het examenboek lag op de tafel in de voorkamer. Ed keek ernaar, en daarna naar mij. Ik waagde me niet eens aan een verklaring, en hij begreep dat ik het er niet over wilde hebben. 'Ga zitten,' zei ik alleen, ik sloeg het boek dicht en liep naar de keuken.

Ik maakte kwast voor ze, roerde die door, pakte ijsblokjes en drie glazen. Jezus, de brief lag gewoon op tafel. Ik vermande me en liep erlangs. We zaten een tijdje met ons drieën in de voorkamer tot Sam zei: 'Ik geloof dat ik niet meer in dit huis ben geweest sinds...'

'De zelfmoord,' zei ik.

Sam sperde bij wijze van verontschuldiging zijn ogen wijd open. 'Het was ook zo plotseling. Ik bedoel...'

Ik keek hem recht aan. 'Boven liggen zijn dagboeken. Het was niet plotseling, Sam. Hij was het al lang van plan.'

Sam trok zijn wenkbrauwen op in zijn brede gezicht. 'Ja, ja.'

Ed zei: 'Hij zag dingen die wij misschien nooit zagen, of die we niet wilden geloven.'

Ik keek naar Ed. Hij was het soort man die je je als vader zou wensen, evenwichtig, en op een rustige manier bijna alleswetend, een man met begrip.

'Je hebt gelijk, Ed. Hij beschrijft het allemaal in zijn dagboeken, wat hij zag en wat voor gevoel hem dat gaf. Hij maakte aantekeningen over alle reizen die hij naar Zuidoost-Azië maakte voor hij stierf, naar landen waar hij nog nooit van had gehoord, waar hij heen ging om te onderhandelen over op te zetten clandestiene bedrijven, en om met kleine milities van mannen in werktenue in Sovjet jeeps rond te reizen, met op de achterbank een paar zakenlieden in driedelig pak met das, die alleen maar grijnsden en knikten, zoals ze daar doen. Hij heeft het allemaal opgetekend, de kwalen en ziekten, cholera in stilstaand water dat vergeven was van de vliegen, de tochten in vrachtwagens naar de godvergeten jungle, vast blijven zitten op overstroomde wegen, die kereltjes in hun goedkope pakken die hem de oren van het hoofd kletsten, hem meenamen naar schuren op kaalgekapte stukken land, hem toonden hoe ze zijn kosten konden verlagen, hem de inwoners lieten zien: kleine kinderen, vastgebonden op de rug van vrouwen die in het felle licht in die schuren werkten. Ik wil maar zeggen, duistere continenten gingen voor hem open, landen waar je nog nooit van hebt gehoord, nieuwe republieken. Misschien deed het denken aan Vietnam, toen we daar voor het eerst over hoorden, zo'n plek die we niet op de kaart konden aanwijzen maar waar we binnen enkele maanden dood zouden gaan.'

Sam zei: 'Je preekt voor eigen parochie, Bill.'

'Ik preek niet, Sam. Ik zeg alleen maar dat mijn vader daar niet bij hoorde. Hij was niet van plan die weg te gaan en zijn zaak naar overzeese landen over te plaatsen. Natuurlijk zag hij dat het hem winst zou opleveren, natuurlijk zag hij de mogelijkheden. 's Avonds liet hij in de gore hotels vrouwen komen, vrouwen die de opdracht hadden gekregen om letterlijk alles te doen wat een man maar wilde dat er met hem gedaan werd.' Even kreeg ik een onbehaaglijk gevoel, met die handdoek om me heen, mijn balzak die zich langzaam roerde toen hij stevig werd, zich weer terugtrok. 'Zo is het gegaan, Sam, zo is alles ingestort, zo kwam mijn vader ertoe een pistool te pakken, de loop in zijn mond te steken en zijn hoofd eraf te schieten. Hij was daarginds verslaafd geraakt aan drugs. Hij raakte de weg kwijt in de jungles, ronddwalend op dat donkere continent van nieuwe arbeidskrachten, starend in de onderbuik van vreemde milities die er harems op nahielden met hoeren die onder de drugs zaten. Hij raakte zo in de vernieling door de drugs, het was alsof je in het duister van je ergste dromen Satan gekleed in een net pak tegenkwam.'

Ed drukte langzaam zijn handen krakend tegen elkaar. 'Uiteindelijk hebben we allemaal water bij de wijn gedaan.' In het flauwe licht van de zitkamer zat hij er onverstoorbaar bij. Ed was een onaandoenlijke man, hij wist meer dan ooit in woorden was uit te drukken. Hij staarde langs me heen naar de keuken, hij had zijn kwast op. Het was alsof hij aanvoelde wat er op tafel lag. Ik keek naar zijn ogen, naar de donkere pupillen die ronddwaalden door mijn huis.

Ik zei: 'Wat mij dwars zit is dat we goddomme op de maan zaten, de intergalactische ruimte aan het onderzoeken waren en miljoenen dollars verkwistten, terwijl hier op aarde de hel losbrak.'

Ed reageerde: 'Ik denk dat het met de Koude Oorlog te maken had, Bill.'

Ik keek hem aan. 'Waarschijnlijk heb je gelijk, maar toch zou je de slachtoffers willen tellen en jou en mij en Sam erbij tellen als levende doden.'

Ed zei: 'De dingen gebeuren gewoon, Bill. Wie wil je de schuld geven van de evolutie?'

Ik glimlachte flauwtjes. Ik had daar geen antwoord op, en wist dat hij in zekere zin gelijk had. Ik zei: 'Mijn grootvader schreeuwde vroeger vaak tegen mijn vader, en dan moesten we met hem mee naar het bos om hout te kappen en dwong hij ons daar de hele dag mee door te gaan. Je begreep dat hij probeerde terug te keren naar een primitief begin. Hij vertelde vaak hoe hij in Engeland met geweld was geronseld en wakker was geworden op een boot naar Zuid-Afrika. Misschien besefte hij dat er aan de overkant van de oceaan een continent bestond, vol jongens als hijzelf, die slechts voor een hongerloontje wilden gaan werken, jongens die alleen maar wilden overleven. Ik denk dat al dat houthakken daarmee te maken had, met dat verlangen naar de uitputting die hij als immigrant had gevoeld, dat alsmaar doorgaan, zonder na te denken, alleen maar leven, alleen maar zorgen dat je overleefde.' Ik sloeg mijn handen voor mijn gezicht, de woorden kwamen als vanzelf. Ik keek ze aan. 'Een week voor hij zelfmoord pleegde zei mijn vader tegen me dat mijn generatie zou leven van het zware werk dat door vrouwen en kinderen zou worden verricht, van goedkope arbeid in plaatsen zonder naam.'

Sam kuchte beleefd. Hij zei langzaam: 'Je zult hier niet van opkikkeren, Bill, maar je kunt het maar beter van mij horen. Ik overweeg te kappen met de krant.'

Ik bleef doodstil zitten en keek hem aan. 'Dat zeg je volgens mij al jaren, Sam.'

Ed zat een beetje voorovergebogen, zachtjes zijn hoofd schuddend, naar Sam te luisteren. Toen hield hij zijn hoofd instemmend schuin. Hij krabde met zijn knokige vingers zijn knieën en pakte de stof beet waardoor zijn harige enkels zichtbaar werden. Ik geloof dat ik me daar toen op concentreerde, op die twee schuiten van schoenen, gemeerd aan het parket. Ze pasten op de een of andere manier niet bij hem, wit en glanzend als goedkope lakschoenen onder de perzikkleurige polyester broek. Hij was van top tot teen Darlenes ontwerp, een creatie die zich langzaam de levensstijl van een inwoner van Florida eigen maakte, een levende etalagepop. Maar ik zag wel dat hij zich zorgen maakte omdat hij zijn levenswerk tot een goed einde moest brengen.

Sam zei: 'Hoor je wat ik zeg, Bill?'

Ik veerde op: 'Hoe lang nog?'

Sam zuchtte diep. 'Een bedrijf in Cass staat de laatste jaren bij mij op de stoep.' Zijn stem stierf weg.

'Een halfjaar?' vroeg ik.

Ed zei: 'Ik zou eerder zeggen drie maanden. Als dit gedoe met Ronny Lawton achter de rug is.' Hij schuifelde even met zijn grote voeten.

'O,' zei ik. 'Denken jullie dat er nog iets valt te zeggen over Ronny Lawton en zijn pa?'

Ed keek Sam aan met dezelfde samenzweerderige blik die me op kantoor ook al was opgevallen. 'Er moet iets boven water komen. Een man verdwijnt niet zomaar van de aardbodem.'

Ik zei: 'Dat gebeurt voortdurend, Ed. Houd je me soms voor de gek?'

Sam pakte de draad weer op. 'Ik heb die lui in Cass al verteld wat een aanwinst jij bent, Bill. Ze lezen je artikelen op het hoofdkantoor. De baas is een grote fan van je. Ik weet niet zeker of hij iemand nodig heeft, maar als dat zo is, maak jij een grote kans.'

Ed leek aanstalten te maken op te staan. Ik was met mijn gedachten allang niet meer bij de brief, maar nu schoot hij me weer te binnen, vooral het feit dat hij zo dichtbij was. Hij lag nog steeds op de keukentafel. Ik kon Ed niet tegenhouden. Ik zat als verstijfd op mijn stoel, maar ten slotte wist ik zijn naam uit mijn strot te wringen. 'Ed,' zei ik.

Hij keek me aan. 'Wat is er?'

Als door een wonder rinkelde de telefoon. Ik nam niet op, en hij ging vier keer over voor Sam zei: 'Neem je niet op, Bill?'

Ed bleef staan en staarde me aan.

Ik zei: 'Ik wil dat jullie dit horen.' We zwegen terwijl de telefoon in mijn hoofd weergalmde en bleef rinkelen. Ik wachtte tot het antwoordapparaat aansloeg.

Een stem zei: 'Waarom ben je niet langsgekomen, Bill?'

Sam zei: 'Wie is dat in godsnaam?' Maar Ed zei: 'Sst.'

'Lig je in bed met Courtney, Bill?'

'Wie is Courtney in godsnaam?' vroeg Sam.

'Jezus, Sam, houd je mond.' Ed pakte Sam bij de arm.

Ik wilde opnemen, maar wachtte nog even.

'Ik wou je alleen maar helpen, meer niet,' zei Ronny's ex. Op de achtergrond klonk harde muziek. 'Ik hoop dat je morgen bij me komt, Bill.' De verbinding werd nog niet verbroken en er klonk het gedempte geruis van iemand die in de hoorn ademde. De stem zei: 'Ik heb dat huis verdomme nodig, Bill.' Ze hing op.

Ik keek Ed en Sam aan. Ik zei: 'Ronny Lawtons ex heeft me al ontzettend vaak gebeld.'

'Dit klinkt als een ruzie tussen geliefden. Wat denk jij, Ed?'
Ed trok zijn wenkbrauwen op.
'En wie is Courtney in godsnaam, Bill?'
Ik zei: 'Zij denkt dat ik een vriendin heb, meer niet.'
Ik realiseerde me dat het een beetje vernederend en ongeloofwaardig klonk toen ik hun vertelde dat ik daarheen was gegaan en met haar in gesprek was gekomen, en dat ze mij had verteld hoe Ronny's moeder was gestorven.
Ed schoof heen en weer op zijn stoel, hij bracht zijn glas naar zijn lippen maar er zat niets meer in en hij bleef met het lege glas in zijn hand zitten.
Ik repte met geen woord over de heggenschaar. Dat deel liet ik weg. Aan elk woord dat ik zei kleefde de groeiende angst die de brief me bezorgde. Ik had Sam en Ed niet gebeld. Zij waren mij komen opzoeken om me te vertellen dat het eind van de krant in zicht was, en intussen lag er op de keukentafel een belangrijk bewijsstuk. Ten slotte vertelde ik hun van de brief. Ik wees naar de tafel, en zag hun blik de richting die mijn arm wees volgen. 'Ik heb iets ontvangen dat misschien een eind aan deze hele zaak kan maken.'
We liepen naar de brief. Er stond eenvoudig: 'Het hoofd is ginder in de tornadobunker bij Lawtons oude boerderij.'
Sam en Ed schudden allebei hun hoofd en zeiden: 'Godallemachtig.' Bijna zochten ze steun bij elkaar. Toen hieven ze tegelijk hun hoofd op en staarden mij aan.
Was er iets belachelijkers dan hoe ik daar stond met die handdoek om me heen? De haren op mijn rug gingen rechtovereind staan en ondanks de hitte kreeg ik kippenvel. Ik voelde me naakt, ontmaskerd als de man die ik werkelijk was: een halfzachte intellectueel die verstrikt zat in een of andere goedkope moordzaak. Ik begreep welke indruk dit maakte en deed een stap naar achteren. De losgelaten letters lagen keurig naast elkaar, alsof er iets in elkaar werd gezet, alsof ik met een puzzel bezig was. Heel even dacht ik: Jezus, zo dadelijk denken ze nog dat ik dit zelf zat te maken, dat ik met Ronny's ex onder één hoedje speel om Ronny erbij te lappen... En op hetzelfde moment voelde ik tussen ons iets gebeuren,

ze leken een ogenblik te twijfelen over mijn rol in het geheel.

Ed voelde zich kennelijk slecht op zijn gemak. Zijn blik bleef op mij rusten en keerde toen weer terug naar de brief.

Sam was minder doorzichtig maar hoefde niet naar woorden te zoeken. 'En heb je hier nog niemand over opgebeld, Bill? Dat kan ik moeilijk geloven. Ik bedoel, dat je het daar gewoon laat liggen.' Het was geen beschuldiging, alleen een constatering.

We waren met ons drieën op een dood punt beland en durfden niets aan te raken.

Ik zei: 'Ik was veel te bang om iets te doen.'

Ed zei: 'Waarom?'

Ik begon bijna te lachen. 'Ed, begrijp je dat niet? Ik word in de gaten gehouden, daarom. Iemand heeft mij uitgekozen om de stukken op te rapen.' Mijn woorden bezorgden me ineens een onbehaaglijk gevoel, maar er was geen enkele plausibele verklaring voor het feit dat de keuze op mij was gevallen.

Ed hield aan. 'Waarom jij? Waarom Linda Carter niet?' Ik denk dat hij begreep dat hij te ver was gegaan. Sam werd kwaad. Hij zei: 'Wat bedoel je daar in godsnaam mee, Ed? Wat heeft Linda Carter dat Bill niet heeft?' Maar ik denk dat we het alle drie wel begrepen.

Tenslotte ging het om de vraag waarom ik de brief had ontvangen. Het enige dat mij vrijsprak – let wel, niet dat ik vrijspraak nodig had – was dat er geen lijm op tafel lag, geen krant die de suggestie kon wekken dat ik de brief in elkaar had geknutseld. Zoiets wilde ik ook zeggen, maar ik hield me in. In plaats daarvan zei ik: 'Ronny Lawton is me laatst op een avond gevolgd. Misschien wil hij dat er een eind aan komt.'

'Hoe kwam dat zo?' vroeg Sam.

'Ik ging naar Denny's en draaide daar muziek van Duke Ellington voor hem. Hij ging bijna door het lint, maar misschien heeft het iets in hem losgemaakt. Hij reed achter me aan door de stad, kwam naar me toe, wilde blijkbaar dat er een eind aan de zaak kwam.'

Ed ging achter me staan. 'Je hebt het druk gehad, Bill.'

Sam keek me aan. 'Wat heeft Duke Ellington ermee te maken?'

'Daar luisterde zijn moeder graag naar, meer niet.'

'Dat is mooi, Bill. Heel slim,' zei Ed zachtjes. 'Heeft zijn ex je dat verteld?'

'Ja.'

'Zij wil het huis toch hebben? Zij weet hoe ze hem uit moet dagen, hoe ze hem kan raken. Niet soms?'

'Ja.'

Sam drong aan. 'Gaf Ronny de indruk dat hij wilde bekennen?'

Ik zei: 'Dat weet ik niet. Ik geloof dat hij denkt dat zijn ex er iets mee te maken heeft. Het is mogelijk dat hij me dat probeerde te vertellen, maar dat deed hij niet rechtstreeks, hij zei niet dat ik in de bunker moest gaan kijken, omdat hij dan verdacht zou lijken.'

Sam pakte me bij de arm. 'Wacht even. Ik dacht dat we het erover eens waren dat Ronny zijn vader heeft vermoord. En nu beweer jij dat het niet zo is?'

Ik bracht mijn handen naar mijn hoofd. Het werd tijd iets melodramatisch aan het verhaal toe te voegen om mezelf zo snel mogelijk uit deze benarde positie te bevrijden.

Sam praatte nog steeds, hij sprak niet tegen mij, maar tegen Ed: 'Wat denk jij, wie heeft deze brief hier neergelegd, Ed?'

Ed gaf geen antwoord. Hij hield nog steeds het glas vast en liet het langzaam en peinzend ronddraaien, zodat het smeltende ijs begon te tinkelen.

Sam schudde zijn hoofd. 'Bill, wie heeft dit gestuurd volgens jou: Ronny of zijn ex?'

Ed zei ten slotte: 'Dat is de hamvraag, Sam.' Hij schraapte zijn keel en zei: 'Sam, dit is voor ons een fantastische kans. Denk eens na, misschien kunnen we ons nu veel voordeliger van de krant ontdoen.'

Er brak een glimlach door op Sams gezicht. Hij keek mij aan. 'Bill, je bent godverdomme een genie. Je hebt je huiswerk wel gemaakt.' Hij sloeg me op de rug, de klootzak die achter mijn rug bezig was ons allemaal bij het vuilnis te zetten. Maar ik zei niets, bezweek niet voor de verleiding om te zeggen wat ik dacht. Ik zei eenvoudigweg: 'Ik doe alleen mijn best om zo goed als ik kan mijn vak als journalist uit te oefenen.'

'En verdomd als jij geen echte Dick Tracy bent, Bill. Ik zal je wat zeggen, in een situatie als deze zie je pas of een verslaggever kaliber heeft, door de manier waarop hij de hoofdpersonen gebruikt, ze tegenover elkaar uitspeelt. Bill, jij bent in staat instinctief de menselijke conditie te doorgronden, haar...'

Ik maakte de zin voor hem af: 'Haar verdorvenheid.'

'Ja, dat is het, Bill. De menselijke verdorvenheid...'

Ik raakte bijna opgewonden van trots. Het is verbazingwekkend dat iemand als ik zo gemakkelijk kan worden ingepakt, zelfs door mensen als Ed en Sam. Ze overtuigden me er inderdaad van dat ik de touwtjes in handen had.

We luisterden de boodschap nog een keer af. Ed viel de zin op: 'Ik probeerde je alleen maar te helpen, meer niet.' Hij zei: 'Bedoelt ze de brief, Bill?'

Sam wreef over zijn kin. 'Goed gezien, Ed.'

Ik haalde mijn schouders op. Ik had nog steeds de handdoek om. Ik zei: 'Dat weet ik niet.'

Ed drukte op de knoppen van het antwoordapparaat. Hij spoelde te ver terug en hoorde de laatste zinnen van de vorige boodschap. Ik zei: 'Jullie kunnen net zo goed alles horen.' Ik liet ze alleen om me aan te kleden, trok shorts aan en een zalmkleurig Izod-T-shirt. Ik kamde mijn sluike haar op mijn voorhoofd naar achteren en bekeek mezelf in de spiegel. We stonden op het punt iets te ontdekken en ik had me gekleed als voor een dagtochtje met een boot. Ik zag er zo alledaags uit, dat het absurd was. Gewoontjes, zo zag ik eruit, domweg gewoontjes, maar misschien was gewoontjes wel veel gecompliceerder dan ik ooit voor mogelijk had gehouden. Ik hoorde ze boven mijn hoofd lopen en gedempt met elkaar praten.

Pas toen vroeg ik me af waarom ze in godsnaam opeens bij mij op de stoep hadden gestaan. Al die tijd dat ik voor Sam heb gewerkt was hij me niet één keer komen opzoeken. In mijn achterhoofd speelde de gedachte dat er iets niet pluis was. Iedereen leek mij een stap voor te zijn. Ze lieten mij op een bepaald punt aankomen, maar alleen omdat zij daar al waren geweest en weer waren vertrokken. Het zat me eigenlijk niet lekker dat ze zo onverwacht waren gekomen... Ik bekeek mezelf aandachtig in de spiegel en zag een gezicht vol uitputting en angst door de onzekerheid die ik altijd voel als ik een situatie op een logische manier probeer te benaderen. Dit leek onderhand op zo'n stom vraagstuk van het toelatingsexamen, de vectoren van associatie, wie kende wie, motief, gelegenheid, al dat gedoe. Het duizelde me.

Toen ik weer boven kwam zei Sam: 'We zijn er nog niet uit of ze de brief bedoelde. Dat zegt ze niet met zoveel woorden.'

Ed zei: 'Zo te horen heb je een nieuwe vriendin, Bill.'

Ik antwoordde: 'Misschien heeft ze een slecht geweten.'

Ed was het met me eens en haalde diep adem. Zijn blik bleef op mij rusten. 'Darlene zegt altijd: "Je bereikt tegenwoordig alleen iets als je er goed uitziet." Misschien heeft ze gelijk. Geen andere man had zo'n indruk op haar kunnen maken als jij, Bill.' Het was een soort indirect compliment of misschien een verklaring. Ik reageerde niet.

Sam kreeg weer die verlangende blik in zijn ogen. 'God, Bill. Ronny's vrouwtje eet uit je hand. Grote kans dat zij dat heeft geschreven. Ja toch? Zij wil dat jij ervoor zorgt dat Ronny achter de tralies belandt zodat zij het huis krijgt. Denk je ook niet, Ed?'

'Als ze in een caravan buiten de stad woont en geen geld krijgt, dan zeker. Waarom zou ze jou niet vertellen waar Ronny het lichaam heeft verborgen? Denk maar na, ze was lang genoeg bij Ronny om te weten waar hij zijn geheime bergplaatsen heeft.'

Sam onderbrak hem. 'Oké, maar ze vertelt natuurlijk niet openlijk waar zij denkt dat Ronny zijn vader heeft verborgen, want als het lijk door haar toedoen wordt gevonden, zal men denken dat zij schuldig is. Het is niet de eerste keer dat een krant een anonieme tip krijgt.'

Ed sloot zich aan bij de complottheorie. 'Ze moest een bron hebben, en dat werd Bill.'

Sam riep: 'De bron! Dat vind ik schitterend. Verdomd, ja, "de bron"!'

Het was vreemd, maar ik zette een pot koffie op tafel, deed de ventilator in het raam aan, haalde de plastic folie van de taart, pakte de doos met donuts, knipte het touwtje door en zette alles op tafel. En zo zaten we een hele tijd zonder een woord rustig te eten. Ik proefde de zoete jam in het warme binnenste van de donuts. Af en toe verlang je naar zo'n zoetigheid om het leven door te komen, iets waarbij je je vingers weer aflikt als een kind. Ik denk dat we daar alledrie behoefte aan hadden. Sam liet zijn grote tong langs zijn lippen glijden, likte er een paar kruimels af, en trok zijn stuk taart uiteen. Ed knipoogde naar me. 'Sam, waar heb jij in godsnaam leren eten?'

'Verdorie, begin nou niet op me te vitten, Ed.' Ze plaagden elkaar als kinderen op een logeerpartijtje, maar intussen hielden we ons wel bezig met het hoofd van een man in een tornadobunker. Ik zag het eind van een vriendschap, het eind van kleinsteedse banden. We deden ons te goed aan het lijk van Ronny Lawtons vader.

Ik zei: 'We kunnen er net zo goed eerst zelf naartoe gaan om te zien wat zich daar bevindt. Het heeft geen zin de politie erbij te halen als we bij de neus zijn genomen. We kunnen maar beter eerst zekerheid krijgen, vinden jullie ook niet?'

Sams gezicht zat onder de donutkruimels. Hij slikte iets door en veegde zijn mond af. 'Goed, als jij de zaak zo wilt afhandelen, ga je gang, Bill. Jij hebt het nu in feite voor het zeggen. Jij hebt het voorbereidende werk gedaan. Wie weet gaf Ronny's ex alleen maar een tip over een plek waarvan zij vermoedt dat Ronny er het lichaam heeft verstopt. Het staat niet vast. Je hebt gelijk, Bill. We moeten het zeker weten. Ik wil niet voor gek staan, vind je ook niet, Ed?'

Ed zei: 'Hoe minder pottenkijkers, hoe beter.'

Sam keek stomverbaasd. 'Ja of nee, Ed?'

Ed antwoordde: 'Jazeker, Sam, laten we eerst gaan kijken of er een hoofd is voor we er iets over in de krant zetten.'

Ik durfde niet rechtstreeks over Linda Carters interview met Ronny Lawton te beginnen, ik vroeg alleen wanneer het zou zijn. We zaten op donderdag, vroeg in de ochtend, bij elkaar en ze vertelden dat haar interview zondagavond zou worden uitgezonden. Het kreeg al veel aandacht, vooral vanwege Ronny's optreden bij Denny's. Hoewel het onderzoek in een impasse verkeerde, zei zijn verhaal iets over de afschuwelijke toestand waarin ons land in het algemeen verkeerde. Als je Ronny goed bekeek, daar bij Denny's, dan betekende dat iets op een onbewust niveau.

Sam werd weer vrolijk en kneep zijn ogen samen. Ik liet het aan hem over de gevoelige kwestie af te handelen, liet hem de tijd afwegen tussen donderdag en zaterdag en de balans daarvan opmaken.

Ed stond op en rekte krakend zijn lange benen en armen. Ik zag dat zijn riem bij zijn witte avondschoenen paste, precies dezelfde kleur en glans, gewoon plastic rommel.

Sam zei: 'Als we het morgen publiceren kan Linda Carter Ronny Lawton vragen stellen over het hoofd en dan lijkt het of zij al het voorbereidende werk gedaan heeft.'

Ed keek Sam aan. 'Dan wachten we wel verschrikkelijk lang met iets te doen.' Ed schudde zijn hoofd. 'Dat zint me niet, Sam. Ik weet wat je denkt. Als het nou vrijdag was, dan zouden we dit wel kunnen flikken, maar...'

Sam knikte.

Ik zei: 'Maar wie kan in godsnaam achterhalen wanneer we deze brief hebben ontvangen? Er staat niet eens een poststempel op.'

Ed zei niets. Hij bracht zijn linkerhand naar zijn hoofd en liet haar daar, alsof hij hoofdpijn had gekregen. 'Ik weet het niet.'

Sam sloeg met zijn vuist op tafel. 'Dat is verdomme waar. Bill heeft gelijk, wie kan in godsnaam weten wanneer we de tip hebben ontvangen?'

We spraken lange tijd niet, keken naar de keuken en dachten aan de brief die daar lag. Sam begon weer te praten boven zijn kop koffie die hij met beide handen vasthield. 'Ik heb geen jaren de tijd meer om iets belangrijks te presteren. Misschien is dit wel het laatste dat ik ooit nog in het nieuws zal kunnen brengen.' Hij slikte en ging toen verder: 'Het betekent waarschijnlijk niet zoveel, maar vinden jullie het niettemin ironisch om de televisie een keertje voor te zijn? Kijk eens naar ons. We zijn een uitstervend ras. Voor jou en mij is dit het eind, Ed. Ik wil één ding meenemen waaruit blijkt dat ik niet te oud was, dat ik niet heb afgedaan. Ik wil er waardig mee ophouden, Ed.' Sam zweeg en veegde zich het zweet van zijn voorhoofd. 'Ed?'

En zo leidde dat enerverende pleidooi in mijn woonkamer tot het besluit om te wachten. Ver weg in het noorden schoten lichtflitsen langs de nachtelijke hemel, een zomerse onweersbui, te ver weg om haar te kunnen horen of om de verademing van een regenbui te brengen. De gordijnen bolden op als zwijgende grijze spoken. De vleugel stond als een gepolijste doodskist te glanzen in de kamer, het dwalende licht weerkaatsend. De rook van de wierookstokjes bewoog in de tocht. We kwamen overeen elkaar zaterdagavond te treffen om de bunker te onderzoeken, en als we iets vonden zouden we zondag Pete op de hoogte stellen en een persconferentie houden, op dezelfde tijd dat Linda Carters interview zou worden uitgezonden.

Ik werd opeens hoogdravend. 'Die Ronny Lawton is een archetypische mythe van de moderne gruwel. Daar hebben we in feite mee te maken.'

Sam zei: 'De kerel is een klootzak.'

Ik zei: 'Ja, dat ook.'

We aarzelden weer. Sam en Ed wisselden blikken uit. Sam legde zijn hand op de mijne. 'Bill, als dit nieuws inslaat, wil ik dat je het zonder franje vertelt. Zonder filosofisch gewauwel, bewaar dat maar voor de muren van je badkamer. Wat we van jou willen horen, is hoe je contact kreeg met Ronny's ex, hoe je naar Ronny toe ging en op zijn geweten inwerkte. Eenvoudig en onopgesmukt, meer niet, Bill. We willen niks horen over archetypische mythes van de moderne gruwel, of theorieën over het aan stukken snijden van lijken. Ik hoef niets over Nietzsche te lezen, Bill. Ik wil dat je nu zweert: "Ik ga Nietzsche er niet bij halen", alsjeblieft, jezus, alles behalve die flauwekul...' Toen hij klaar was moest hij glimlachen. 'Je zult het ondanks jezelf nog ver schoppen, Bill.'

Ed knipoogde alsof hij een zenuwtic had. Toen begon hij te glimlachen.

Sam was nog niet klaar met me, ik denk dat het kwam door het nachtelijke uur en door ons geheime plan. Hij haalde zijn gebit uit zijn mond en sprak op de sentimentele manier van tandeloze mensen. 'Breng dit maar onder in je theorie over in stukken gehakte lijken, Bill.' Hij sloeg met zijn vuist op tafel en lachte alsof hij erbij neer zou vallen.

Ed glimlachte. 'Sam lijkt wel dronken.'

Maar even snel als het was begonnen, was het weer voorbij, en de ernst keerde terug. Sam deed zijn gebit weer in, stak zijn kaak naar voren tot de prothese op haar plaats zat en keek met een strenge blik voor zich uit.

Ik weet niet waarom ze toen niet zijn vertrokken, maar ze bleven.

We hadden vermoedelijk een paar dagen nodig om alles tot ons door te laten dringen. Het kostte moeite van tafel op te staan. Ik zag dat Sam zijn vuisten opende en weer sloot. Hoe langer ik naar hem keek, hoe nietszeggender de uitdrukking op zijn gezicht werd. We hadden het gevoel dat we in een complot zaten. Het was niet zonder meer verkeerd om te wachten en te proberen Linda Carter de loef af te steken, maar toch voelde het niet goed. Het laatste onderwerp waar Sam en Ed in hun leven bij betrokken waren betrof een hoofd dat ze in een bunker lieten liggen. Dat riekte naar mensenschennis.

Ed hield zijn bovenlijf en hoofd volkomen stil, maar reikte met zijn lange armen langzaam over de tafel op zoek naar kruimels, die hij met zijn klamme vingers oppikte en naar zijn mond bracht. Ik vond het een griezelig gezicht en huiverde.

Opnieuw voelde ik een vreemde afstand tussen hen en mezelf. Ze waren bijna grotesk, als ik dat zo mag zeggen, twee oude mannen, een heel leven van beslommeringen zichtbaar in de rimpels in hun gezicht, onbekende mannen die in hun leven nooit iets belangrijks hadden gepresteerd, chroniqueurs van een kleinsteedse krant die bijna failliet was, die op het punt stond overgenomen te worden. Ze waren overlevingskarikaturen. Ze zagen dat ik naar hen keek, ze voelden mijn blik. Ze hadden geleefd zonder iets buiten onze prairie te ambiëren, mannen die hadden begrepen wat verandering was, mannen die de ontmanteling van fabrieken hadden verslagen, die huilende gezinshoofden hadden geïnterviewd, en op de een of andere manier waren ze geen van beiden krankzinnig geworden. Ik wilde weten wat hun overlevingsstrategie was, wilde weten hoe mensen leefden in de lege huls van een voormalig leven, te midden van dalende vastgoedwaarden. Ik zag hun toekomst voor me, over een jaar of twee misschien, in hun koopflats onder de hete zon van Florida, als koudbloedige reptielen die zich verwarmden, hun halskwab geheven naar een glanzend blauwe hemel, mannen in slobberige shorts en op canvas schoenen, mannen die 's middags met hun vrouwen naar de eet-zoveel-je-kunt-saladerestaurants gingen, een enorme kudde herbivoren die graasden op de weiden van hun pensioen, pillen slikten, bonnen uitknipten en de restjes uit het restaurant mee naar huis namen, zich nestelden in de zonnige, gemeenschappelijke economie van een lange reis naar de dood. Ik keek naar ze en het lukte me zelfs even te glimlachen, ik pakte Eds klamme hand en daarna die van Sam, vond mijn weg naar hen terug. Ik zei: 'Ik wil jullie bedanken voor de kans die jullie mij geven.' Ik sprak met toegeknepen keel.

Sam zei: 'Wat vind je ervan om Duke Ellington nog eens op te zetten, Bill?'

Ed snoof de lucht op, wat hij sinds zijn komst haast onbewust had gedaan. Hij opende zijn mond en snoof door zijn neus de lucht op. Hij zei: 'Dat luchtje, ik ken dat luchtje.'

Ik keek hem aan. 'Bedoel je die rozengeur?'

'Ja,' fluisterde hij.

Ik liep naar de pick-up. Ed stond op, staarde naar de brief en liet de geur in zijn geheugen doordringen voor hij weer ging zitten.

Duke Ellington zong over de jaren heen. Sam haalde een van zijn sigaren tevoorschijn, sneed met zijn nageltangetje de oude as weg. Er klonk een zacht, meditatief geklik, langzaam, als van een man die zijn nagels zit te knippen, als je tenminste niet naar hem keek. Hij pakte een lucifer die even opvlamde en het vage duister verzwolg, en wendde zijn gezicht naar het licht. Toen de lucifer was gedoofd, hoorden we het in de verte onweren, we voelden de windstoten in de kamer. Sam streek nog een lucifer af. De sigaar begon te gloeien toen hij er zachtjes aan zoog met de intimiteit van een kind aan de borst. De geurige rook vulde de kamer. En zo ontdeden we ons langzaam en zwijgend van woorden als 'gerechtigheid' en 'moreel besef' in de zoete rook die de gedachte aan een religieuze dienst opriep, lieten we 'integriteit' en 'waarheid' achter ons, meedogenloze aasgieren op het afgesneden hoofd van Ronny Lawtons vader, en wachtten tot we het aan het daglicht konden blootstellen. Voorlopig was het hoofd, wegrottend in een tornadobunker, ons gezamenlijke onderpand. Laten we er nog maar een paar dagen mee wachten, dachten we bij onszelf.

Ik zei: 'Sam.' Ik spreidde mijn handen en zei: 'We kunnen een kop maken – HOOFDPUNTEN.'

Was het het late uur of de cafeïne die ons in lachen deed uitbarsten? Of was het de angst omdat we wisten dat aan dit alles ten slotte een eind zou komen, dat de gebeurtenissen zich nog een laatste keer aan ons zouden voordoen voor de onvermijdelijkheid van de televisie ons naar de achtergrond zou verdringen?

Toen ze al lang weg waren en ik slaap begon te krijgen, pakte ik de telefoon, op het punt iets te doen wat me een onbehaaglijk gevoel zou geven. Net als Ronny Lawtons ex begon ik door de telefoon te smeken. Ik bedacht hoe Diane alles wat ik zei op de band opnam en voor haar vrienden afdraaide, en dat ze allemaal zouden zeggen dat ik niet goed bij mijn hoofd was. Desondanks fluisterde ik in de hoorn: 'Ik houd van je.' Ik herhaalde die woorden steeds weer, tot de verbinding werd verbroken, waarna ik in slaap viel, denkend aan Ronny Lawtons ex. Ze was naakt, zoals ik haar had gezien toen ik op het maïsveld stond, haar lichaam bewoog in het maanlicht, de lange schaduw van haar seksualiteit strekte zich uit over het land en viel op mij, waar ik me schuilhield en haar bespiedde, terwijl ik naar haar toe wilde gaan om haar vast te houden. Toen ik even wakker werd, bleken de lakens drijfnat te zijn. De hitte was zelfs naar de kelder afgedaald, en bleef in het donker hangen.

11

Toen ik de volgende ochtend wakker werd hing er over de prairie een verstikkende stofwolk – de stormen in het noorden hadden in de nacht het ronddwarrelende stof van de akkers opgetild en meegevoerd. De zonsopgang kleurde de hemel bloedrood. Ik ging naar beneden, waste een kopje af, nam een slok en spuugde stof uit. Het zat zelfs in mijn neusgaten.

Ik kon me nog slechts met moeite voorstellen wat zich enkele uren eerder had afgespeeld. De brief lag goed opgeborgen in een lade, en daar moest hij twee dagen blijven liggen tot hij zijn rol in het drama kon spelen.

Ik belde naar de krant. Sam had de moeizame taak op zich genomen een artikel over de droogte te schrijven. Vannacht had het ruim vierhonderd kilometer noordelijker geregend. 'Daardoor is het stof overgewaaid, Bill.' Dat begreep ik ook wel.

Ieders gedachten waren bij de droogte. Het enige wat we nog hadden was de oogst, en zelfs daarvan was de waarde door overproductie gedaald, maar als er helemaal geen oogst was, als die zou mislukken, zou dat de crisis alleen maar verdiepen.

Sam vertelde me dat een rondtrekkende indiaan uit Nebraska die rituele regendansen uitvoerde, naar de krant zou komen voor een interview.

Het was vreemd hoe, zodra de zon op was, alledaagse zaken de wezenlijke dingen op de achtergrond drongen. Sam zei: 'Misschien heb je zin om even langs te komen.'

Ik besloot naar kantoor te gaan. Buiten was het een hel van hitte en stof. Ik voelde de zandkorrels tussen mijn tanden. De voorruit was bruin en het interieur van mijn cabriolet was met een dun laagje stof bedekt. Ik moest weer naar binnen om een spuitfles te halen om de banken en het dashboard schoon te maken. Daarna klapte ik de kap neer. Maar toen ik wegreed, stoof er een flinke wolk stof door de ventilatiegaten naar binnen.

Mijn hemd plakte aan mijn lijf tegen de tijd dat ik bij de krant aankwam. Ik zag een bizonvel op een hanger achter in de auto die van de indiaan moest zijn, zo'n AMC Pacer die op een maanwagentje lijkt.

Ik leunde tegen het raampje en keek naar binnen. Ik zag dat de monstrueuze bizonkop grondig was schoongeschrobd. Een reusachtige hoofdtooi van regenboogkleurige veren zat in een hoedendoos. Op de voorbank lagen een leeg McDonald's zakje en een halfvolle fles sodawater.

Ik ging naar boven en trof daar de indiaan aan, gekleed in een geruit cowboyhemd met paarlemoeren knopen. Er zat een havik op zijn onderarm die gestoken was in een dikke leren handschoen, speciaal gemaakt voor de klauwen van de vogel. De havik draaide zijn kop meteen mijn kant op en richtte zijn ogen van zwart lavaglas op mij. De indiaan legde zijn andere hand in de nek van de havik en streelde die zachtjes, waarop het dier kalmeerde.

Sam stelde hem voor. 'Dit is Walter,' zei hij. Sam tuurde over zijn hoornen bril die op zijn neusbrug stond. Er was aan hem niets te merken van ons geheimzinnige gedoe van enkele uren eerder. Het was alsof het nooit was gebeurd.

De indiaan vertoonde een vreemde gelijkenis met een bizon, zijn enorme, donkere, roodachtige gezicht ging zonder hals over in neerhangende schouders en een reusachtig bovenlijf. Toen hij opstond om me te begroeten, bleek de man nauwelijks een achterwerk te hebben, en zijn benen waren in vergelijking met zijn bovenlijf heel dun.

'Aangenaam,' zei de indiaan. Zijn hand voelde ruw als leer.

Ik lette op of de havik zich bewoog. Zijn zwarte, half afgebroken en gespleten nagels grepen de handschoen vast, terwijl hij onhandig een zijwaartse stap deed, bijna alsof hij hipte. De cowboylaarzen van de indiaan rinkelden toen hij weer plaatsnam.

Sam zei: 'Ik heb Walter zojuist ingelicht over de situatie met betrekking tot Ronny Lawtons vader, ik vertelde hem dat hij ergens in mootjes gehakt ligt.'

'O,' zei ik.

Sam bleef achter zijn bureau zitten. 'Walter is wichelroedeloper. Geef hem een wichelroede en hij vindt een oliebron voor je. Dat is toch in hoofdzaak je werk, Walter?'

De indiaan knikte met zijn grote hoofd. Aan een ketting op zijn brede borstkas hingen de tanden van allerlei schepselen.

Sam zei: 'Walter vertelde me iets heel interessants, Bill.'

De indiaan zei: 'Ik heb dit voorjaar in Kansas een blank jongetje gevonden.'

Ik stond in de hitte, zweetdruppels parelden op mijn voorhoofd. Door het stof moest ik eigenlijk hoesten, maar ik wist dat te onderdrukken en wachtte af.

'Vind je dat niet indrukwekkend, Bill?'

'Ja, nou en of.' Ik wist niet wat er van me werd verwacht. Ik keek naar de indiaan met zijn havik en als ik geen eind-twintigste-eeuwer was geweest, zou ik er misschien voor zijn gevallen en trouwens, ik hield op dat ogenblik en in het licht van ons naargeestige geheim niets voor onmogelijk. We waren betrokken bij dingen als verminking, de ziel van een mens die niet was begraven en die over de prairie moest dolen. Misschien begon Sam bang te worden voor de indiaan. Misschien had die al zoiets gezegd. Bijgeloof en angst gaan hand in hand. 'Denkt u dat u ons kunt helpen?' vroeg ik ten slotte aan de indiaan.

Hij gaf een ontwijkend antwoord. Hij zei nogmaals: 'Ik heb in Kansas een blank jongetje gevonden...' Daarna pakte hij uit een zakje om zijn middel een voedselbrokje voor de havik en gooide het in de lucht. De havik ving het met zijn gebogen gele snavel keurig op, beet er met zijn kop heen en weer zwaaiend in en slikte het door.

Sam veegde zijn voorhoofd af. 'Walter vertelde me hoeveel kinderen er gekidnapt worden door hun eigen ouders. Dat is een gigantisch probleem.'

Walter keek mij aan. 'Het is een groeiende business, kidnapping. Echtscheiding is de grootste ramp die ons als volk treft, zou ik zeggen.' De turkooizen ringen om zijn vingers weerkaatsten het zonlicht.

'Een mens bestaat voor ongeveer vijfentachtig procent uit water. Dat vertelde Walter me zojuist.' Sam keek naar een papiertje waarop hij het feit had genoteerd.

Walter zei: 'Ja, dat klopt. Sommige mannen, zoals ik, beschikken over verborgen magnetisme, waarmee we dingen kunnen vinden.'

Mijn blik verried dat ik dacht dat Sam gek was geworden. Ik lachte de indiaan bijna recht in zijn gezicht uit en zei: 'U zoekt naar kinderen met een wichelroede?'

De indiaan sloeg met zijn vrije hand op zijn knie, waardoor de havik ineen leek te krimpen, zijn veren tegen zich aan trok en zijn kop in zijn lijf liet zakken, de klauwen nog om de handschoen geklemd.

Sam zei: 'O, shit, dat is schitterend. Je had gelijk, Walter.'

'Hoezo?' vroeg ik.

De indiaan had tranen in zijn ogen, alsof dit het grappigste was dat hij ooit had gehoord. Hij sloeg met zijn vuist zo hard op tafel dat er stof opsteeg vol oogverblindende glinsteringen. De ogen van de havik werden diepzwart, ze pulseerden bijna van angst. 'Met een wichelroede naar kinderen zoeken, dat is grappig! O, verdomme, ze stinken er toch altijd weer in.'

Sam zei lachend: 'Als je hoefgetrappel hoort, denk dan aan paarden, Bill, niet aan zebra's.'

Ik begreep nog steeds niet wat ze bedoelden.

Sam veegde grijnzend zijn mond af. 'Walter is privédetective als hij niet met zijn wichelroede bezig is. Hij vond dat kind via het sofinummer van de moeder.'

Sam glimlachte nog toen Ed het kantoor binnenkwam. 'Hebben ze jou ook in de maling genomen?' vroeg Ed. Hij legde zijn hand op mijn rug. 'Walter is parttime privédetective.'

Ik glimlachte flauwtjes. 'Dat heb ik begrepen.'

'Een indiaan krijgt vaak met dit soort vooroordelen te maken,' zei Walter op ernstige toon en hij leunde met zijn vrije elleboog op Sams bureau. Hij tikte met zijn ruwe wijsvinger op het bureau. Sam schreef alles op. Zonder op te kijken zei hij: 'Ik begrijp wat je bedoelt, Walter. Dat moet niet makkelijk zijn.'

De indiaan zweeg, kreeg de havik met zachte dwang zover dat het dier weer rechtop ging zitten, legde een hand op zijn rug zodat de havik zijn vleugels spreidde, ermee klapte in de warme lucht en glinsterend stof deed opwaaien. Walter haalde nog een stukje vlees uit het zakje en gooide het omhoog. De havik vloog even op, het had meer weg van zweven, en kwam met gespreide vleugels weer omlaag met het brokje vlees.

Ed gooide zijn hoofd in zijn nek. Eerst begreep ik niet waarom, tot ik zag dat hij zijn neusvleugels dichtkneep. Hij probeerde een bloedneus te stelpen.

Sam zei: 'Heeft het je weer te pakken, Ed?'

Ed haalde een bebloede zakdoek uit zijn zak en drukte die tegen zijn neus. Hij wachtte even en liet zijn hoofd zakken. 'Dit stof tast mijn sinussen aan.' Hij bleef in de deuropening staan. 'Ik zie Walter dus om een uur of drie bij het stadhuis. We moeten voor het artikel een paar foto's maken.'

Walter stond op. 'Laten we om half drie afspreken, oké? Om drie uur heb ik een televisiespotje.'

Ed knikte, bette zijn neus nog eens en stopte de zakdoek weer in zijn broekzak. 'Half drie is prima.' Daarna zei hij: 'Ik heb een idee. Als we nu eens een paar foto's bij de ijzergieterij maakten? Misschien kun je op een van de steigers klimmen, Walter.'

Walter zei: 'Ja, dat zal wel lukken. Ik denk dat ik er wel tijd voor heb.' De havik draaide zijn kop bijna honderdtachtig graden en pikte tussen zijn veren omdat hij jeuk had. Hij maakte een schrapend geluid met zijn scherpe snavel. Hij rook muf.

'Misschien kunnen we na de fotosessie een hapje gaan eten,' zei Sam.

Walter zei: 'Betaal jij, Sam?'

'Tuurlijk.' Sam stak zijn potlood achter zijn oor alsof wat hem betrof het gesprek afgelopen was.

Walter zei: 'Oké dan, maar kan ik misschien ergens water drinken voor we beginnen?' Zijn blik verried dat hij de weg blijkbaar niet wist.

Ik begreep er geen moer meer van. Ik zei: 'Ga er met je wichelroede maar naar zoeken,' maar hij lachte niet, en de andere twee evenmin.

Sam zei: 'Aan het eind van de gang links staat de koeltank, Walter. Je kunt hem niet missen.'

Wij bleven met ons drieën in Sams kantoor achter, en er was werkelijk aan niets te merken dat er de vorige avond iets tussen ons was voorgevallen, ik bedoel, we maakten niet eens oogcontact om onze onderlinge verstandhouding te onderstrepen, om met een steelse blik te erkennen dat wij het geheim van het hoofd van Ronny Lawtons vader kenden. Sam moest gapen en liet zijn vingers kraken, alsof het hem allemaal een beetje verveelde. Hij pakte het potlood vanachter zijn oor en begon ermee in zijn nek te krabben. 'Heb jij ooit weleens zo'n stofstorm zien opsteken, Ed?'

Ed schudde zijn hoofd. 'Ik hoop in godsnaam dat we hier binnenkort niet de Dust Bowl krijgen.'

Ik zei niets. Het was gewoon weer zo'n bloedhete augustusdag, zo'n dag waarop alles bruin werd en verdord en de mensen zoveel mogelijk in de schaduw bleven. Maar vandaag zouden ze, net als vroeger, bijeenkomen voor het schouwspel van een indiaan die voor het stadhuis een rituele regendans ging uitvoeren. We bevonden ons nog steeds in het schemergebied van bijgeloof, voelden nog de kwetsbaarheid van een land dat niets gaf zonder er een prijs voor te vragen. Ik keek naar de deur toen ik Walters cowboylaarzen met hun metalen sporen hoorde rinkelen. Ze klonken als de sleutels van een gevangenbewaarder. Ik vroeg me af of hij van plan was in zijn AMC Pacer te arriveren of dat hij zo verstandig zou zijn om te voet naar het stadhuis te gaan. Hoewel er in de ongerijmdheid van een indiaan met een hoofdtooi en in een Pacer een heel specifiek surrealisme school. Het was bijna futuristisch.

Ed liep naar een van de ramen en veegde het stof eraf. Er viel een schuine streep licht op de vloer. Ik realiseerde me opeens hoe grijs de kamer was geweest, hoe weinig zonlicht er binnen was gedrongen.

Ed staarde uit het raam en leek na te denken over hoe en waar hij Walter zou fotograferen.

Walter kwam terug, gemarmerde vogelpoep van zijn handschoen vegend. Hij zei: 'Ik weet niet of die vent die jullie zoeken werkelijk dood is.'

Sam hield op met waar hij mee bezig was en Ed draaide zich om. Sam zei zachtjes: 'Waarom denk je dat, Walter?'

'Een stukje vinger stelt eigenlijk niks voor. Vroeger moesten indiaanse vrouwen een stukje van hun pink afsnijden als onderdeel van een inwijdingsritueel. Om moed te verzamelen hoefden ze zichzelf alleen maar vol te gieten met een heleboel drank en hadden ze wat ijsblokjes nodig, dan deed het helemaal geen pijn. Het bloedde niet eens zo erg.'

Sam zweeg en raakte nadenkend zijn kin aan. Wij waren in het bezit van een brief over het hoofd. Ik staarde naar een punt tussen Ed en Sam.

Walter haalde zijn schouders op. 'Als je me nou had verteld dat er een hand of een arm was gevonden, ja, dan zou ik zeggen dat de oude man dood was, maar stel dat de vader zijn zoon ontzettend haatte? De vader zou zelfs zelf een stukje van zijn vinger afgesneden kunnen hebben en daarmee de hele zaak tegen zijn zoon aan het rollen hebben gebracht. Dat is in dit geval niet zo vergezocht. Ik heb meegemaakt dat mensen met dit soort zwendel een smak geld van de verzekering probeerden los te krijgen.'

Sam zei: 'Daar zullen we rekening mee houden, Walter. Bedankt.'

'Ga je ook mee, Bill?' vroeg Ed. Hij keek weer uit het raam zodat ik zijn gezicht niet kon zien.

Ik was van plan geweest naar Ronny's ex te rijden met een bakje Kentucky Fried Chicken voor haar en het kind, maar ik zei: 'Ik geloof dat ik daar wel tijd voor heb, eventjes in ieder geval.'

Walter zei nog iets tegen zijn vogel en toen liepen we met zijn allen naar buiten.

Voor mij was het een verspild halfuur, maar ik hield de tijd in de gaten terwijl ik naar Walter keek, die zijn dikke, naakte bovenlijf had versierd met oorlogskleuren, en het bizonkarkas op zijn hoofd had gezet en over zijn rug gedrapeerd. Gehurkt bij het zijspiegeltje van de Pacer bracht hij nog wat donkerrode verf rond zijn ogen aan. De havik zat op het dak van de auto met een stuk touw aan Walter vast.

Walter droeg me op een karaf water te halen en een aantal ballonnetjes met water te vullen. De ballonnen deden denken aan kleine bolle blazen. Walter kon er een in zijn enorme handpalm verbergen. Hij bond ze allemaal om zijn middel, zodat ze verstopt zaten onder de bizonhuid.

Ed maakte eerst een serie foto's van Walter en de havik in roestige oude auto's. Walter zat stil en stoïcijns met zijn armen over elkaar, de havik op zijn schouder, beiden recht voor zich uit starend in de autowrakken. Walter ging ook in een afgedankt olievat staan, en kroop in de opening van een enorme afvoerpijp. Bij elk tafereel pakte hij heimelijk een van de ballonnetjes en deed daar iets mee, hij bracht bijvoorbeeld zijn hand naar zijn mond en spuugde water uit alsof het uit zijn binnenste opborrelde. In weer een andere serie stak hij beide armen recht voor zich uit terwijl uit elke vuist een cascade van water spoot, alsof hij het vocht uit de lucht had gewrongen.

Ed haalde de camera weg voor zijn oog en vroeg: 'Zou je misschien dat torentje kunnen beklimmen, Walter?'

Waarop Walter de watertoren van de oude ijzergieterij beklom, een spits toelopend, haast buitenaards geval op dunne metalen poten. Terwijl hij zich door de doolhof van afgedankte pijpen en luchtgaten wrong, golfde zijn enorme hoofdtooi langs zijn rug in alle kleuren van de regenboog die schitterend afstaken tegen het pikzwart van de toren. Toen Walter floot, vloog de havik op tegen de achtergrond van verzakkende silo's, bleef even in de lucht hangen om te luisteren naar het geheime leven van de ratten, beschreef toen een grote boog en cirkelde rond in de blauwe lucht. Walter floot nog een keer en gooide de resterende ballonnen omhoog. Al vliegend spleet de havik ze open, zodat Walter op de rand van het torentje in een stortbui leek te staan.

Ik vertrok toen Walter aan de afdaling begon. Ed knipoogde naar me. Zijn neus bloedde weer hevig, alsof hij een dreun had gekregen.

Niemand maakte haast in deze hitte. We spraken bijna lijzig, als in een langgerekt nagenieten, nadenkend en behoedzaam, de dingen werden in vertraagd tempo onthuld, zonder dat er snelle bewegingen aan te pas kwamen. Daarom zocht ik mijn toevlucht in de YMCA, in het koele, chloorrijke water van het zwembad. Ik deed mijn best zo lang mogelijk onder water te blijven, zwom met gesloten ogen van het ene eind naar het andere, telde de slagen die mijn benen maakten, en wist intuïtief wanneer ik moest omkeren. Een tijd later stond ik te bibberen onder de ijskoude douche en liet mijn inwendige temperatuur uit me wegvloeien en bereidde me voor op de hitteaanval.

Toen ik weer buiten kwam, scheen de zon nog steeds brandend heet. Het land hield de hitte vast van een maand met dagen van haast ononderbroken zonneschijn. Ik voelde er veel voor om de geborgenheid van mijn huis op te zoeken, mijn kamer nat te spuiten en te gaan slapen. Mijn ogen brandden van het chloor en het zand. De hemel was dof apocalyptisch oranjerood, een teken dat er voorlopig nog geen verandering op komst was, dat de grote, mondiale luchtstromen boven de vlakten van Kansas en de Dakota's waren blijven steken. Mijn haar droogde snel en had iets weg van een weerspannige paddenstoelwolk. Ik bekeek mezelf in de achteruitkijkspiegel. Ik moest gel kopen.

De nationale meteorologische dienst waarschuwde dat de droogte wellicht de hele maand augustus zou aanhouden. De grote weermachine van de Grote Oceaan produceerde niets, winden stagneerden zonder een spoor van regen. De koude adem uit het noorden trok niet naar het zuiden om zich bij de warme opwaartse luchtstroom uit de Golfstroom te voegen. Wij woonden precies op de plek waar twee grote fronten samenvloeiden. Dat verklaarde de bittere kou van onze winters, de sneeuw- en hagelstormen, februari tot aan je middel in de sneeuw en snel dalende temperaturen, met daartegenover deze snikhete zomers met temperaturen van veertig graden en droogte. Wij woonden op de piek van wat menselijkerwijs nog draaglijk was.

De radiopresentator zei dat het nu verboden was de auto te wassen of het gazon te besproeien. Dat was elke paar jaar het geval aan de randen van de prairie. Daarmee werd zwijgend erkend dat er voorlopig geen verandering op komst was. Maar dat hoorde gewoon bij ons leven op onze droge oasis van de industrialisatie. Elke zomer zagen we de kleur wegbranden uit onze zintuigen, kreeg alles een donkerbruine tint, en werd het perspectief plat – een gebied zonder contrasten, wegen die honderden kilometers lang recht door het maïsgebied liepen. Bij een dergelijke hitte kwam op de omgeploegde akkers lagen mineralen bloot te liggen, het doffe bruin en rozerood verbleekt door de verzengende hitte. We wisten dat het ooit ging regenen, maar dan zou alles al verwoest zijn. De grote weermachine in het noorden zou gaan kolken en donderen als onze akkers al verschroeid waren en het vuur over de vlakte had gejaagd. Dat was de vergelding van de natuur voor het feit dat we ons aan haar hadden opgedrongen. We hadden nachtmerries over wat er in de jaren dertig een eind verderop op de prairie was gebeurd, de grote Dust Bowl die mannen als Steinbecks Tom Joad in de armen van communistische onruststokers had gedreven toen miljoenen migranten uit armoede op zoek waren gegaan naar de naar oranjebloesem geurende Californische droom. Toen het hier slecht ging, vond dat namelijk zijn neerslag in het hele land. Als het in dit centrale gebied misging, ging het in het hele land slecht. Wij waren de nazaten van de meest fanatieke en vurige immigranten, van de mensen die in huifkarren hierheen waren gekomen, die geloofden in onafhankelijkheid en vrijheid. Als je die kwijtraakte, wat dan? Het nationale bewustzijn was bij ons begonnen, evenals de ethiek van hard werken en rechtvaardigheid. Je zou ons iedere zondag in onze kerken hebben aangetroffen, waar we om verlossing baden en dankzegden voor ontvangen gunsten. Wij waren een volk van gebed, een volk dat dankzegde, of dat deden we tenminste toen onze voorouders tarwe en maïs in slingerende treinwagons vanuit dit centrale gebied verstuurden en de graanschuren van ons land bevoorraadden. In onze steden bij de Grote Meren schiepen wij een pas gevonden rijkdom. We streken met een nieuw ideaal neer aan de oevers, bouwden tempels van staal waar het weer geen vat op kreeg, trokken weg om industriële enclaves te creëren. We smolten het ijzer om en goten het staal waarmee de wolkenkrabbers van onze natie zijn gebouwd, onze torens van Babel, alsook de spoorlijnen en auto's. Je vraagt je af: welk ander volk had zichzelf met zoveel allure en met zo'n visie en macht opnieuw kunnen creëren? Wij werden de opperheren van de industrialisatie, hier, exact in het middelpunt van dit land – geografisch, spiritueel en intellectueel. Er was zoveel land dat het de eerste kolonisten met deemoed vervulde en erdoor in vervoering raakten, waarna ze gingen werken tot ze erbij neervielen en rijk werden in onze steden. Zo is het bijna een eeuw lang gegaan, met die hoop en veerkracht, met die zware arbeid in gieterijen en op akkers, wij de scheppers van machines, wij de scheppers van voorspoed. Je vraagt je misschien af hoe het kon gebeuren dat Henry Ford uitgerekend in het Midwesten werd geboren, en het enige antwoord daarop is: voorbeschikking, zo simpel is het.

Ik kocht een bak Kentucky Fried Chicken en een pot gel bij de Osco, waar Ronny's ex werkte. Ze was er niet. Ik kamde mijn haar alsof ik godbetert naar een afspraakje ging, zo opgewonden voelde ik me. Ik reed over de lange voren van de ongemarkeerde weg naar Ronny's ex, zag de flarden stof in de lucht en de maïsstengels die dicht opeen stonden als de haren van een tandenborstel. Ik reed langzaam. Naast me lagen de Kentucky Fried Chicken, een vierliterpak chocolademelk en de sigaretten en het bier waar ze om had gevraagd. Het leek wel alsof ik op weg was naar huis, alsof het om een normale situatie tussen twee mensen ging. Dat was het natuurlijk juist niet, en bij de gedachte alleen al werd ik bang en bekroop me een gevoel van minderwaardigheid. De hele tijd zei een stem: Ze neemt een loopje met je!

De caravan stond als een luchtspiegeling in het roodachtige licht. Ik wist dat ze er waren, maar op de een of andere manier was ik daar niet meer zo zeker van toen ik de onafzienbare rijen maïs zag. Het was moeilijk voor te stellen dat er een open plek was tussen die eentonige rijen. Je verwachtte hier geen mensen.

Maar Ronny's ex was er wel degelijk, ze zat buiten naast een plastic kinderbadje in de vorm van een schildpad. Het jochie had een luier om en spetterde wat rond. Ze draaiden zich om toen mijn auto het zand opvrat en weer uitspuugde.

Ronny's ex glimlachte toen ik uitstapte. Ze zei: 'Ik dacht dat je me misschien was vergeten.'

Ik zei: 'Ik heb het verschrikkelijk druk gehad.' Ik hield de papieren zak met etenswaren in mijn handen. 'Ik dacht dat je misschien trek had.'

Ronny's ex stond op en nam de zak van me over. Ze droeg een verschoten bikinibroekje dat nat was van het badje. Ik zag dat ze strakke billen had. Ik keek vlug een andere kant op, maar ze ving mijn blik op en glimlachte. 'We waren aan het zwemmen,' zei ze zachtjes.

'Goed idee in deze hitte,' zei ik.

'En wat heb je voor ons meegebracht?' vroeg ze lachend.

'Kip.' Ik keek naar het kind. 'Hé, Lucas, heb je honger?'

'Lucas heeft toch altijd honger?'

Ik vond het gebrabbel van het joch geweldig en nu balde hij ook nog zijn vuistjes.

Ronny's ex ging de kleine caravan binnen, waar een intense hitte van afsloeg, hij leek bijna te glinsteren in de zon. Hij was langwerpig met ronde hoeken, en deed denken aan een zetpil of een zilveren kogel. Ik keek naar het joch. Hij speelde met een krokodil die water door zijn neusgaten spoot. 'Heeft die krokodil ook een naam?' vroeg ik, maar Lucas gooide hem weer in het water. De jongen leek sprekend op Ronny Lawton, dezelfde ogen en Lawton-kin. Met zijn jaar of twee, drie was hij al een echte Lawton. Dit kind heeft een moordenaar als vader, dacht ik. Zijn grootvader was in mootjes gehakt. Zoiets zou je zo'n joch toch willen besparen, je zou verborgen willen houden van wie en wat hij afstamde.

De jongen pakte de krokodil weer vast, die glanzend, druipend en spuwend uit het water kwam, en ik glimlachte slechts.

Ronny's ex kwam naar buiten met een blaadje waarop twee glazen met ijsblokjes stonden en een plastic beker met een deksel voor het kind. Ze had een wikkelrok omgedaan om me een beetje van mijn gêne af te helpen. Ze ontweek mijn blik maar zei: 'Ik wed dat jij van de borst houdt, Bill?'

Ik moet een seconde te lang hebben geaarzeld.

Ze zei: 'Jezus, Bill, ik maak maar een grapje.'

Waarop ik ook een seksuele toespeling maakte en op effen toon zei: 'Ik houd juist van een boutje,' al wilde ik liever een borststuk. Ik kreeg dat woord gewoon niet over mijn lippen zonder een rode kop te krijgen.

Ronny's ex had al haar aandacht bij het joch; ze trok het gepaneerde vlees uit elkaar en voerde hem de stukjes. Het kind glom in het zonlicht, hij was bruinverbrand doordat hij dagenlang in het badje had gespeeld. Ronny's ex trok haar benen onder haar onelegante rok. Ze was met haar rug naar mij toe gaan zitten en wachtte blijkbaar tot ik iets zou zeggen. Ik zag de wervels van haar magere rug en de omtrekken van een van haar kleine borsten toen ze zich naar het kind toe boog. Ik wilde wel praten, maar ik ben zo iemand die een gesprek tussen twee mensen niet goed kan sturen. Op het beslissende moment, als ik weet dat er iets van me verwacht wordt, aarzel ik en word ik bang, en dan doe ik niets. Zo ben ik Diane kwijtgeraakt in die dagen van stilzwijgen na haar vertrek, toen ik wist dat ze op een telefoontje van mij zat te wachten en ik niet belde, en nu was er alleen maar stilte. Ik probeerde iets te verzinnen. Ik zei: 'Wat een ontzettend lekkere kip.'

Omdat ze niet antwoordde, vroeg ik: 'Denk je dat Colonel Sanders echt in het leger heeft gediend?'

Ze haalde alleen haar schouders op en zei: 'Dat zal wel.'

De kleine generator die op de caravan was aangesloten zoemde in de stilte. Alles smaakte door dat ding naar benzine, een beetje zoetig, zoals bij een benzinestation. Ik at van de kip omdat er niets anders te doen was.

Het kind probeerde stukjes kip in de neusgaten van de krokodil te stoppen. Ronny's ex zei: 'Niet doen, Lucas.' Maar hij ging ermee door. Hij spetterde water naar zijn moeder, schreeuwde luid en smeet de krokodil in het badje.

Ik hoorde alleen de klap van haar hand op het achterste van het joch, dat door zijn moeder omhoog werd gehouden en als een aapje in de lucht bungelde. Ze gaf hem opnieuw een harde klap op zijn natte luier. Ik werd ineens heel driftig en schoot overeind, waardoor de kip in het zand terechtkwam.

Het joch werd met een zwaai naar de caravan gebracht en brulde oorverdovend. 'Godverdomme, Lucas, als je niet wilt eten, eet dan niet. Klootzak!' Ze schreeuwde het woord 'klootzak'. Ik wil maar zeggen, wat moet je in godsnaam doen als iemand gewelddadig wordt?

Zo stond ik daar, met vetvlekken op mijn broek, toen Ronny's ex met een rood hoofd weer naar buiten kwam. Ze sloot het inferno van de caravan. Ik keek haar alleen maar aan. Ze wist wat ik dacht.

'Zo gaan de dingen als je geen miljoen dollar op de bank hebt, Bill.'

Uit mijn gezicht was alle emotie weggetrokken. Ik heb een grondige hekel aan dit excuus van mensen als zij, aan die uitdagende houding tegenover de buitenwereld, die meestal in supermarkten of aan vertrekbalies op de kinderen wordt uitgeleefd. Ik zei tegen mezelf: Maak dat je hier zo snel mogelijk wegkomt, maar ik bleef.

Haar gezicht werd kalmer. 'Hij is gewoon moe. Die zon is vreselijk voor een kind.'

Ze haalde me over weer te gaan zitten. We zaten op plastic stoelen kip te eten en bier te drinken. Het joch klom tot boven in zijn kooi, keek door het raam naar buiten en brabbelde iets, en Ronny's ex gaf hem in hun geheimtaal antwoord. Ze schoof een plastic bord met voorgekauwd vlees en koolsla in zijn kooi. Het kind verdween uit het zicht en begon te eten. Ik hoorde hem kirrende geluidjes maken.

'Heb je al iets ontdekt?' vroeg Ronny's ex tussen twee happen door, en ze pakte haar glas om de uitdrukking op haar gezicht te verbergen. Ik zag dat ze haar ogen strak op me gericht hield, tot ze ze sloot en haar bier opdronk.

Ik zei alleen: 'Ik geloof niet dat Ronny zijn vader heeft vermoord.'

Ronny's ex begon te hoesten en spuugde bier uit. Het vocht

maakte haar borsten nat en liep langs haar buik. Ze bleef hoesten en ik nam haar bord en beker over, maar ze hield niet meer op met hoesten, het leek een eeuwigheid te duren, tot ik haar ten slotte op de rug sloeg. Er viel een stukje kip in haar handen.

'Godallemachtig,' was het enige dat ze uitbracht toen ze het vlees nat en slijmerig in haar handen zag liggen. Haar gezicht was vuurrood en haar ogen traanden. Toen ze zich hersteld had zei ze: 'Als jij er niet was geweest, was ik nu misschien wel dood, Bill.'

Ik keek haar aan en zei zachtjes: 'Als ik niet was gekomen, had je geen kip gehad om je in te verslikken.'

Ze wist dat ik kwaad was, misschien niet waarom – omdat ik jaloers was op die vent, Karl, met wie ik haar had gezien – maar ze wist dat er iets was.

Ze viel stil, wriemelde met haar teen in het hete zand. 'Waarom krijgen mannen toch altijd een hekel aan me, Bill?'

'Ik heb geen hekel aan je.'

'Natuurlijk wel, dat kan ik zien.'

De zon scheen met een onverzadigbare, zinderende en brandende hitte op ons neer en de spanning steeg. Ik wilde van het conflict wegkruipen, me gewonnen geven aan de warmte en doen wat die dikke vent in de verhoorkamer weken geleden had gezegd: me verstoppen. Ik zag dat ze weer aanviel en genoot van het gekruide vel naar het speciale recept van de Colonel. 'Dit is lekker,' zei ze toen. 'Ik zou elke dag wel zulke kip kunnen eten en er toch nooit genoeg van krijgen.'

Ik zei: 'Hij maakt ook verrukkelijke aardappelpuree.' Ik haalde een bakje puree uit de papieren zak. Ze hield me haar bord voor en ik schepte op. Ze roerde chocolademelk door de puree waardoor die bruin werd, sprak in die speciale geheimtaal tegen haar zoontje, gebood hem te gaan staan en de puree van haar aan te nemen. Daarna verdween hij weer.

Ronny's ex zei: 'Dit zou best eens een record kunnen worden. Lucas heeft nog nooit een gewone warme maaltijd gegeten.'

Ik keek haar aan. Ze knikte ernstig, een kippenpoot schuin tegen haar borst. 'Ik zweer het. Dat bedacht ik net een paar dagen geleden.'

'Dat wist ik niet,' zei ik en begon weer op de kippenbotjes te sabbelen. Ik noemde het kind 'Het Snackbarjoch' toen zijn hoofd weer opdook. Hij wilde meer puree.

Ronny's ex had het vermogen om tijd en afstand te rekken. Toen ze het joch de aardappelpuree had gegeven, sloeg ze haar armen om me heen en zei: 'Wedden dat er duizenden vrouwen zijn die dolgraag met zo'n man als jij willen zijn?'

Ik kan niet zeggen hoeveel het voor me betekende om van zo'n vrouw te horen dat ze naar mij verlangde. Ik bedoel, we hadden ontzettend veel plezier. De spanning tussen ons zakte. Ze kloof de kip tot op het bot af. Ik keek naar haar toen ze haar bier opdronk, naar de dunne streep schuim die op haar bovenlip achterbleef, en ik dronk ook, wilde dronken worden omdat ik, hoewel ik met een moordonderzoek bezig was, ook andere dingen aan mijn kop had, zoals het verlangen om haar vast te houden en haar mee uit rijden te nemen in die poenerige wagen van me. En dat zei ik ook bij het volgende blikje bier, waar ik vrolijk van werd. Ik zei: 'Wat zou je ervan zeggen als we een tochtje gingen maken, jij en ik en de jongen?'

Het was alsof ik de sleutel had gevonden: de kist ging open. Ze glimlachte stralend. 'Meen je dat?' Ze klapte als een kind in haar handen en trappelde met haar lange slanke benen in het hete zand. Ik staarde naar haar gelakte tenen. Ik wilde ze in mijn mond stoppen. Ik was dronken. Maar ik glimlachte, voelde me volstromen.

We lieten de eenzame caravan achter, dat sardientjesblik en het plastic badje, en reden de weg op met onze biertjes en het kind in zijn kooitje achter in de cabriolet. Soms doe je iets wat volslagen onwerkelijk is, terwijl je eigenlijk iets anders hoort te doen, terwijl je dat klotetoelatingsexamen niet eens kunt halen en niet samen bent met de vrouw van wie je ooit dacht te houden. En zo scheurde ik over de weg, vanwege al die dingen en nog veel meer. Er was helemaal niets te zien langs die weg. Alles hield zich schuil, de boeren in hun ijskoude kelders, de beesten in de schaduw van de tweehonderd jaar oude bomen, op een kluitje alsof ze aan het kaarten waren. Ik riep: 'Misschien hebben ze het erover de mensen omver te werpen!' waarop Ronny's ex haar hand naar haar mond bracht en terugriep: 'Wat gaat er in godsnaam om in de kop van een afgestudeerde vent?' Ze tikte tegen mijn hoofd, wat ik prettig vond, en 'de kop van een afgestudeerde vent' klonk ook prettig, het onderscheidde me van de man die ze neukte en van dat beest, haar ex. Ik wilde in dat onstoffelijke gebied leven en zij wilde daarin ronddwalen, in mijn afgestudeerde kop. Toen ze haar hand op de binnenkant van mijn dij legde, gaf me dat een kick, ik kreeg er hartkloppingen door en mijn bloed begon sneller te stromen. Ik dacht: zo moet mijn vader zich gevoeld hebben toen hij lang geleden met mijn moeder was, toen hij mijn grootvader trotseerde en haar zwanger maakte, toen hij zich aan zijn verlangen overgaf. Ik was verbonden met dat verleden, met het oneindige verlangen van een man die zijn kop er zo nodig af moest schieten omdat hij geen liefde en hoop en nog zo wat kon vinden. Ik bedacht dat we hier uiteindelijk om geen andere reden zijn dan om ons voort te planten, om voor het voortbestaan van onze soort te zorgen, en voor het andere geslacht onze veren op te zetten en glad te strijken en ik was in het bezit van deze auto, deze rijke pluimage, dit aanhangsel van mijn mannelijkheid. Ik drukte het gaspedaal nog verder in. Er lag een brede grijns op mijn gezicht. Er flitste van alles door mijn hoofd, want verdomd, er zijn nu eenmaal momenten dat je alles overhebt voor een vrouw. En dit was zo'n moment. Ik begreep tegelijkertijd ook waarom de lucht boven ons land elk jaar gevuld wordt met de feestelijke trek van Canadese ganzen in hun slingerende V-formatie, met hun lange halzen staken de ganzen af tegen de grijs gevlekte wolken, op weg naar het gebied waar ze gingen paren.

We schoten vooruit, staken zonder gas terug te nemen een kruispunt over. Ik zag Ronny's ex haar adem inhouden en haar ogen sluiten en ze kneep in mijn dij omdat ze een botsing verwachtte, maar die kwam niet, en ik zag dat ze haar ogen weer opende en glimlachte alsof ze was herboren met de zekerheid dat we vandaag niet dood zouden gaan. We zagen weer een kudde onder een boom en Ronny's ex riep: 'Zeg dat nog eens,' en ik riep: 'Bedoel je: "Misschien hebben ze het erover de mensen omver te werpen?"' en ze gleed met haar hand langs mijn dij omhoog en liet hem daar liggen. Met haar lippen vormde ze 'Ja', maar omdat we zo snel reden kon ik haar niet verstaan.

Ik reed veel te hard. Ik zag de naald bijna honderdvijftig kilometer aangeven op het rechte stuk weg. We waren een tornado op de vlakte, één bonk verlangen dat de vlakte in trok, tot ik weer een beetje bij zinnen kwam. Toen nam ik gas terug zodat we konden praten zonder te schreeuwen, en me omdraaiend zei ik: 'Wie wil er een ijsje?' tegen het joch, en daar zat hij op zijn achterste in zijn kooi, met de grootste verlekkerde grijns die je ooit op het gezicht van een kind zult zien. Ik wil maar zeggen, het joch was een snelheidsmaniak. Ik zei: 'Dit kind zou het liefst met duizend kilometer per uur door de wereld vliegen in plaats van ergens in een godvergeten oord in een caravan opgesloten zitten!' Van opwinding schudde het joch aan de tralies en brabbelde iets in zijn eigen taaltje.

Ronny's ex had prachtige ogen. Ze leunde tegen mijn arm en zei: 'Ik weet het... Denk je dat een moeder die dingen niet weet, Bill? Denk je niet dat ik al zijn hele leven iets beters voor hem wens?'

Haar slanke hand bleef op de binnenkant van mijn dij liggen. Ik zei: 'Hé, Snackbarjoch!' en Ronny's ex zei: 'Je moet een kroon van Burger King voor hem meebrengen, Bill. Dat moet je de volgende keer doen, afgesproken?'

Ik zei: 'Je zou met dat kind op tournee kunnen gaan, een hele show om hem heen opbouwen, allerlei gerechten voor hem neerzetten, hem restaurants een cijfer laten geven. Het joch zou een idool kunnen worden.'

'Wat is een idool, Bill?'

'Een ster.' Ik keek in haar groene ogen.

Ronny's ex zei: 'Ik wil weten hoe die afgestudeerde kop werkt, Bill. Ik word nog stapel op je, als je mijn kind "Snackbarjoch" noemt.' Daarop trok ze haar hand van mijn been en zei zachtjes: 'Zou je ooit van iemand als ik kunnen houden, Bill? Wat denk je?'

Ik heb mijn hele leven altijd beter gepresteerd als ik niet nadacht. Dat is misschien het enige wat ik over mezelf weet. Ik riep: 'We gaan ijs eten!' en drukte het gaspedaal weer in zodat het joch in zijn kooi naar achteren werd geslingerd.

Ik reed naar een van die ouderwetse restaurants in jaren vijftig-stijl waar de serveersters op rolschaatsen rondrijden. Ze komen met een dienblad naar je auto. Een vrouw in strakke shorts en een T-shirt gleed op rolschaatsen naar ons toe. Ze rook naar bubbelgum. Haar kapsel zat onder de lak en stond rechtovereind als een suikerspin, je zou er zo je tanden in zetten. En laat er nou op haar naamplaatje 'Candy' staan. Ze was misschien even oud als Ronny's ex, had hetzelfde figuur met lange, slanke benen die in smalle billen overgingen. Candy vond de auto erg mooi. Dat zei ze ook, en ze wreef met haar roze gelakte nagels over het warme metaal. Ze blies voor het kind een bubbel zo groot als een reusachtig gezwel. Ze zei: 'Jullie kind?'

Ronny's ex zei kortaf: 'Denk je soms dat we hem gestolen hebben? Als je nu eens gewoon onze bestelling opnam?'

Candy kauwde op de ingeklapte bubbel en bleef mij aankijken. Ik heb weleens gehoord dat het zo gaat als je met een mooie vrouw bent. Daardoor worden andere mooie vrouwen aangetrokken. Ik heb het horen zeggen en volgens mij is er wel iets van waar.

Ik zei: 'Candy,' op een pocherige, vertrouwelijke toon, 'dit willen we hebben,' en we bestelden een grote banana split en een bekertje ijs met chocola voor het Snackbarjoch. Hij stond achter ons aan de tralies van zijn kooi te rammelen. Hij vond dat het sneller moest gaan.

Ik deelde de banana split met Ronny's ex, at van dezelfde lepel als zij en liet me door haar voeren, voelde met mijn tong de plek die haar mond had aangeraakt, nam elke hap smeltend ijs in mijn mond, slikte door en genoot van de verrukkelijke smaak.

Candy gleed voorbij op haar schaatsen met een blad vol eten voor de jongens die met hun auto naast ons waren komen staan. Ze floten en lachten naar haar. Candy drukte haar billen tegen mijn kant van de auto en haar kleine achterste deinde heen en weer toen ze vooroverboog, balancerend op de schaatsen, om de jongens hun burgers en patat te geven. Maar ineens verloor ze haar evenwicht en viel achterover, ze kwam op de achterbank van de auto terecht, boven op de kooi waarin het kind zijn bekertje ijs zat te eten. Ze schreeuwde het uit en er vloog van alles als in slowmotion door de auto.

Toen de rust was weergekeerd, maar zij nog steeds boven op de kooi lag met haar benen in de lucht terwijl de wielen van haar rolschaatsen nog draaiden, keek ik Ronny's ex aan en zei met luide stem: 'Wat zou je ervan vinden als ik Candy eens van de baby afhaal?' Ik vond dat zo ongeveer het grappigst wat ik ooit had gezegd. Dat vonden Candy en de jongens in de andere auto blijkbaar ook, maar Ronny's ex begon te bibberen en te huilen, alsof ze van streek was.

We reden weg, maar Ronny's ex zat nog steeds te snikken. Ze had het bakje met ijs nog in haar hand en er druppelden tranen in. Het ijs was aan het smelten, maar ik reed gewoon door, want ik wist niet wat ik moest doen om hier een eind aan te maken, wist niet wat ik moest zeggen. Pas na een minuut of tien realiseerde ik me waarnaar ik op weg was. Die plek zat in mijn achterhoofd, als het eindpunt van alles. We stopten bij de oude boerderij van Ronny's voorouders, de plek waar Ronny's ex me had gezegd te gaan kijken. Ik parkeerde de auto aan de kant van de weg tussen de maïs en zette de motor af. Ze keek me aan en fluisterde: 'Dat misbaksel deed het expres.'

Ik zei zachtjes: 'Het is voorbij.' Ik keek haar strak aan en zei: 'Ik heb een bericht gekregen en daarin stond dat ik hierheen moest.'

Ronny's ex keek me uitdrukkingsloos en snotterend aan. Ze snapte niet waar ik het over had. 'Die Candy deed het expres, dat weet ik zeker,' zei ze alleen. Ze veegde haar neus af met de rug van haar hand en begon met haar andere hand het zachte gesmolten ijs weer op te lepelen.

Ik voelde me gespannen, wilde haar langzaam duidelijk maken wat ik bedoelde: 'Heb jij me een brief gestuurd over de bunker?'

'Welke bunker?'

Dat was waar. Vanaf deze weg, die precies was als alle andere wegen in deze streek, was er niets te zien. Ik was de enige die wist waar we waren. Ik had de borden gevolgd, was doorgedrongen in het labyrint van de maïsvelden. 'Het huis van Ronny Lawtons voorouders, jij hebt me verteld over de tornadobunker, dat Ronny en jij daar waren. Heb jij me een brief gestuurd om me te vertellen dat daar iets ligt?'

Als Ronny's ex iets wist, dan liet ze dat niet merken. Ze had andere dingen aan haar hoofd. Ze nam nog een hap ijs. 'Bill?' zei ze langzaam.

'Wat?'

'Ik geloof dat Lucas jou aardig vindt. Echt waar, Bill.' Ze leunde achterover en het kind roerde met zijn handje in zijn ijsbekertje. Het was leeg. Hij brabbelde haast onverstaanbaar het woord 'ijs'. Ronny's ex zei het hem voor: 'IJs,' zei ze langzaam. Ze keek me aan. 'Het is een lief kind, Bill. Ik haat hem niet. Je moet niet denken dat ik hem haat.'

Ik stond op het punt antwoord te geven, toen ze zei: 'Mannen vinden het moeilijk om van een kind te houden dat niet van hen is. Dat begrijp ik wel. Mijn kapster zegt dat het niet eens de schuld van de mannen is. Het is gewoon iets vanbinnen bij ze.' Ze zette het ijs weg en leunde tegen me aan. 'Ik wil dat je Lucas lief vindt, Bill. Ik wil dat je hem dingen leert. Het mag niet zo gaan als met Karl.'

Ik drukte haar, zonder iets te veinzen tegen me aan en zei zachtjes: 'Ik vermoed dat Darlene heel veel weet over wat mannen een vrouw kunnen aandoen.'

Ronny's ex zocht hier niets achter. Ze zei: 'Wat?'

Ik zei: 'Je zei daarnet dat Darlene denkt dat mannen er moeite mee hebben om te houden van een kind dat niet van hen is. Ik denk dat zij genoeg gekwetste vrouwen heeft gezien.'

Ronny's ex duwde haar gezicht tegen mijn arm. 'Ik denk dat Darlene al onze problemen te horen krijgt. Soms begin je gewoon te praten en vertel je haar alles.'

Ik zei: 'Ik ben bij haar thuis geweest. Een tijdje terug heb ik 's avonds bij hen gegeten, bij haar en haar man, Ed. Hij werkt met mij voor de krant, begrijp je. Darlene liet me haar salon zien, de weekendjes ertussenuit, de baljurken, de fotostudio, de "autodiefstal", de hele rataplan. Ze heeft daar een heel systeem opgezet.'

'Bill, ik geloof dat je je in Darlene vergist. Soms rekent ze niet eens geld voor haar werk. Als ze ziet dat je in de put zit, zegt ze: "Ik weet precies wat jij nodig hebt..." Dan hoef je alleen maar voor het knippen te betalen, en dan doet ze je nagels of maakt ze je gezicht op. Zo is ze.'

Ik aarzelde, omdat ik niet goed onder woorden wist te brengen wat ik wilde weten. Ik raakte haar zachte warme slaap aan, legde mijn hand op haar ogen.

Ronny's ex zei: 'Dat vind ik fijn, Bill, precies op die plek. Wrijf daar eens.'

Ik masseerde haar slaap. Op hetzelfde moment nam ik een sprong in het duister. Ik zei: 'Je hebt Darlene alles verteld over wat er met jou is gebeurd in het huis van de Lawtons?'

Ronny's ex verstrakte even, maar toen ontspande ze en drukte met gesloten ogen een kus op mijn handpalm. Ik liet mijn hand op haar ogen liggen.

Ze sprak kalm: 'Bill, je moet nooit iets slechts van me denken. Dat mag nooit gebeuren.'

Ik fluisterde: 'Wat jij me ook vertelt, het zal me er niet van weerhouden verliefd op je te worden.'

Ze duwde mijn hand weg en keek me aan. 'Darlene heeft het je zeker verteld?'

Ik knikte zo'n beetje, alsof ik dat bevestigde. 'Ik wil dat jij me zelf vertelt hoe het was.'

Ze staarde me heel lang aan en kneep in mijn hand. We zaten in een soort cocon van verlangen, een veilige plek, alleen zij en ik en het kind. Daar hunkerde ze naar, naar de troost van geld, een auto zoals de mijne en een man die haar niet zou slaan. Ze zei zachtjes: 'Niemand is ooit zo aardig voor Lucas geweest, Bill.'

Ik boog me voorover, kuste haar voorhoofd en fluisterde: 'Ik wil dat je me vertelt hoe het was...'

En ineens kwam ze met de hele smerige zaak op de proppen. 'Ik weet niet wie van de twee de vader is, Bill. Ronny of zijn vader...' Haar stem stierf weg. 'Ik weet het niet...'

Het duizelde me. Druppels zweefden voor mijn ogen, ik sloot ze, wachtte en haalde diep adem. Ik voelde dat Ronny's ex zich spande in mijn armen. Ze zei iets, maar ik luisterde niet. Ik vroeg: 'Weet Ronny dat?'

Ze schudde haar hoofd. Ze zei: 'Bill, je moet me niet slecht vinden. Ik wilde het niet, ik zweer het, Bill.'

Ik voelde de stilte en de hitte om me heen. 'Weet Darlene dat allemaal?'

Ronny's ex zei: 'Zij... Darlene heeft het je verteld.' Ze bleef me aankijken. 'Bill?' Ze maakte zich los uit mijn armen toen ze besefte dat Darlene mij niets had verteld. Ik zag tranen in haar ogen. Ze barstte bijna in snikken uit, slikte en zei toen: 'O, god, kijk me alsjeblieft niet zo aan. Ik dacht dat Darlene het jou had verteld. Alsjeblieft, Bill.'

Ik zei niets, door de schok was het bloed uit mijn gezicht weggetrokken. Ik had moeite alles te verwerken. Het leek op een van die examenvraagstukken waarin alle feiten door elkaar waren gegooid. Ik kreeg datzelfde lichte gevoel in mijn hoofd als wanneer ik de dingen niet goed op een rijtje kon zetten.

Ronny's ex zei weer dat ze van me hield. Ze zei dat ze dacht dat ik het wist.

Ik onderbrak haar. 'Weet Ronny hiervan?'

'Ik heb hem nooit iets verteld, Bill. Als Ronny thuiskwam, kon ik hem echt niet vertellen wat er was gebeurd, maar hij schreeuwde vaak tegen me dat het kind niet van hem was. Hij had voor zichzelf de dagen uitgerekend en hij zei dat het beslist zijn kind niet kon zijn. Dat schreeuwde hij voortdurend tegen me, maar ik kon het hem niet zeggen. Ik wist niet wat ik moest doen. Darlene zei dat ik het nooit aan Ronny moest vertellen. Ze zei dat ik Ronny nooit mocht laten weten wat zijn vader had gedaan. Ze zei dat Ronny het kind op den duur wel zou accepteren, omdat het op een Lawton zou lijken, en dan was het probleem de wereld uit. Darlene zei dat het geen zin had Ronny op te jutten.'

'Heb je Karl verteld van Ronny's vader?'

Ze schudde haar hoofd. 'Nee, Bill. Ik heb alleen aan jou verteld wat er is gebeurd, Bill, verder niemand.'

'En Darlene.'

'Ja, maar zij telt niet. Zij verklapt nooit een geheim.'

Ronny's ex draaide haar hoofd naar me toe om mij te kussen. Ze fluisterde: 'Je moet altijd van me blijven houden zoals ik van jou houd, Bill.' Ik voelde haar tong tegen mijn lippen. Ik gaf me over en sloot mijn ogen.

En zo zaten we daar langs de weg, klein en onbeduidend. De lucht boven ons was nog warm, het ijs was gesmolten in het bakje, Ronny's ex lag in mijn armen, klampte zich vast aan wie of wat die haar maar wilde hebben, en achter ons zat het kind in zichzelf te praten, zonder weet van al deze onzin. Hij brabbelde, probeerde ijs te zeggen, schudde aan zijn kooi, terwijl misschien nog geen honderd meter verderop het hoofd van zijn vader – of zijn grootvader – in een tornadobunker lag weg te rotten.

12

Ik wilde naar Darlene gaan met de vraag waarom ze in godsnaam niet had verteld dat Ronny's ex door zijn vader was verkracht. Ze beschikte nota bene over indirect bewijs over de Lawtons. Bovendien hoefde ze het slechts aan ons op de krant te vertellen. Ik belde een paar keer naar Eds huis maar hing meteen weer op. Ik wilde kijken of Darlene mijn haar wilde knippen. Ik wist niet hoe ik haar anders onder vier ogen een paar vragen kon stellen over Ronny's ex.

Ik kreeg het Spaans benauwd van al deze dingen. Het zat me dwars dat Ed zo kwaad was geworden toen ik zei dat Ronny's ex Darlene kende. Ed is vast ook op de hoogte van wat er met Ronny's ex is gebeurd, daarom had hij zich natuurlijk zo opgewonden. Ik zag hem een paar keer op kantoor, maar we hielden ons tegenover elkaar op de vlakte, in afwachting van het einde van de impasse met de brief. Ik sprak met geen woord over Darlene.

Ik hield mijn mond om een heleboel redenen. Ed en Sam vroegen zich van hun kant waarschijnlijk nog steeds af waarom ik hen in godsnaam niet had gebeld over de brief die bij mij op tafel lag. Ik kon het gevoel niet van me afzetten dat zij de indruk hadden dat ik die avond bezig was die brief in elkaar te zetten. Geef twee van die kerels genoeg tijd met elkaar, zonder mij erbij, dan komen ze als vanzelf op het idee dat er iets niet klopt met mij en die brief. Maar misschien was dat flauwekul en dachten ze dat helemaal niet. Ik had veel vrije tijd en bovendien baarde die heggenschaar achter mijn huis met mijn vingerafdrukken erop, me zorgen. Ik had de zaken verkeerd aangepakt. Ik had de schaar moeten opgraven en weggooien, maar sinds ik die brief had ontvangen, had ik het gevoel dat er op me werd gelet. Ik wilde Pete bellen om hem te vragen wat ik met de heggenschaar moest doen, maar dat kon ik over de telefoon natuurlijk niet doen. Ik bedoel maar, ik had een hoop ingewikkelde zaken aan mijn hoofd die ik uit elkaar moest zien te houden. Daarom hield ik me in die oneindig lange dagen schuil in het zwembad van de YMCA, waar ik in het diepe kon nadenken en afwachten.

Zaterdagavond kwamen Sam en Ed bij mij langs. Ik was gewoon een wrak. Ronny's ex belde me vanuit de Osco, ze zei dat de jongen me miste. Ze zei: 'Ik zweer je dat hij je naam kan zeggen, Bill.'

Ik zei: 'Het is een lief joch.'

Ronny's ex zei zachtjes door de telefoon: 'Ik vind het erg wat er met me is gebeurd, Bill. Ik wil niet dat je een hekel aan me krijgt.'

Ik riep: 'Dat moet je niet denken, Teri. Hoor je me?'

Ze aarzelde. 'Ik droomde dat je me nooit meer wilde zien.'

Ik zei: 'Ik heb bezoek, ik moet ophangen.'

'Een van je vriendinnetjes, Bill?' En toen werd de verbinding verbroken.

Sam en Ed hadden uit de bibliotheek een topografische kaart van het gebied gehaald waarop ze precies de plek hadden gevonden waar de bunker stond. Sam spreidde een ruwe schets die hij van een deel van de kaart had gemaakt op de keukentafel uit. De spanning tussen hen was om te snijden. Bij het inademen, voelde ik mijn keel branden, omdat ik in het zwembad mijn adem zo lang had ingehouden. We stonden naar de schets te turen toen Sam zich omdraaide en mij snuivend aankeek. 'Jezus, Bill, we gaan verdomme niet naar een bal. Ik hoop niet dat je van plan bent zo'n luchtje op te doen als we naar de bunker gaan.' Hij had gelijk, ik rook naar aftershave. Ik verontschuldigde me, ging naar beneden en waste mijn nek en de binnenkant van mijn polsen, maar het hielp nauwelijks. Toen ik weer boven kwam, snoof Sam opnieuw. Ik keek hem schuldbewust aan, alsof ik dacht dat ik het had verknald, maar Ed zei: 'Ik ruik bijna niks.' We richtten onze aandacht weer op wat ons in het duister van de komende nacht onthuld zou worden. Sam had in grote lijnen een plan bedacht. Hij stond als een generaal over de kaart gebogen.

Ed trok zijn smalle hoofd terug en zei mat: 'Ik vind het vreselijk om tegen Darlene te liegen. Ze vraagt zich af waar ik me toch zoveel zorgen om maak.'

Ik keek naar Ed. Hij boerde en gaf als gewoonlijk weer gal op, dat hij op zijn tong liet liggen voor hij doorslikte. Zijn gezicht vertrok even. Hij verontschuldigde zich, liep naar de gootsteen en pakte een glas. Hij nam een paar slokken uit zijn fles roze Pepto-Bismol en spoelde die weg met water.

Voor we op pad gingen, dronken we in de voorkamer een flesje bier om gedrieën moed te verzamelen. Sam zei: 'Er gaat niets boven koud bier drinken in het donker.' Ik maakte daaruit op dat hij dat vaak deed. Hij slurpte onder het drinken.

Ik dronk mijn flesje leeg en maakte een tweede open, dat ik langzaam en met flinke teugen leeg dronk. Ik hoopte snel dronken te worden.

Ed opende ook nog een flesje en dronk alsof zijn leven ervan afhing.

Sam zei: 'We moeten uitkijken dat we niet laveloos worden.'

Ed sloeg hierop zijn bier wat minder snel achterover.

Ik moest bijna lachen om onze ouderwetse vertrouwelijkheid, nu we niet afgeleid werden door radio of televisie. Drie mannen die samen noodgedwongen een spel speelden, twee van ons aan het eind van hun leven. Misschien was het dit menselijke aspect waar ik in het kielzog van mijn vaders zelfmoord zo naar had verlangd, en wat ik, nu Diane er niet meer was, wanhopig bij Ronny Lawtons ex hoopte te vinden – normaal menselijk contact. Sam draaide onder het drinken met zijn pols waardoor die kraakte. Ik keek naar hem terwijl hij dronk, wachtte tot ik hem hoorde kraken, en ja, daar klonk het al, een licht artritisch gekraak. En wanneer Ed serieus werd, klemde hij zijn kiezen op elkaar en ademde met een licht fluitend geluid door zijn tanden. Deze bescheiden kameraadschap, het rustige deel van onze privélevens dat we met elkaar deelden, deed me even huiveren. We leegden onze flesjes terwijl de nacht grijs werd en de ramen rammelden.

Ed zei: 'Vind je het goed als ik Darlene even bel?'

Ed sprak zachtjes, fluisterde haar dingen toe die niet voor andere oren bestemd waren. Hij schermde met zijn hand de hoorn af.

Sam en ik liepen met de lege flessen naar de keuken en zetten ze op de tafel.

'Ik zou het vervelend vinden als je de pest aan me krijgt omdat ik de krant in de verkoop heb gedaan, Bill. Ik ben er zo lang mee doorgegaan als menselijkerwijs mogelijk was.'

Ik zei: 'Je doet wat je moet doen, Sam.'

Ed had opgehangen en we keerden weer naar de kamer terug. Ed zei eenvoudig: 'Je beseft dat je verliefd bent als het pijn doet om te liegen tegen de vrouw van wie je houdt.'

Sam keek ernstig. 'Ieder mens is in zijn leven met één ding gezegend. Voor jou is dat Darlene, denk ik.'

Er was geen denken aan om nog een biertje te drinken. We besloten met mijn auto te gaan. Ik voelde me licht in mijn hoofd door de drank, of misschien hoopte ik dat de alcohol het voorgevoel van wat we daarginds zouden aantreffen, zou verdoven. We konden ons nergens meer achter verschuilen. We zouden onder dekking van de nacht de stad uit rijden. Sams pols kraakte toen hij uit zijn stoel opstond, Ed haalde fluitend adem en we wierpen nog een laatste blik op de brief, op de sombere boodschap die hij behelsde. Hij had nu bijna de vertrouwelijkheid van een bekentenis, van een geheim dat te lang was bewaard, hij was een smeekbede om het gruwelijke hoofd op te graven. Degene die hem had gestuurd moet de voorgaande nachten nerveus hebben gewacht tot wij zouden doen wat van ons werd gevraagd. Sam gaapte en ik hoorde zijn kaken op elkaar klappen.

En zo begonnen we aan onze rit naar het voorouderlijke huis van de Lawtons. Ik had het dak van de auto opengevouwen. De nacht was aangenaam warm, de verlossing uit de uitputtende hitte waaronder we hadden geleden was nabij. Ed zat naast mij en hield zijn ogen strak op het duister en de sterren gericht. Sam zat weggedoken op de leren bank achterin en nam eveneens de kosmos in zich op.

Wij waren de stille getuigen van de dingen die ons bezighielden, ieder met zijn eigen voorstelling van het hoofd. Op de een of andere manier had ik dat beeld dagenlang onderdrukt, maar nu was het er weer, beelden uit films, met het korrelige effect van plotseling uit het duister opduikende horror. De radio stond zachtjes aan, meer een vage notie dat er iemand aan het zingen was. Ik reed langzaam door het warme landschap terwijl de lucht ons als een deken omhulde. Er kwam ons een auto tegemoet met het grote licht aan. Ik dimde het mijne en de ander dimde het zijne, en langzaam passeerden we elkaar en draaiden gelijktijdig onze hoofden opzij, gezichtloze vlekken, we konden bijna niets zien, waren tijdelijk verblind door de felle koplampen.

Bij het kruispunt dat ik met Ronny's ex en het Snackbarjoch met enorme snelheid was overgestoken, stopte ik. De grote motor trilde. Ik voelde dat mijn lichaam de trillingen absorbeerde. Toen ik langzaam het gaspedaal indrukte, merkte ik dat ik met zachte druk in de rugleuning werd geduwd. Ed kuchte en keek naar mij in het flauwe schijnsel van het dashboard. Hij plukte met zijn knokkels aan zijn knokige knieën.

Ik parkeerde de auto tussen de dorre maïsstengels en zette de motor af. Ver achter ons wierpen de lichten van de stad een bleke vlek tegen de hemel. Een tijdlang zaten we zwijgend en als verdoofd in het donker.

Sam kwam als eerste in beweging. Hij stapte uit, gevolgd door Ed en mij. Sam had een zaklantaarn meegenomen om ons bij te lichten aan de zoom van het land van de Lawtons. Hij liet zijn lamp over de maïsstengels schijnen en begon langzaam te lopen. Wij liepen vlak achter hem aan over de droge grond. Het duurde even voor we vonden waarnaar we op zoek waren. Sam ontdekte het paaltje dat ooit deel van een hek was geweest en zei: 'Dit is de plek.' Hij richtte het schijnsel op onze voeten. Onze blikken kruisten elkaar in de kleine lichtbundel. De coördinaten naar de bunker liepen vanaf dit punt. Sam checkte de kaart en vertelde ons hoeveel meter het nog was. Toen sloeg hij een kruis en Ed tekende een kruisje op zijn voorhoofd.

Met grote passen liepen we in het donker achter elkaar aan en telden langzaam de tweehonderdtwintig stappen vanaf het hek tot aan de plek waar de grond zachtjes meegaf. Hier moest de bunker zijn. Sam richtte de lichtbundel op de grond aan onze voeten. Het was duidelijk dat er al iemand bij de bunker was geweest, het gras was bij de wortels doorgesneden. Sam liet het licht rusten op een dikke verroeste ring, zoals aan een paardentuig zit. Ed deed een stap opzij en leek te aarzelen. Hij had zijn camera meegenomen maar maakte geen aanstalten een foto te maken. Sam knikte naar mij en ik boog me voorover en trok het luik open. Uit de donkere bunker steeg een stank van verrotting op.

Sam scheen met de zaklantaarn in het donkere gat, waardoor opeens een wereld van donkere, torachtige bewegingen zichtbaar werd, glanzende insectenschilden, kleine glimmende oogjes. Het was een weerzinwekkend vooruitzicht daarin te moeten afdalen, los van die afschuwelijke stank. Ik deed een stap achteruit en botste tegen Ed aan, die zijn grote handen op mijn schouders legde en me vasthield. Ik ademde snel in en uit.

Sam stond nog steeds over het gat gebogen en richtte de zaklantaarn omlaag. Ed gaf me zachtjes een duwtje. We tuurden angstig en bijgelovig in het duister. Alle drie hadden we het gevoel alsof we stikten. Het licht werd flauwtjes weerkaatst door het gat en belichtte de plooien in onze gezichten, wat ons iets demonisch gaf.

Het gat was ongeveer tweeënhalve meter diep. De droogte van de grafkelder deed me huiveren. Ik geloof dat we geen van drieën in het donker wilden afdalen. 'Misschien verstoren we bewijsmateriaal dat daar ligt,' zei ik tegen Sams achterhoofd. Sam draaide zich om en zei: 'Ik wacht al mijn hele leven op zoiets.' Hij zei niet wat hij met 'zoiets' bedoelde.

De maan schoof langs de heldere zwarte hemel. Het was alsof we erop hadden gewacht, een laatste blik omhoog voor we in het gat afdaalden.

Er stond een kleine ladder onder het luik. Sam zei: 'We gaan met ons drieën.' Zijn stem klonk zacht. We daalden af in de donkere sarcofaag, ik voorop en Ed achter mij. Met ingehouden adem drukten we ons tegen een donkere koude muur aan, in afwachting van de allergruwelijkste aanblik die dat moorddadige wonder, Ronny Lawton, ons kon tonen. Sam kwam als laatste, hij richtte de lichtbundel op de grond, verjoeg het donker en bescheen de donkere betonnen muren die krioelden van de insecten.

Het licht gleed over een veldbed zonder matras, bleef rusten op een paar muffe dekens, twee stoelen en een tafeltje, dicht opeen. Iemand had kaarsen gebrand, de gestolde stompjes stonden op het tafelblad, er lagen wat verkreukelde Marlboro-doosjes en afgestreken lucifers. Ik wist dat Ronny zijn vrouw hier mee naartoe had genomen. Ik voelde de bevende eenzaamheid van hun vrijpartijen, hoe ze hierheen waren gegaan om zich voor de buitenwereld te verschuilen en beschutting te zoeken onder de grond.

Meer was er niet in het vertrek. Sam richtte de lantaarn op een stormlamp, de glazen bol was nog gevuld met paraffine. De lamp rook zoet toen we dichterbij kwamen. Ik pakte een lucifer, stak het kousje aan en draaide de vlam omlaag tot een zacht flakkerend schijnsel onze schaduwen op de muren wierp. Verder was er niets te zien in deze kleine duistere kluis van hooguit drieënhalve meter lengte, dit lugubere gat vol koudbloedige insecten. We bleven zwijgend staan en staarden voor ons uit. Blijkbaar waren we om de tuin geleid. Maar in de verste hoek bleek een deurtje te zitten, dat toegang gaf tot het verborgen duister van een tweede gang. Het licht viel erop en sijpelde door in dat donkere, weggeborgen geheim. Sam knikte naar mij.

Ik liep verder, wetend wat me te wachten stond. Het plafond in deze korte gang was lager zodat ik me moest bukken alsof ik eerbiedig boete deed. Zo ging ik de nachtmerrie binnen. Daar, in het kleine vertrek stond een stok waarop flauwtjes iets was te onderscheiden wat veel weg had van een flinke suikerbiet. De stormlamp gloeide aan het eind van mijn uitgestrekte arm. Maar ik wist genoeg toen ik dichterbij kwam en mijn ogen het grimmige tafereel van het afgesneden hoofd van Ronny Lawtons vader en de krioelende massa bleke maden die uit de oogholten kropen onderscheidden. Ik doofde het licht zodat de nachtmerrie weer in duister was gehuld en liep haastig het kamertje uit.

Ed bracht het niet op om het hoofd te fotograferen. Sam en hij kwamen wat dichterbij en Sam bescheen het hoofd vanaf de drempel met zijn zaklantaarn. Je kon niet eens met zekerheid zeggen dat het het hoofd van de vader was, zozeer was het al door verrotting aangetast. We klommen het gat weer uit en moesten vooroverbuigen en een paar keer diep ademhalen. We waren elk een ogenblik alleen met het beeld van dat hoofd in ontbinding, en ook met een schuldgevoel over wat we hadden gedaan, over die dagen toen we heimelijk overeen waren gekomen om te wachten zodat we Linda Carter een hak konden zetten.

Even later sloot ik het luik van de bunker, en de maïsstengels van ons afslaand, bereikten we de auto. Ik startte de motor en we reden weg; ik gaf plankgas om hetgeen we onder de grond en in onszelf hadden ontdekt, snel achter ons te laten.

We reden al een tijdje toen Sam zei: 'Ik wou dat ik dit nooit had hoeven zien.'

Ed leunde naar voren en legde zijn hand op die van Sam, die tussen de stoelen werd uitgestoken. Hij zei: 'Wij laten een wereld achter die in niets meer lijkt op de wereld waarin wij werden geboren.' Zachtjes zei hij: 'Hoe heeft het zo ver kunnen komen?'

Sam trok zijn hand terug en bracht hem naar zijn hoofd, alsof hij een wond probeerde te stelpen. Ik wist dat hij huilde, al was het niet te horen. Ed draaide zich langzaam om en keek in het duister. Ik denk dat gedurende die eenzame rit de glans uit hun wereld verdween. Dat weet ik wel zeker. Hoe zou het voor de apostelen zijn geweest als ze, toen ze naar de graftombe van Jezus gingen, zijn gekruisigde lichaam stijf en onbeweeglijk hadden aangetroffen – een niet-opgestaan, levenloos, verminkt lijk?

Op de krant belde ik Pete bij hem thuis en vroeg hem met ons te komen praten. Ik liet doorschemeren dat we iets hadden gevonden.

In de tussentijd werden we het erover eens dat we Linda Carter niet wilden aftroeven, dat er geen sprake was van triomfantelijk leedvermaak. Het nieuws zou midden in de nacht bekend worden gemaakt, zowel op de radio als op de tv, en morgenochtend op ieders lippen liggen. De nacht zou eindigen op een plek die met geel politielint was afgebakend, niet van een nachtmerrie maar van de kosmologie van een verborgen gekte. Maar gékte was niet het juiste woord. Het was mogelijk aan dit alles een bepaalde betekenis toe te kennen, een bepaalde vergelding, een psychopathisch gevoel van zekerheid en ritueel. We werden door een aanhoudend ritueel geleid en gedwongen de wegrottende delen van een lijk te onthullen. Maar waartoe?

Ik zette een pot koffie op tafel. Ed belde Darlene en vertelde haar alles op zijn zachte, rustige manier. Hij hield zijn hand tegen zijn zij. Hij had grote slokken Pepto-Bismol gedronken.

Sam zat te roken en had zich in een waas gehuld.

Ik ging achter de typemachine zitten. Ik merkte dat ik beefde. Ik spande mijn armen, sloot mijn ogen en begon te typen. Ik beschreef in het kort hoe ik de brief had gevonden, de letters bij mij thuis had gerangschikt, naar de bunker was gegaan en het hoofd had ontdekt. Ik ging met het getypte vel naar Sam. Ed was klaar met telefoneren, zijn ogen stonden wazig. Hij bracht zijn koffiekop naar zijn mond en nam een slokje. Sam keek op, pakte de kopij van me aan en knikte. Hij hield zijn sigaar tussen zijn vingers waardoor het leek of er rook van het papier opsteeg. Ik vond het macaber en huiverde.

Ed schonk koffie voor me in en overhandigde me de kop. Hij zei: 'Ze willen waarschijnlijk weten waarom we er op eigen houtje heen zijn gegaan en de plek niet intact hebben gelaten.'

Ik zei: 'Het staat erin, Ed, ik heb het opgeschreven – dat we het sterke vermoeden hadden dat het om een grap ging. Ik heb niet vermeld dat we een paar dagen hebben gewacht. Ik heb blijkbaar die brief ontvangen en toen zijn we erheen gegaan.'

'Verstuur het telegrafisch,' zei Sam. Hij had de lege blik van een uitgeputte man. Hij gaapte en staarde uit het raam naar de donkere ijzergieterij.

Pete arriveerde en we brachten hem op de hoogte van wat we hadden gevonden en gedaan. Hij las het bericht, mompelde de details voor zich uit, keek ons aan en zei: 'Waarom ben ik godverdomme altijd de laatste die weet wat er gaande is?' Hij sloeg met zijn vuist op de tafel. 'Jezus!' Hij wierp me een ernstige blik toe in het kille kantoorlicht en hees zijn broek op. Hij deed denken aan een bemoeiziek ei met een holster om zijn middel. Hij riep: 'Dit is allemaal flauwekul. Geef mij vijf minuten met die klootzak Ronny Lawton en hij bekent.'

Sam kneep in zijn neusbrug. 'Heb je ooit het gevoel dat je hun spel niet wilt meespelen? Ik bedoel, wat als we nooit naar die bunker waren gegaan, als we die gewoon met rust hadden gelaten? Wij zijn een cultuur van psychopaten aan het creëren, zo simpel is het.'

Pete zei: 'Het is voor het eerst dat ik iets verstandigs hoor van de pers over al dit gedonder. Je hebt verdomme gelijk, Sam, dit gezeik is niet geschikt voor menselijke consumptie. Het is een zaak tussen de politie en de psychopaat, en daar gelden heel andere regels. Al deze shit maakt het alleen maar gemakkelijker voor de volgende psychopaat.'

Ed staarde door het raam het duister in. Hij wendde zich tot mij. 'Bill, jij zult tegen zonsopgang opeens ontzettend populair zijn. Kun je dat aan?'

Toen ik even later met Pete buiten stond keek hij me streng aan. 'Je moet me niet treiteren, Bill. Wat is hier aan de hand? Jij hebt die brief toch zeker zelf gemaakt? Je probeert er voor jezelf iets uit te halen. Je hebt vast een tip van Ronny's ex gekregen?'

Ik schudde mijn hoofd. 'Je vergist je, Pete.'

Ik geloof dat ik toen voor het eerst angst op Petes gezicht zag. Hij pakte mijn arm. 'Luister, idioot. Door jou zit ik tot aan mijn nek in de stront. Jij bent daarheen gegaan en hebt de bunker zonder mij opengemaakt, jij hebt de plaats van het misdrijf voor me naar de kloten geholpen!'

Ed was naar het raam gelopen. Ik zag dat hij vanachter het gordijn naar buiten keek. Ik kreeg er een onbehaaglijk gevoel door, alsof hij me bespiedde. Ik zei: 'Pete, ik zweer je op een stapel bijbels dat ik niet bij geknoei betrokken ben om het lichaam te verbergen. Die brief is toevallig op mijn stoep achtergelaten, precies zoals ik je heb verteld. Ik zweer het bij God.'

Pete zuchtte diep. 'Bedenk wel dat ik niet van plan ben uit deze stad te vertrekken. Ik heb niet zoveel geld als jij en Sam en Ed, dat ik opnieuw kan beginnen, snap je? Ik heb het je al eens gezegd: alles wat ik nodig heb, heb ik nu en hier, in deze stad. Als je me nog één keer iets flikt, zal ik alles vertellen. Dan hang ik de shit die jij mij al die tijd hebt toegestopt aan de grote klok en dan kunnen ze er het hunne van denken. Misschien sta ik wel op te vertrouwelijke voet met jou om nog in de gaten te hebben wanneer ik belazerd word. Maar als ze mij hierop afrekenen, Bill, dan sleep ik jou met me mee.'

Ik zei: 'Heb je weleens met Karl gepraat?'

Pete schudde zijn hoofd. 'Ik begrijp niet wat voor belang jij erbij hebt om Karl met deze misdaad op te zadelen, tenzij jij Ronny's ex voor jou alleen wilt hebben. Is het je daar allemaal om te doen?'

Ik zei: 'Ik heb geen idee waar je het over hebt, Pete!'

'Denk daar dan maar eens over na!'

'Denk waarover na?' Ik wilde achter Pete aan lopen, maar hij bleef staan en draaide zich woedend om. 'Ik heb één verdachte en niet meer dan één. Ronny Lawton heeft het gedaan. Dat weet ik, dat weet jij, en dat weet dit hele verdomde district! Voor zover ik weet is er helemaal geen heggenschaar, begrijp je?'

Ik mompelde: 'Oké.'

Pete vertrok. Hij zette uit woede de sirene en het zwaailicht aan en stoof weg in het donker. We brachten de hele nacht op de krant door. Het verhaal zwierf ondertussen rond op de bureaus van de nachtredacteuren van de belangrijkste kranten. Sam had een oude divan in zijn werkkamer en Ed had een veldbed in de donkere kamer. Ze gingen slapen.

Ik trok de telefoon eruit, doofde de lichten en kroop onder mijn bureau met een sportjack als kussen. Ik werd overspoeld door uitputting, maar kon de slaap niet vatten. De koffiepot stond donker en geurig te pruttelen. Ik staarde naar de poten van een stoel en naar het maanlicht dat schuin over de vloer viel.

Ik stond op, sloot de telefoon weer aan en belde Diane. Een vent met een slaapdronken stem nam op. Ik zei alleen: 'Studeer jij rechten met Diane?' Er klonken gedempte stemmen op de achtergrond. Ik hoorde Dianes stem. De verbinding werd verbroken. Ik belde opnieuw. Deze keer stond het antwoordapparaat aan. Ik zei rustig: 'Diane, je weet wel, die zaak die ik volg? Nou, vanavond heb ik in een tornadobunker het hoofd van een man gevonden, op een stok.' Weer die eindeloze stilte tussen ons. Ik zei: 'Ik mis je, Diane. Niet te geloven hoe erg ik je mis.' Daarna hing ik op.

Ik liep rond in het donker. In een leeg en onbewoond gebouw aan de overkant vond een of andere transactie plaats. Ik zag het binnenlicht van een auto aan en uit gaan, misschien een soort code. Ik voelde de eb en vloed van uitputting en angst. Ik wilde Ronny's ex bellen, maar zag ervan af. De klont vermoeidheid, die zwarte klodder met een krans van geel, zweefde voor mijn ogen. Ik moest telkens mijn hoofd schudden om helder te kunnen denken. Ten slotte liep ik naar mijn auto. Toen ik omhoog keek zag ik Eds silhouet bij het raam naar me staan staren. Het was angstaanjagend, alsof hij iets wist wat hij me niet wilde vertellen. Ik voelde me onzeker, was bezig gek te worden. Ik voelde me bezwijken onder de druk van de dingen die ik had gezien. Hoe vaak komt het voor dat je in een gat kijkt en een afgehakt hoofd ziet? Ik probeerde de dingen in de juiste proporties te zien, maar ik snapte er eigenlijk niets meer van.

Ed stond nog steeds naar me te staren, maar ik reed gewoon de donkere weg langs de oude ijzergieterij op.

Ik reed al een tijdje toen ik besefte waarnaar ik op weg was – naar Denny's, om Ronny op de hoogte te brengen voor de hel losbrak. Ik zocht naar de juiste woorden, wilde hem een soort ultimatum stellen. Het was al laat, dus de gebruikelijke bedevaart van middelbare scholieren zou wel bijna afgelopen zijn. Hun aantal was de afgelopen week geslonken, het schouwspel had veel van zijn glans verloren. Bovendien was het nieuwe schooljaar in aantocht, het sportrooster voor het najaar zou van start gaan. Jongens moesten om half zeven op om te oefenen voor voetballen en worstelen, oefenden opnieuw van drie tot zes uur 's middags. De hitte zou hooguit nog een week of twee aanhouden en dan zou het gaan regenen. Ieder jaar plensden aan het eind van de zomer de stortbuien neer uit langzaam voortglijdende wolken. Ik had een lijst met jongens met wie ik contact moest opnemen omdat verondersteld werd dat ze het komende jaar zouden uitblinken. Als de zaak van Ronny Lawtons vader anders was gelopen, hadden we misschien een midzomerkatern uitgebracht over de honkbalclubs en een paar speciale edities over de zomerse activiteiten van veelbelovende sporters, jongens die lachend hamburgers omkeerden of gazons maaiden, gezonde beelden van continuïteit, gezin en gemeenschap. Maar het was allemaal geleidelijk uit zijn voegen geraakt door de domme opwinding over een vermoorde man, om wie eigenlijk niemand een snars gaf. Ronny Lawton was het echte verhaal, zijn mythe en lijfelijke dreiging hadden destructieve gevoelens van vergelding in de omgeving losgemaakt. Met hem hadden wij ons beziggehouden. Hij had de sfeer in de stad verpest, zoveel was zeker.

Of was het kwaad er al langer, en had Ronny ons dat alleen maar getoond. Ik vermoedde eigenlijk het laatste. Ik reed naar die vervloekte neon strip, met hier en daar een enkele auto, ik zag de kleine loketten van de drive-ins, de glazen tombes waarin schoolverlaters werkten, voor het merendeel jonge meisjes, een paar mannelijke misfits, de dommen van geest, voor het minimumloon naar de avonddienst verbannen. Het was vooral deze nieuwe bestemming van winkelstraten en goedkope snackbars die ik zo angstaanjagend vond, die me deed huiveren en inzien waarom mensen elkaar vermoorden. Hier zag ik de vriendschappelijke gevechtslinies die dag en nacht aanhouden, de lichten die nooit worden gedoofd. Onwillekeurig vraag je je af waarom ze het doen. Wat drijft mensen ertoe om hun bestaan in het holst van de nacht voort te zetten? Wat gebeurt er met je psyche als je weet dat dit je toekomst is, je bestemming in het donker, de nachtploeg van een drive-in? Dit was het domein van Ronny Lawton, de ex-soldaat, ontslagen uit het leger en de maatschappij weer in gestuurd, een monsterlijke figuur met een koksmuts, een snelbuffetkok met expertise in munitie en aanvalswapens, getraind om in de jungle te overleven, die hier roereieren bakte, milkshakes maakte en zout op friet strooide. Langs deze neonverlichte winkelstraten lagen onze postindustriële slagvelden, broeikassen van snackbars vol onvrede, waar mensen zich volvraten met goedkoop voedsel, mandjes vol friet, bloederige hamburgers, die hun bloedvaten verstopten en waar ze een langzame dood stierven door het drinken van zwarte koffie. Je was er op dit uur getuige van de trage sterfgevallen, de niet-getelde slachtoffers. En bij zonsopgang fluistert de radio berichten over de voorbije nacht en brengt de treurige statistieken over dodelijke verkrachtingen, overvallen waarbij het personeel met de kolf van een pistool werd neergeslagen en vastgebonden in koelcellen werd opgesloten, of in hun gezicht geschoten en dodelijk gewond achtergelaten, een jonge moeder van twee kinderen werd vermist uit een 7-Eleven, een eenzame wachtpost, ze werkte er vanzelfsprekend alleen – winstmarges bepalen dat er niet twee tegelijk achter de kassa mogen zitten. En dit geweld, deze gekte, pretendeert dat het niets met politiek heeft te maken. Op de een of andere manier zijn wij een apolitiek land. Er vinden geen gezamenlijke oorlogshandelingen plaats, alles kan worden teruggebracht tot het niveau van het individu. Elke geweldsdaad staat apart; hij bepaalt de sfeer niet en leidt niet tot een algehele opstand. Misschien is dit wel het grootste geheim dat wij als natie bezitten: ons gevoel van vervreemding van iedereen om ons heen, ons vermogen om geen enkele sympathie of empathie te voelen voor het lijden van anderen, een gedecentraliseerde filosofie van de individuele wil, een aansprakelijkheid die steeds weer bij onszelf uitmondt. 'Je kunt zijn wat je wilt zijn,' zei mijn grootvader altijd. Dat was de mantra van onze maatschappij, de veranderlijkheid, de mobiliteit. Mijn vader had het in de dagen voor zijn zelfmoord erover hoe de mensen zich in de vakbonden tegen elkaar keerden, hij sprak over de plotselinge bereidheid om elkaar de schuld te geven, om zich van elkaar te distantiëren en alle vakbonden tezamen te vervloeken als een soort tirannie over het recht van de gewone arbeider.

Ik stopte bij een verkeerslicht. Het viel me op dat er bij de 24-uurs-snackbars altijd een Amerikaanse vlag in de wind wappert. Intussen hield ergens op de Amerikaanse vlakte iedere nacht wel een of andere gemaskerde maniak een pistool tegen iemands hoofd, pal onder die Amerikaanse vlag, terwijl de eigenaar in zijn zwaarbeveiligde wijk sliep, veilig uit de buurt van de mensen aan wie hij zijn rijkdom te danken had. Je zou bijna denken dat als we de gekte maar tot het duister van de nachtdienst kunnen beperken, de drop-outs elkaar misschien uitmoorden in een soort evolutionair proces. Maar mij is een onbewuste behoefte opgevallen om net als in het dierenrijk met roofdier en prooi, meer te reproduceren naargelang de aantallen slinken, wat nesten met jongen oplevert in plaats van individuele geboortes. Je hoeft alleen maar naar een getto te gaan, het maakt niet uit welk, en je ziet er de nakomelingen van de armen, of vruchtbare vrouwen als Ronny Lawtons ex, de meesten met twee kinderen en zonder baan, wonend in een caravan op de vlakte.

Het licht sprong op groen. Ik reed langzaam. Ik parkeerde bij Denny's vlak naast Ronny's auto. Hij zat erin, in zijn auto. Ik zag hem zijn hoofd omdraaien, zag de gloed van zijn brandende sigaret. Hij keek me aan, maar van zijn gezicht waren alleen de omtrekken te onderscheiden. De antenne van zijn auto was uitgetrokken. De lampjes op het dashboard gloeiden.

'We hebben je vaders hoofd gevonden,' zei ik toen ik was uitgestapt en naast zijn auto stond. Ik leunde niet door het raampje naar binnen, maar sprak de woorden voor me uit.

Ronny zei zachtjes: 'Ik vind het zo fijn van de radio van deze auto, dat je er 's nachts de stations van Chicago op ontvangt, weet je.'

Ik zei nogmaals: 'We hebben je vaders hoofd gevonden, Ronny.'

Ronny aarzelde. Ik hoorde hem op zijn stoel verschuiven. Zijn hand omklemde het stuur. Hij klonk gespannen. 'Waarom ruikt deze nieuwe auto toch zo lekker, o zo lekker?'

Ik wachtte af. De sigaret beschreef een rustige baan van het stuur naar zijn gezicht. Ik hoorde hem bijna naar adem snakken. Hij inhaleerde flink en blies de rook niet meteen uit, zijn hoofd bleef onzichtbaar. Aan zijn stem kon ik horen dat zijn mond vol speeksel zat. 'Ik zou hier vannacht de wereld stil kunnen zetten en gewoon in deze geur blijven zitten, gewoon in het donker luisteren naar de buitenwereld op de radio. Dat is toch niet zoveel gevraagd?' Opnieuw een traag trekje van de sigaret, de tijd werd afgebakend, telkens als hij inhaleerde. 'Dat deden mijn broer en ik en mijn moeder, weet je, 's zomers, als het vreselijk heet was en mijn vader nachtdienst had, in de tijd dat er nog werk was. Dan sliepen we buiten, in een van onze autowrakken, en luisterden naar het leven in Chicago. We waren gewoon kinderen die samen met mijn moeder wachtten tot mijn vader thuiskwam. We hadden een bakkie. Soms mochten we van mijn moeder er iets in zeggen, dan liet ze ons met de vrachtwagenchauffeurs op de grote wegen praten. We konden gewoon alles uit het donker naar onze auto halen.' Ronny doofde zijn sigaret in het asbakje, opende het portier en stapte de nacht in. Hij stak een paar centimeter boven mij uit. Hij tuurde met zijn hoekige kin en magere gezicht in het duister en liet zijn ogen ronddwalen.

Toen keek hij me aan. Hij stonk naar vlees, zweet en rook, een alchemie van zure, gistende luchtjes, een fermenterende zweterige angst, wat erop duidde dat hij zich zenuwachtig had schuilgehouden, wachtend op een of andere boodschap. Die indruk kreeg ik in ieder geval, alsof hij had geoefend op wat hij zei, of misschien niet geoefend, maar toch op zijn minst die gedachten voor het eerst in lange tijd had toegelaten.

Hij ademde in mijn gezicht onder het spreken, duwde een vinger tegen mijn borst, zodat ik achteruitweek. 'Ik heb er een bloedhekel aan als iemand je leven onderzoekt zonder er een snars van te begrijpen. In een gezin gelden andere regels. Wij hebben in de kelder een kind begraven, we hebben een brief gekregen waarin stond dat Charlie in Vietnam was omgekomen. We waren er heus wel aan gewend dat ons allerlei verschrikkelijke dingen overkwamen, zoals toen mijn vader zijn werk kwijtraakte of toen mijn moeder voor onze ogen wegteerde. Begrijp jij ook maar ene moer van wat ik bedoel? Wij hadden nooit geluk – dat zei mijn moeder altijd. Ze zei dat sommige mensen gewoon onder een gelukkig gesternte worden geboren, maar dat kwam in onze familie niet voor. Ze zei altijd dat je daar in feite niets aan kon veranderen. Toen Charlie naar Vietnam ging, wist mijn moeder dat hij niet terug zou komen. En mijn vader ook, denk ik. Met dat feit leefden wij elke dag, begrijp je. Niet omdat hij anders was. Wij hadden gewoon nooit geluk.'

Ik bleef rustig, maar deed een stap naar achteren om de doordringende lucht te ontwijken. Er was aan zijn verhaal geen touw vast te knopen, hij praatte maar door, onsamenhangend en verdrietig.

Ik zei: 'Ronny, heb jij me die brief over je vader gestuurd?'

Ronny gaf geen antwoord op mijn vraag. Hij raakte het haarnetje op zijn hoofd aan en rilde even, wendde zijn hoofd af. Toen zei hij: 'Heb jij een brief gekregen?'

'Iemand heeft me geschreven waar ik het hoofd kon vinden.'

Er drong langzaam iets tot hem door. Hij draaide zich om en keek me aan.

Ik liet me niet van mijn à propos afbrengen. 'We hebben het afgehakte hoofd van je vader gevonden, Ronny. Op een stok. Waarom, Ronny?'

Hij schudde slechts zijn hoofd. Hij haalde een pakje sigaretten tevoorschijn en tikte erop met de muis van zijn hand. Zijn aansteker vlamde op. Ik zag het gebeeldhouwde profiel, de felle, glimmende oogjes. Ronny bracht van diep vanbinnen iets naar boven, spuugde het uit op de grond en schraapte erover met zijn zwarte schoen. Hij keek me aan. 'Mijn vader zei altijd: "Er is niets eenvoudigs aan een eenvoudig leven."'

Het rook op de parkeerplaats naar olie. De autoradio stond nog aan. De muziek werd onderbroken voor het laatste nieuws. We zwegen. Een stem las het korte verslag voor dat ik telegrafisch had verstuurd, over de ontdekking van het hoofd. De stem vervolgde met het weerbericht en vertelde ons dat de temperatuur vandaag weer tot boven de dertig graden zou stijgen. Ronny veegde de vermoeidheid van zijn gezicht. Hij zei niets maar keek naar Denny's.

We staken de verlaten parkeerplaats over. De man die weken geleden een serveerster had verteld hoe ze likdoorns van haar voet kon wegsnijden, zat een stuk puddingtaart te eten. De serveerster en hij hielden op met waarmee ze bezig waren en wierpen een zijdelingse blik in onze richting zonder zich helemaal om te draaien. Het tl-licht leek te sissen en te flikkeren. Er stond een radiootje aan. We wisten dat ze het nieuws hadden gehoord door de manier waarop ze ineenkrompen toen Ronny binnenkwam, in onmiskenbare angst terugdeinsden. Zijn heerschappij van verschrikking hield op nu de barbaarsheid van het afgeslagen hoofd in de bunker bekend was. Omdat de dingen een plaats hadden gekregen, was alles veranderd. Je zag dat Ronny dat onmiddellijk door had.

Ronny ging in een halvemaanvormige box zitten. Het vinyl

maakte een geluid alsof iemand een wind liet. Ronny riep: 'Ik heb godverdomme geen scheet gelaten.' Hij riep het zo luid dat de mensen aan de toog ineenkrompen en niet meer naar ons durfden kijken. Hij keek mij aan. 'Als iemand goddomme een stoel maakt, waarom moet die dan klinken als een scheet? Begrijp je wat ik bedoel?'

Ik zei: 'Dat is de prijs die je betaalt voor vinyl. Het is gemakkelijk schoon te maken. Daar gaat het tenslotte om: doelmatigheid. Onze waardigheid is aan de technologie overgeleverd.'

Ronny wierp me een verbijsterde blik toe, alsof hij vond dat ik mijn mond moest houden. Uit zijn blik sprak: Klootzak, denk je dat vinyl mij ook maar ene moer kan schelen?, maar hij zei het niet hardop. Ronny plantte zijn ellebogen op tafel en staarde me aan. Zijn hoofd zwaaide heen en weer op zijn dikke nek. Je kon de aderen vlak onder de huid zien. Hij zei: 'Ik ga niet tegen je zeggen dat ik het niet heb gedaan, want je zou me toch niet geloven...'

'Maar heb je het gedaan?' vroeg ik zachtjes.

Ronny keek langs me heen door het raam naar zijn auto. Met zijn lippen vormde hij: nee. Zijn scherpe scheve tanden waren zichtbaar. Hij riep: 'Kunnen wij godverdomme koffie krijgen? Dit is godverdomme toch een restaurant?'

De serveerster kwam naar ons toe, zette de kopjes op de schoteltjes en vulde ze tot aan de rand. De geur van gebrande koffie steeg op. Zonder een woord draaide ze zich om en liep weg. Haar fooien rinkelden in haar schortzak. 'Ik krijg tien procent korting omdat ik hier werk, vergeet dat niet.' Ze reageerde niet.

Ronny blies in zijn kopje. Hij ging verzitten en boog zich naar me toe alsof hij me een geheim ging vertellen. 'Ik herinner me nu hoe mijn vader in die tijd mijn moeder 's avonds in het bakkie liet praten, dan moest ze van hem met die mannen in de vrachtwagens praten. Ze had een stem waar mannen zich gelukkig door gingen voelen. Je hebt nog nooit een vrouw gehoord die zo ontspannen klonk, ze begon gewoon te praten en dan was het alsof de wereld kleiner werd en je alleen met haar was. Soms zaten we in de autowrakken en dan begon mijn vader zomaar te glimlachen, omdat hij zich gelukkig voelde met wat we hadden. Misschien kwamen we toen wel het dichtst bij een normaal leven. Je zag het aan mijn vaders gezicht en aan de manier waarop hij haar ertoe verleidde, aan hoe hij zijn hengel uitwierp over de grote wegen en door het heelal, en de dromen ving van kerels die volgeladen vrachtwagens dwars door Amerika reden. Het was net een droom, wij achterin, Charlie en ik, luisterend naar de ruis van de zender.' Ronny likte met zijn tong een paar kruimels van zijn mondhoeken. Hij haalde zwaar adem, alsof hij diep vanbinnen dingen voor zich uit schoof. Hij richtte al zijn aandacht op de koffie, sloot zijn ogen, de neergeslagen oogleden leken wel twee gordijnen. 'Wat zou je zeggen als ik je vertel dat mijn moeder ons meisjeskleren aantrok toen we klein waren, ik bedoel, toen we zo'n jaar of twee waren, toen trok ze ons jurkjes aan, Charlie en mij. Ze wilde dolgraag een meisje hebben. Die baby in de kelder was een meisje. Misschien heeft mijn moeder daar wel het meest onder geleden.' Ronny haalde zijn schouders op, de stevige stengel van zijn nek was paars aangelopen, een wirwar van gezwollen aders door alle steroïden. Ronny praatte door, hij stortte zijn hart uit terwijl ik zweeg. Hij zei: 'Ik heb een geweldige jeugd gehad, die zou ik voor niets willen ruilen, voor niets.' Ronny pakte zijn portefeuille en haalde er een verbleekt kiekje uit van een jongen in een overgooier en met een strik in zijn haar. 'Wat vind je hier verdomme van? Dat ben ik. In meisjeskleren. Niet te geloven, hè?'

Ik zag geen kans een andere wending aan ons gesprek te geven. Ronny pakte nog een foto, die was van zijn broer Charlie. 'We hebben ze bij Sears laten maken.' Ronny gleed met zijn dikke vingers over de verschoten kleuren, verbleekt door jaren van zweet, terwijl ze tegen Ronny's achterste zaten gedrukt. Hij glimlachte bij zichzelf. Hij keek mij weer aan. 'Ik herinner me nog dat mijn moeder haar haren borstelde. Ze borstelde haar haren elke avond als Charlie en ik in bed lagen. Ze borstelde ze elke avond honderd keer. Wij moesten van haar tellen, Charlie en ik, we telden tot honderd. Dan zei ik een en dan zei hij twee, en dan zei ik drie, enzovoort, tot en met honderd. De meeste avonden haalde ik de honderd niet, mijn ogen vielen dicht terwijl zij haar haren borstelde. Daar moet ik vooral aan denken...' Hij reikte met zijn hand over de formicatafel en pakte mijn arm beet. Hij zei rustig, om een eind aan het gesprek te maken: 'Ik wil een voorsprong hebben, begrijp je?'

'Als je het niet gedaan hebt, moet je hier blijven.'

Ronny schudde zijn hoofd. 'Ik kan alleen maar op de vlucht gaan. Ik ben niet van plan die auto terug te geven, zo simpel is het. Het is veel te moeilijk om het oude leven weer op te pakken. Als je "werknemer van de maand" bent geweest, kan het alleen maar bergafwaarts met je gaan. Ik heb niemand meer van mijn familie. Het is voorbij.' Hij keek me aan, stak zijn hand uit en schoof de foto's bij elkaar. Ineens hield hij daarmee op en duwde de foto van hemzelf in meisjeskleren naar me toe. 'Misschien wil je deze gebruiken. Misschien wil je laten zien dat bij ons niet alles slecht was.'

Ik durfde de foto niet op te pakken. Ronny schoof hem naar me toe alsof het de laatste kaart was die hij tijdens een spelletje uitdeelde. Hij maakte een eind aan het gesprek. 'In de bunker? Heb je hem daar gevonden?'

Ik knikte.

Langzaam zei hij: 'Buiten mij wist maar één persoon waar die bunker is.' Meer niet.

Ronny hief zijn hoofd op naar het felle tl-licht. Ik zag zijn donkere neusgaten. Eventjes sloot hij zijn ogen, toen liet hij zijn hoofd weer zakken. 'Ik zeg dit nog één keer: niemand behalve zij en ik kende die plek.' Hij knikte even en herhaalde toen: 'Ik wil een voorsprong...'

Ik bleef zitten toen Ronny opstond en wegliep. Ik begon niet te roepen en ik rende niet naar de telefoon. Ronny keek niet om. Ik hoorde hem met veel geronk zijn Mustang starten, en ik liet hem alleen met de geur van de nieuwe auto, met het stationair draaien van zijn V-8-motor. Hij zette de auto in de achteruit en scheurde met veel toeren door de winkelstraat.

13

Bij zonsopgang was Ronny Lawton in geen velden of wegen te bekennen. Hij werd gezocht omdat de politie hem wilden verhoren. Ik wachtte thuis tot ze mij kwamen ophalen. Ik was volkomen uitgeput en half in slaap toen ze op de deur klopten.

Ik liet de rechercheurs de brief zien die ik had ontvangen. Ze namen hem mee als bewijsstuk. Ze hadden Ed en Sam al ondervraagd en hun verhaal kwam met het mijne overeen: dat we hadden besloten het hoofd te gaan zoeken. Die flauwekul hoorde gewoon bij de procedure.

Ik bracht de ochtend bij de bunker door. Er was een menigte samengedromd op een kruispunt, maar die werd tegengehouden door de sheriffs. Het publiek maakte een bedrukte indruk. Het was zo'n typische zondag waarop niets te doen was, nog voor het begin van het voetbalseizoen, een saaie tijd aan het eind van de zomer. Ik voelde me een beroemdheid toen ik, rustig achter in de auto gezeten, door de menigte reed. Linda Carter stond tussen de mensen en presenteerde het ochtendnieuws. Ze liep naar de auto en er werd een camera op me gericht. Ze zei iets en keek me daarbij recht in de ogen, maar ik draaide het raampje niet omlaag en staarde als een zombie in de camera. Ik was doodmoe en had het gevoel alsof ik me als in een droom heel langzaam voortbewoog.

We reden verder door de menigte en over het afgesloten stuk weg. Het grind knarste onder de banden en ik hoorde Pete zwaar ademhalen terwijl hij ons naar de bewuste plek reed. Hij had met geen woord tegen me gesproken. De auto kwam langzaam tot stilstand. De gruwelijke aspecten van deze moord lagen allang achter ons. Ik leunde tegen het portier met gesloten ogen, af en toe deed ik ze even open. Het was beter om anoniem te blijven te midden van al die bedrijvigheid. Ik wachtte de onafwendbare loop der gebeurtenissen af.

Pete liep voor de bunker heen en weer, praatte, stelde vragen. Hij kwam terug en ging voorin zitten, dronk koffie en voerde overleg via de politieradio. Hij trilde zo van de spanning, dat de auto meetrilde. De burgemeester was kwaad dat ik na ontvangst van de brief niet meteen contact had opgenomen met de politie, daar kwamen Petes woorden zo ongeveer op neer toen hij besloot de stilte te verbreken. Pete wilde weten waar Ronny volgens mij naartoe was gegaan. De serveerster bij Denny's had een verklaring afgelegd over onze ontmoeting. In antwoord op Petes vraag haalde ik mijn schouders op en verschool me achter diep en geïrriteerd zuchten. Ik vertelde niet dat Ronny om een voorsprong had gevraagd. Ik zei: 'Hij zal wel ergens rondhangen, Pete.'

Daardoor raakte Pete pas goed geïrriteerd. Zijn vlezige gezicht vouwde zich tot een plooi om zijn grote mond. Hij sprak een tijdje niet meer tegen me, tot hij zei: 'Je bent net zo'n mislukkeling als je vader.'

Ik gaf geen antwoord.

'Ze zouden je moeten opsluiten, weet je dat? De hele stad heeft het over jou en Ronny's ex. Dat jij met haar en het joch ijs ging eten, dat je naar de Osco ging om haar te zien.'

Ik bleef rustig zitten en gaf geen antwoord.

Pete slurpte van zijn koffie en at een donut. Petes partner, Larry, die schrale, spichtige klootzak, kwam naast Pete zitten en werkte zijn portie donuts naar binnen. Er hing een doordringende geur van koffie in de auto. Pete zei: 'Neem geen loopje met me, Bill.'

Ik zei: 'Dat doe ik niet.'

Het zweet brak me uit, de auto leek wel een broeikas. Ik luisterde naar het zachte gemurmel van de stemmen buiten. Ik voelde dat het gezag effectief te werk ging, ik voelde de aanwezigheid van bekwame mensen die wisten wat ze moesten doen en het goed deden.

Het duurde lang eer alles geregeld was, ik viel zelfs even in slaap. Ik was blij dat er een eind aan alles kwam.

Pete schudde me wakker toen het hoofd boven de grond werd gebracht. Ik ging rechtop zitten en gaapte. Pete zei: 'Ed heeft gebeld. Hij heeft je nodig op de krant.'

Toevallig wierp ik een blik op mezelf in de zijspiegel van de politieauto. Ik had me niet geschoren en mijn haar zat door de war. Ik had veel weg van een misdadiger die van zijn bed was gelicht. Ik stapte uit en ging in het zonlicht staan, in de naargeestige hitte van een nieuwe dag. De ochtenddauw vervloog, je voelde dat je kruis en oksels gingen zweten en stinken in de plakkerige vochtigheid. Ik stond tussen de vale stengels van de verdorde maïs en keek langs het pad waarover we de vorige avond hadden gelopen.

Ik gaapte weer en wachtte het verdere verloop af. Pete wierp mij voortdurend minachtende blikken toe, die ik probeerde te ontwijken. Honden besnuffelden de grond. De staatspolitie, gekleed in bruine uniformen, kamde langzaam het terrein uit. Het was vreemd hoe immuun je voor zulke dingen werd. Het was een beeld dat de komende jaren een vast onderdeel van het nieuws zou worden – de afzonderlijke verdwijningen, zoals ook de gezichten op melkpakken, beelden van onschuldige kinderen die waren gekidnapt of vermoord. De belangrijkste gegevens stonden erbij: naam, leeftijd, lengte, gewicht, kleur van de ogen. Ze staarden je aan vanaf de verpakking van ons voornaamste levensmiddel: melk. Je werd geconfronteerd met de meedogenloze realiteit van de dood terwijl je melk op je cornflakes schonk. Het deed me denken aan het sprookje van de Rattenvanger van Hamelen over de kinderen die heimelijk werden meegelokt.

Ik bleef naast de auto wachten. Linda Carter liep rond met haar corpulente cameraman. Zijn broek hing laag op zijn heupen en zijn T-shirt zat opgeschort om zijn dikke buik; ik kon zijn bilspleet zien. Linda zat, elegant op hoge hakken alsof ze op stelten liep, achter het opgegraven hoofd aan. Haar haren vielen langs één kant van haar gezicht omlaag. Ze droeg voor deze gelegenheid een pastelkleurig mantelpak dat een fortuin moet hebben gekost. Ik keek naar haar met een legitiem gevoel van afgunst. Zij stelde alles in de schaduw wat Ed of Sam of ik ooit zou kunnen bereiken, haar benen openden en sloten zich als een grote schaar, haar slanke benen, haar hardnekkige, oprechte betrokkenheid zichtbaar in elk beeld, het openhartige ongeloof van een vrouw die zich er nooit helemaal bij zou kunnen neerleggen dat het leven gruwelijk was. Als ze een bezorgde stilte liet vallen, beet ze meestal op een bepaalde manier op haar onderlip. Er lag een glimmend zweempje zweet onder haar make-up. Soms werden haar tepels hard. Je wilde tegen haar zeggen: Linda, je bent hier te goed voor. Ga er niet naartoe! Laat dat hoofd met rust! Maar ze was de heldin van het journaal. Wij leefden indirect, via haar schoonheid, via deze vreemde tegenstelling van een vrouw die in designerkleren achter een afgehakt hoofd aan zat. Jezus, het was alsof Assepoester de prins onderzocht op zijn voetenfetisj, alsof Roodkapje de wolf ontmaskerde – DIRECTE BEELDEN VAN HET BLOEDBAD IN HET WOUD OM 10 UUR!

Het nieuws bezat een nieuwe sensualiteit, en daardoor was mijn rol uitgespeeld. Op de een of andere manier had ik het gevoel dat ik niet de geschikte persoon was om die brief te ontvangen. Als het aan mij had gelegen, had Linda die beter kunnen krijgen, dan had ik alles aan haar kunnen overlaten en kunnen verdwijnen, net als de kinderen op de melkpakken.

Ik stond naar een rechercheur te kijken die, gekleed in een bruin pak, de plastic zak met het hoofd naar een bestelwagen bracht. Hij was slechtziend en de huid om zijn oogkassen was oud, die had allang geleden zijn elasticiteit verloren. Zo'n soort man was hiervoor nodig – zo een in een jarenvijftigpak, met dunnend haar, mager als een skelet en op grote schoenen; een gewezen agent van de militaire inlichtingendienst – om zo'n naargeestige slinkse handeling uit te voeren en met officiële onverschilligheid lichamen op te graven, en zonder iets te zeggen op de camera af te lopen. Hij had de blik van iemand die de ergste gruwelen heeft gezien die gewone burgers elkaar kunnen aandoen, een expert in psychopaten, een man die in één oogopslag een situatie kon inschatten en een etiket kon plakken op het soort mens dat een moord heeft begaan. Hij was een overblijfsel van een voorbije wereld, een lid van de geheime gemeenschap die ons door de Koude Oorlog heeft geloodst, die in het geheim in laboratoria kilometers diep onder de grond werkte aan de ontwikkeling van bommen die ons allemaal konden wegvagen. Als je hem zo zag, wist je intuïtief dat hij na zijn pensioen een langzaam voortslepende dood zou sterven, zo iemand die berouw zou krijgen wanneer een ziekte zijn lichaam sloopte, een man die verlossing en vergeving zou zoeken. Hij behoorde tot een slag mensen waar ik graag naar keek. Dat zou ik het liefste doen: stapsgewijs een karakter samenvatten, de verfijnde details van het menselijk leven van een afstand bekijken. Maar dat was geen baan.

Ik kon het hoofd nog net onderscheiden in de doorzichtige plastic zak. De macabere aanblik verbrak de eentonigheid en deed een huivering langs mijn ruggengraat gaan. Linda versperde de politieman de weg naar de bestelwagen, maar hij had de zuinige uitdrukking van absoluut gezag en liep haar rakelings voorbij, haar in zijn kielzog achterlatend. Haar hoofd praatte verwoed tegen de camera.

De bestelwagen kwam in beweging, deed een stofwolk opstuiven en verdween. Dat was eigenlijk alles. Pete zag me gapen en schudde zijn hoofd. Ik verdedigde me door te zeggen: 'Ik heb al dagen niet meer geslapen.'

Pete staarde me aan. 'Je hebt Ronny laten ontsnappen! Waarom? Hebben jullie samen iets bekokstoofd, Bill?'

Ik wendde mijn blik af. Linda had me ontdekt. Ze kwam naar me toe, maar ik dook de auto in en vergrendelde de deur. Ze tikte tegen het raampje. 'Is het waar dat jij de laatste persoon bent die met Ronny Lawton heeft gesproken?'

Ik hief alleen mijn hand op bij wijze van bevestiging zoals ik Richard Nixon in tijden van crisis had zien doen, een ernstige maar stilzwijgende bevestiging dat alles onder controle was.

Pete stapte in en nam met zijn volle gewicht achter het stuur plaats, waardoor de auto doorzakte. Hij reed het terrein van de Lawtons af. Op het kruispunt joeg hij toeterend de menigte uiteen alsof het een kudde vee was. Onder het rijden keek hij achterom en praatte met mij door de plexiglas afscheiding. 'Volgens mij heb jij persoonlijk belang bij deze zaak. Er klopt gewoon iets niet, het hele gedoe is een klotecircus. Waar ben jij in godsnaam mee bezig, wil je soms bekend worden? Je hebt zitten smoezen met die halvegare van een Ronny, en je speelt zijn spel gewoon mee om naam te maken. Zo zie ik het nu. Zo zit het toch? Je houdt die stommeling gewoon aan het lijntje en hij doet precies wat jij wilt. Of niet soms?'

Wat voor zin had het om antwoord te geven?

Pete was woedend. 'Ook als je deze ratrace wint, je blijft een rat.' Hij draaide zich even om en keek me aan, waarna hij zijn mond hield.

Toen ik thuis was, belde ik Ed en zei dat ik niemand wilde spreken. Ik hoorde Sam op de achtergrond iets roepen. De vent van het krantenconcern zou later op de dag met Sam over de verkoop komen praten en ze wilden mij erbij hebben. Ik schreeuwde: 'Nee!' in de hoorn en hing op. Daarna belde ik terug en bood mijn excuses aan. Ed zei dat de plaatselijke hogeschool vroeg of ik een lezing wilde geven over 'De rol van de media in de maatschappij'. Ik zei dat ik ze zou bellen.

Ik bracht de rest van de dag door in de beslotenheid van de kelder, uit de hitte. Om zeven uur begon *60 Minutes.* Het kleine scherm gloeide in de donkere kelder, en ik ging dicht bij het toestel zitten om rustig te kunnen luisteren. Het programma begon met het geluid van een rotor, waarop het instrumentenpaneel van de helikopter in beeld kwam, zodat de kijkers wisten dat we ons in de lucht bevonden. De camera ontdekte een rond raampje. De lucht was volmaakt blauw in de augustushitte. De lens bood vervolgens een panoramisch zicht op het land beneden, vlakke akkers die zich honderden kilometers ver uitstrekten. De helikopter draaide en zwenkte eerst naar links en vervolgens naar rechts, maar het landschap bleef even eentonig. Er was nog geen vertellersstem, de stilte hield aan, alsof de dingen beneden zich moeilijk lieten beschrijven. De rotorbladen ronkten op de achtergrond, we hoorden de harde wind hoog in de lucht, en je zag de mugachtige schaduw van de helikopter als een buitenaards wezen over de akkers glijden. De helikopter volgde de kronkelingen van onze rivier, en eindelijk klonk Linda

Carters stem door het gebrom van de rotorbladen heen, ze vertelde hoe katholieke zendelingen en Franse bontjagers het noorden van Canada waren doorgestoken en naar deze U-bocht in het water waren gekomen, naar deze grote bocht in de rivier. Vanaf deze hoogte was de hoefijzervorm te zien, de helling waarop in het begin van de achttiende eeuw de eerste kolonisten hun kamp hadden opgeslagen, en waarover nu de donkere vlek van onze industrie lag. Een eenzame blokhut op de oever van de rivier gaf de plek aan waar die mensen voor het eerst vaste voet aan de grond hadden gekregen. Het programma vervolgde met ingelaste opnamen van het interieur van de hut, de camera stond stil bij de karige inrichting, toonde oude valstrikken en leren laarzen, bontmutsen, sneeuwschoenen, een geweer en een zakje met buskruit en dikke hagel, dat de vroege kolonisten hadden gebruikt.

Vervolgens richtte de camera zich vanuit deze schemerige wereld weer op het panorama van een blauwe hemel, ditmaal met beelden van de oude ijzergieterijen. De helikopter vloog laag als op een verkenningsmissie, de beelden deden denken aan opnamen in Vietnam, ze waren schokkend nabij, gefilmd onder vuur, achter het vijandelijke front, we gleden naar door prikkeldraad omgeven parkeerplaatsen, donkere gebarsten betonblokken die aan verlaten concentratiekampen deden denken, de gapende deuren naar de enorme donkere smeltovens op een kier in de halfgesloopte gebouwen. Daaroverheen waren schimmige beelden gemonteerd van arbeiders aan machines, er klonk geroezemoes, je zag zwart-witfoto's van arbeiders. En pas toen onze geschiedenis duidelijk was geschetst, losten de opnamen vanuit de helikopter op in grijs.

Het huis van Ronny Lawtons vader kwam in beeld, het vervallen terrein vol kapotte auto's en doorgeschoten gras, een schuilplaats voor iemand die op de vlucht was voor ons onheil. Zoals in die oude films waarin de namen op de aftiteling wervelend uit een draaikolk tevoorschijn komen, kwamen nu de hoofdpunten die ik had opgesomd, de ingekorte en samengevatte gruwel van hetgeen zich hier had afgespeeld, in beeld. Vervolgens zag je een of andere kaartgever verbleekte polaroids van leden van de familie Lawton uitdelen – foto's van Ronny's jeugd, Ronny op zijn buik op een dekentje, een jaar oud, met blote billen en lachend, met zijn kleine babyhandjes reikend... Een tweede in een badkuip met een rubberen eend, zeepsop op zijn kin... Op een driewieler in een korte broek... Een puppy voorttrekkend in een Radio Flyer Wagon... Zijn broer Charlie met een hengel en een tros vissen aan een koord geregen, met een blije, trotse blik... De jongens, honkbal spelend met hun vader in het najaar... Ronny Lawtons moeder die een taart uit de oven haalt... Charlie in militair uniform... De brief met het bericht van zijn dood tijdens gevechtshandelingen... Ronny met een getatoeëerde arend op zijn onderarm, en een van hem terwijl hij, somber en peinzend, vooroverbuigt in zijn fitnessruimte, een opname van het met de hand geschreven bordje GET BIG, achter hem de Amerikaanse vlag... Ronny Lawtons vader in een flanellen jack met een metalen lunchbox in zijn hand naast zijn pick-up voor een winterse achtergrond met veel sneeuw... Hij zwaait met zijn andere hand. De camera zoomde in op die hand, op de pink, tot die veranderde in een voorwerp met een etiket eraan, het stukje vinger dat in het huis was gevonden. Aan het eind van deze geïllustreerde odyssee verscheen eenvoudig de vraag: 'Waar is Ronny Lawtons vader?'

Na de reclame zag je Ronny in zijn eigen huis in een mouwloos T-shirt over zijn jeugd vertellen. Linda zat tegenover hem in een katoenen bloes met korte mouwen waarin haar ronde borsten goed uitkwamen. 'Ik wil niet beweren dat mijn vader en ik vrienden waren. Dat zijn we nooit geweest. Hij was een zware drinker. Hij duwde vaak een sigaret tegen mijn arm. Kijk maar, Linda.' Toen Ronny zijn arm ophief, zag je het haar in zijn oksel glinsteren. Je kon de zure lucht bijna ruiken. 'Hier, aan de binnenkant van mijn arm, zodat niemand het kon zien.' Linda boog zich naar de bos okselhaar. Het was verontrustend, sensueel. Ze pakte Ronny's pols beet en trok zijn arm omhoog alsof hij zojuist een bokswedstrijd had gewonnen, ze schudde alleen maar haar hoofd naar de camera. Een spoor van donkere vlekken liet zien waar Ronny's arm verbrand was.

Op Linda's verzoek vertelde Ronny over de baby in de kelder, want ze hadden opnamen van die naargeestige opgraving. Hij vertelde dat dit soort dingen gewoon gebeuren op de vlakte, dat er geheimen worden begraven waarover niemand praat. 'We hebben er geen dokter bijgehaald. We hebben er geen dominee bijgehaald. Het kind heeft nooit geademd. We hielden het gewoon voor ons, meer niet. Mijn vader heeft het gedoopt, want hij wist hoe dat moest. Hij wist met welke woorden de ziel tot rust wordt gebracht. Ik wil wedden dat als je in de kelders hier gaat graven je nog wel meer kinderen zult vinden die het niet hebben gehaald.'

Linda wilde meer weten over zijn verleden, over zijn diensttijd. Hij weidde daar lang over uit en zei ten slotte: 'Ik ben er trots op dat ik mijn land heb gediend. Maar ik heb een beetje het gevoel dat de mensen mij daarom juist verachten, Linda. Ik weet niet waarom maar ik voel het aan mijn water.'

Ik zag hoe de afgrijselijke aapmens Ronny Lawton, die agressieve kolos, zich tegenover Linda Carter aanstelde en zich vooroverboog wanneer hij emotioneel werd. Hij sprak over zijn broer en over wat hij 'de verloren dagen' noemde, wat hij mij ook had verteld over het leven in de periode toen zijn broer dood was maar zij het nog niet wisten. Dat had hem werkelijk getroffen. 'Het is als het zonlicht buiten, Linda.' Ronny wees naar een raam dat de blauwe lucht omlijstte. Daarna staarde hij in de camera. 'Ze zeggen dat het licht acht minuten geleden van de zon is vertrokken. Eigenlijk kijken we dus met z'n allen naar het verleden. Als de zon zou ophouden te bestaan, zouden wij het niet eens weten, in ieder geval acht minuten lang niet. Zo ging het ook met mijn broer – wij deden gewoon de dagelijkse dingen terwijl hij intussen al dood was.' Ronny hield ineens op en bleef in de lens staren. 'Wij stellen allemaal voor dit land ons leven in de waagschaal.' Toen stak hij zijn hand uit naar de camera en begon te huilen, week achteruit en snoof: 'Ik ben onschuldig, Linda. Heus waar. Ik ben niet altijd een goed mens geweest, maar ik ben geen moordenaar.' Dit deel eindigde met een geluidloos beeld van Ronny, waarna de camera langs de randen van de donkere kelder dwaalde, de suggestie wekkend van onvoorstelbare gruwelen.

In de volgende scène werd de claustrofobie van het huis verlaten voor een wandeling langs de rivier, langs het geurige bloembed voor blinden, waar niemand meer naartoe ging omdat dronkaards en dealers in de welriekende bosjes rondhingen. Op de achtergrond waren de hoge skeletachtige werktuigen van onze industrie zichtbaar, een prehistorische verzameling hijskranen en steigers. Linda liep met een cameraman achter Ronny aan, die hen op zijn beurt probeerde te ontwijken. Er werd iets gezegd dat voor ons onverstaanbaar bleef. Het geheel deed denken aan een afgekeurd filmfragment. Wat het oorspronkelijke idee van deze wandeling ook geweest moge zijn, het was volledig verloren gegaan. Linda legde haar hand op Ronny's arm. Ze leken zich niet bewust te zijn van de camera. Ronny bleef staan en riep: 'Nee!' In wezen had hij iets interessants, dat moest je hem nageven. De stand van zijn lichte ogen, een intensiteit die ruwe seks deed vermoeden, een man die vrouwen wasloeg. Hij liep naar de oever van de rivier en begon stenen in het water te gooien. Linda kwam hem stommelend achterna, het was schokkend om te zien. Toen ze haar enkel verzwikte had je haar willen toeroepen dat ze zich niet langer moest laten vernederen.

Het water was laag op de plek waar Ronny stond en de oever was bedekt met een dikke laag droge lichtbruine modder. Linda liep naar Ronny toe en begon hem min of meer te smeken, ze riep steeds opnieuw zijn naam tot hij zich omdraaide en haar woest aankeek.

'Heb je je vader vermoord, Ronny?'

Hij klom de oever op, kwam dichterbij, liep op haar en de camera toe en zei zachtjes: 'Nee, Linda.' De enige gedachte die op dat ogenblik in me opkwam was: als hij alleen met haar was geweest, zou hij haar verkrachten en haar keel doorsnijden. De camera overwoog die gedachte voor ons, liet de split in Linda's rok en haar lange benen zien en richtte zich toen weer op Ronny's gespierde borstkas, die zweette in het felle licht. Linda en Ronny boden ruimte voor seksuele spanning, waardoor je bleef kijken. Zij was een vlees geworden insinuatie. Met haar geheimzinnige vermogen om met haar zachte lichaam compromitterende houdingen aan te nemen bereikte zij bij Ronny Lawton iets wat een man nooit was gelukt. We werden door dit alles geen cent wijzer, het was een zinloos verslag dat zijn drijvende kracht alleen ontleende aan Linda's bereidheid om vlak bij Ronny's robuuste lichaam te komen. Onbewust was er de vraag: wat als hij zijn verstand verloor en haar neukte? Ze had de grenzen van het verhaal dat ze versloeg overschreden. Zij was het verhaal evengoed als Ronny.

In het volgende fragment bij Denny's, kwam de mening van de jeugd aan bod, jongens en meisjes die op en neer sprongen in het felle licht. Ze waren allemaal dol op Ronny! Ze droegen Ronny-maskers, korrelige vergrotingen van een krantenfoto; de grijze en witte spikkels gaven min of meer de vorm en het voorkomen van Ronny Lawton weer. Een stationcar vol Ronny Lawtons kwam aangereden, allemaal in mouwloze shirts. Ze schaarden zich rondom de mooie Linda. Hun groteske uiterlijk deed haar schoonheid nog beter uitkomen, hun onverschrokken maskers hadden een surrealistisch aspect door Ronny's militaire en atavistische blik. Linda hield de microfoon beurtelings bij elk masker, waardoor het leek alsof ze hun vroeg aan een lolly te likken – de maagd van het verwerpelijke, de koningin van de horror.

De snelle opeenvolging van shots en het toenemende effect van Ronny's gekte, riepen een nieuwe angst op, alleen omdat je het op de televisie zag. Ronny Lawton was alomtegenwoordig, een plunderende kracht, een opruiende sfeer. Er kwam een dominee in beeld die zich samen met zijn gelovigen op een akker bevond in de hitte van een zondagmiddag – met het onstilbare verlangen van de menselijke soort om over iets te oordelen, haar waarde te bewijzen door psalmen te zingen tegen het kwaad.

Terug bij Denny's zagen we Ronny weer met de desolate groep eenzamen op het goddeloze uur van vier uur 's ochtends. De camera stond stil bij de trage secondewijzer. Daarna richtte ze zich op het plakkaat voor WERKNEMERS VAN DE MAAND en toonde Ronny Lawtons naam die erop gegraveerd was.

Vervolgens keerde de camera terug naar Ronny Lawton die ernstig uien en paprika's stond te snijden. Het was een stilzwijgend antwoord aan zijn lasteraars door eenvoudig te verklaren: 'Ja, de man werkt zich uit de naad.' Ronny keek niet één keer in de lens maar was met al zijn aandacht bij het hakken. De camera zoomde in op de gesneden uien, daarna ging hij omhoog en liet tranen in Ronny Lawtons ogen zien. Linda kwam in beeld. Ronny huilde. Ze legde haar zachte hand op zijn behaarde pols en zei iets in zijn oor. De camera week achteruit, ik bedoel helemaal naar achteren, voorbij de kleine patrijspoort waar hij de bestellingen neerzette, het raam van Denny's door en de weg over. Vandaar richtte hij zich op het lichtaquarium dat Denny's was. Ik bleef naar het televisiescherm zitten staren.

Tot slot verschenen er witte letters op een zwarte achtergrond, het laatste gedrukte nieuws luidde eenvoudig:

> Het hoofd van Ronny Lawtons vader werd vanochtend uit een tornadobunker op het land van de familie boven de grond gebracht...
>
> Ronny Lawton is sinds de opgraving niet meer gezien...

Later belde Ronny's ex me. Ze wilde me spreken. Ze was bang dat Ronny achter haar aan zat, zei ze.

'Waarom denk je dat?' vroeg ik kortaf.

Ze begon te huilen. Ik schrok, want ik vermoedde dat de politie me afluisterde in de veronderstelling dat ik wist waar Ronny zich schuilhield.

Ik reed onder beschutting van het duister naar Osco. Ronny's ex zat achter de kassa. Ik ging naar haar toe. Die rozengeur hing weer om haar heen, de geur die ook uit de envelop waar de brief in zat was opgestegen. Ik vroeg op effen toon: 'Wilde je me spreken?' Ze moest nog een kwartier werken. Ik ging naar buiten om in de auto te wachten.

Al die tijd had ik het gevoel dat Ronny zich in de buurt verschool. Ik keek om me heen naar de lege auto's op de parkeerplaats. Er was niets, geen spoor van de Mustang.

Ronny's ex kwam naar buiten en door haar glimlach veranderde de avond op slag. Ze stapte naast me in en drukte een kus op mijn wang.

Ik ging er vooralsnog niet op in. 'Dat geurtje dat je op hebt, dat rozengeurtje – waar heb je dat gekocht?'

Ze probeerde me aan te raken, glimlachte. 'Vind je het niet lekker?'

Ik pakte haar hand en duwde die weg. 'Ik meen het serieus. Vertel op!'

Ze trok haar hand terug. 'Waag het niet me te slaan!' Ze verhief haar stem alsof ze op het punt stond te gaan gillen.

Ik zei: 'Luister naar me.' Ik kneep in haar arm. 'Houd daarmee op, hoor je?'

Ze begon te snotteren en leunde tegen het portier. Ik vroeg opnieuw: 'Teri, luister naar me. Waar heb je die parfum gekocht?'

'Darlene gaf me korting op een speciale aanbieding. Ik had haar gevraagd de pick-up van Karl op te halen en die voor hem te wassen. Toen hij thuiskwam zei hij dat hij de parfum in de auto had gevonden. Ik denk dat ze die daar had achtergelaten.'

Het verband tussen Darlene en Karl werd me nu duidelijk.

Ik zei: 'Dit is verschrikkelijk belangrijk.' Ik legde mijn hand op haar wang en wreef er met mijn duim over. 'Kun jij je nog herinneren of je Darlene ooit iets hebt verteld over Ronny en jou in de bunker?'

Ronny's ex haalde haar schouders op. 'Ik weet het niet, Bill. Ik kom al zo lang bij haar. Ik herinner me dat niet precies, maar misschien wel, ik weet het gewoon niet.'

Ik drong niet verder aan en protesteerde ook niet toen ze haar zachte warme lichaam tegen me aan drukte. De tijd verstreek traag. Ze rookte een sigaret, duwde een lok achter haar oor. 'Ik geloof dat Ronny achter me aan zal komen. Ik ken hem, Bill.'

Ik ging verzitten en streelde haar zachte gezicht. 'Waarom denk je dat hij jou wil pakken als hij zijn vader heeft vermoord? Dat snap ik niet.'

Ze aarzelde even, haalde haar schouders op en zei: 'Omdat hij gek is. Daarom, Bill.'

Dat was geen antwoord. Waarom was hij dan niet eerder achter haar aan gegaan? Maar ik zei niets, wachtte tot ze zich op haar gemak voelde en keek naar de donkere hemel. Deze stille nachten waren zo eenzaam. Ze hoorden bij een wereld waarin ik ten slotte troost had gevonden, misschien net als Ronny, toen hij als kind naar de radio luisterde of via het bakkie praatte. Ik vertelde Ronny's ex wat Ronny mij had verteld. 'Heb je hem daar weleens over horen vertellen?'

Ronny's ex ging verzitten en leunde tegen het portier. 'Ja, dat deden wij ook als we geen geld hadden. Dan reden we een heel eind door de velden en dan zette Ronny de motor af en luisterden we naar het radiostation in Chicago die de tien tophits van die dag uitzond.' Ze zweeg en keek me aan. Ze had op haar benen gezeten. Nu strekte ze die voor zich uit en ging rechtop zitten. Ze keek me strak aan. 'Jij gelooft niet dat Ronny zijn vader heeft vermoord. Ik zie het aan je ogen, Bill.'

Ik schudde mijn hoofd. 'Misschien dacht ik eerst wel dat hij zijn vader heeft vermoord, maar niet meer sinds we dat hoofd in de bunker hebben gevonden. Hij vertelde me dat jij en hij de enigen waren die van de bunker wisten.'

Ronny's ex maakte een zenuwachtig geluid met haar nagels, het klonk als het getik van een of ander insect. 'En waarom is hij nu dan op de vlucht geslagen, Bill? De dingen kloppen niet altijd in het leven. Hij sloeg me, Bill. Hij brak mijn neus, maar de volgende dag zei hij dat hij van me hield! Ik ken hem, Bill. Ik weet wat ze met mij hebben uitgespookt, Ronny en zijn vader. Ik kreeg nooit iets, Bill, helemaal niets.' Ze stapte uit, sloeg met een klap het portier dicht en begon de parkeerplaats over te steken.

Ik riep haar na. Ik stapte uit en ging achter haar aan. Ze stond tegen de muur van de Osco te huilen. Ze leunde tegen me aan, pakte mijn vingers en legde die op haar neus op de plaats waar hij gebroken was geweest. Ze fluisterde: 'Hij heeft me verschrikkelijk hard geslagen, Bill. Ik wil niet dat hij achter me aan komt. Ik wil niet...'

Ik werd opnieuw overspoeld door dat naargeestige gevoel van eenzaamheid, die armoedige behoefte om aangeraakt te worden. Ze hief haar gezicht op. Ze rook naar tranen. Waarschijnlijk had ik hier al langer naar verlangd, naar deze lome romantische verliefdheid, me laten gaan en verstrikt raken. Ik boog me over haar heen en kuste haar vol op haar lippen. Ik kreeg weer het gevoel alsof ik viel en vastgehouden wilde worden, zoals bij Diane. Ze pakte mijn hand waarmee ik haar gebroken neus had gevoeld en legde die op haar bekken, liet hem daar even liggen en duwde haar toen langzaam omlaag. Ik kroop naar die bestemming met een vaag gevoel van spijt in mijn achterhoofd, maar ik wilde niet meer stoppen. Ze kreunde in mijn oor, zei dat ze bij me wilde zijn. Ik voelde dat ze in mijn hals beet en deinsde terug, ze beet nog een keer. Ik voelde haar benen zich spannen toen ze die om me heen sloeg, concentreerde me op het verlangen dat langzaam bezit van me nam, voelde hoe mijn eigen benen zich aanspanden om haar volle gewicht te dragen. Toen ik mijn hoofd naar achteren trok zag ik dat ze met wijdopen ogen naar de donkere vage vlek van mijn gezicht keek. En ondanks mezelf moest ik aan Ronny Lawton denken, die ergens ver weg was, die norse misfit in zijn Mustang, die ineengedoken op een of andere akker zat te luisteren naar geluiden uit de ruimte.

14

Toen ik thuiskwam, stond er een boodschap van Ronny's ex op mijn antwoordapparaat. Die luidde heel simpel: 'Het was zo fijn om je in me te voelen.' Het was even stil en toen: 'Ik heb dat huis ontzettend hard nodig, Bill.' Ik kroop onder de dekens en viel in slaap, zoals mijn gewoonte was geworden.

De volgende ochtend belde Sam en vertelde dat Ronny nog steeds werd vermist. Hij was ook niet bij Denny's komen opdagen. De dagen liepen als zand door mijn vingers en het begon er onheilspellend voor me uit te zien. Met de ontdekking van het hoofd was de spanning gestegen en was de zaak ineens urgent geworden.

Ik werd gebeld. Twee agenten van de FBI wilden me in het centrum ondervragen. Ik belde Sam om hem te zeggen dat ik verhoord zou worden.

Op het gerechtshof werd ik onder handen genomen door de FBI-agenten, ze ondervroegen me over mijn relatie met Ronny Lawton en mijn veelvuldige bezoeken aan Denny's om met hem te praten. Ik werd ervan verdacht hem te verbergen, en ik begreep dat Sam en Ed die mogelijkheid enorm hadden opgeblazen, erop zinspelend dat wij meer met deze relatie van doen hadden en er meer controle over hadden dan we vertelden om een professionelere indruk te maken en over goede contacten bleken te beschikken. Dat kwam de verkoop van de krant ten goede. Van de FBI begreep ik dat Sam en Ed hadden verteld dat ik dikke maatjes was met Ronny Lawton en dat ik bij mij thuis platen van Duke Ellington had gedraaid. De FBI leek hieruit op te maken dat ik me nauw betrokken voelde bij Ronny Lawton en aan zijn leiband liep.

Door het felle licht in de verhoorkamer, hetzelfde vertrek waarin ik Ronny helemaal aan het begin van deze zaak had gezien, en de onbeschofte manier waarop de vragen me door de strot werden geduwd, voelde ik me onder druk gezet. 'Het is een misdaad om een voortvluchtige te verbergen!' schreeuwde een van de FBI-kerels tegen me. Ze noemden het misplaatste sympathie.

Ik probeerde ze mijn situatie uit te leggen en zei dat ik op mijn manier achter het verhaal aan ging, maar dat hielp niet. We zaten koffie te drinken en de FBI-kerels verlieten beurtelings het vertrek en kwamen weer terug. Ik staarde naar de glazen afscheiding, in het besef dat daarachter mensen naar mij stonden te kijken. Het was verschrikkelijk zenuwslopend. Ik riep naar het glas: 'Sam, ben jij daar? Vertel ze verdomme hoe de vork in de steel zit! Sam!'

Je ontkomt er bijna niet aan de rol van psychopaat te spelen als je die opgedrongen krijgt. Ik moest me inhouden om niet te schreeuwen. Ik stond op, ging weer zitten en haalde diep adem.

De kwestie van de brief was uitermate belangrijk. Wie had die volgens mij bij mij afgeleverd? Ik zei dat ik het niet wist, maar ze zetten me onder druk. De letters waren geanalyseerd en volgens een professionele analyse waren ze afkomstig uit onze eigen krant. Er zat een mankement in onze drukpers waardoor er een vlekje op de h zat. Ik zei: 'Er is verdomme maar een krant in deze stad, dus waarom zouden de letters niet van onze krant komen?' Die uitdagende houding beviel de FBI-kerels allerminst. In hun ogen was ik op de een of andere manier betrokken bij Ronny, was ik medeplichtig aan zijn gekte.

Ze hadden informatie over mijn vroegere medische problemen, met andere woorden: mijn zenuwinzinking. Ze wilden weten wat ik van mijn vader vond en van het feit dat mijn hond vergiftigd was. Toen ik tijdens mijn studie de kluts kwijtraakte, kwam dat voornamelijk omdat dat ik me er onmogelijk bij neer kon leggen dat mijn vader onze hond had vergiftigd. Vervolgens begonnen ze over Diane. Hoe ze in godsnaam wisten dat ik haar vaak belde, weet ik niet.

Misschien werd ik al een hele tijd afgeluisterd. Dat vond ik beangstigend en ik schaamde me voor de dingen die ik tegen haar had gezegd, dat ik om haar liefde had gesmeekt en de examenvragen door de telefoon had geschreeuwd. Ik was hierdoor volkomen uit het veld geslagen. Had ik samen met Ronny Lawton de brief opgesteld om een ontknoping te forceren en er als journalist mijn voordeel mee te doen?

Ik schudde mijn hoofd. 'Nee!' schreeuwde ik. Ik schreeuwde met alle verontwaardiging die ik in me voelde.

Opnieuw de vraag: Wie had volgens mij die brief over het hoofd aan mij gestuurd?

'Ik weet het niet,' zei ik op onderdanige toon. Uiteindelijk gaf ik toe dat Ronny hem waarschijnlijk had gestuurd. Ik zei het niet met zoveel woorden. De vraag werd gesteld en ik gaf toe dat hij het geweest zou kunnen zijn. Ik wilde ze vertellen wat Ronny's ex me had verteld over Ronny's vader – dat die haar had verkracht. Dat feit alleen was al voldoende motivatie – Ronny's vermoeden dat het kind niet van hem was. Misschien was het tijdens een ruzie daarover uit de hand gelopen, misschien had de vader bekend wat hij had gedaan, toen hij dronken was, of zo. Maar het leek me alleen niet iets wat zijn vader ooit zou vertellen, daarom hield ik mijn mond maar. Ik werd bekropen door een verbijsterende angst. Ik moest aan Pete denken en aan de heggenschaar. Stel dat hij de FBI zou vertellen dat ik die naast mijn huis had begraven. Hoe moest ik dat uitleggen?

Ze lieten me een tijdje alleen onder de felle lampen. Ik werd weer wat rustiger. Mijn gedachten keerden terug naar de momenten met Ronny's ex en ik herhaalde voor mezelf haar simpele stellige woorden: Het was zo fijn je in me te voelen. Die trage, smartelijke ontlading tegen de muur had nog geen twee dagen geleden plaatsgevonden.

Ze lieten me gaan. Pete zat met Ed aan een tafel op de gang. Hij keek op, kwam overeind en liep weg.

Ed wurmde zijn knokige lijf uit het metalen stoeltje en kwam op me af. Ik kon zien dat hij tijdens het verhoor had toegekeken, als een stille getuige à decharge, namens de krant. Het verhoor was geheel vrijwillig geweest. Ik had me aan de vragen onderworpen om de lucht te zuiveren.

Toen ik buiten kwam, zag ik dat het weer was omgeslagen, er dreven grijze wolken voorbij die duidden op een naderende storm, iets waar we de hele zomer van verstoken waren geweest. De storm kwam vanuit het noorden over de Grote Meren, maar die buien kwamen te laat.

'Het is goed dat je de lucht hebt gezuiverd, Bill. Jij hebt aldoor de touwtjes in handen gehad. Jij maakte contact met Ronny en zijn vrouw. Jij hebt het spoor tot het eind gevolgd. Jij hebt haar zover gekregen dat ze je over die bunker vertelde. En zo ben je op het idee gekomen om die brief op te stellen. Maar toen kwamen wij plotseling uit de lucht vallen, en voor je ook maar tijd had om te bedenken of je zou doen alsof die brief aan jou was gestuurd, voelde je je in de val zitten en toen moest je wel.'

Ik kon daar geen antwoord op geven.

Ed keek me aan. 'Pete en ik hebben het uitgevogeld. We gaan niks zeggen, Bill. Ik heb Pete verteld dat je dit eigenlijk voor Sam hebt gedaan. Je wilde dat Sam de krant voor een redelijke prijs van de hand kon doen, wilde hem uitzwaaien met een laatste primeur...' Ed legde zijn hand op mijn schouder. 'Er zal met geen woord over gerept worden, Bill. Iedereen zal zeggen dat Ronny Lawton jou die brief heeft gestuurd, of anders zijn ex. Zo zullen we het doen voorkomen.' Ed eindigde met: 'Als je iets eenmaal aan het rollen brengt is dat moeilijk te stoppen, weet je. Het is je gewoon te snel boven het hoofd gegroeid.'

Het was vreemd dat Ed zich op deze ontspannen manier van mij distantieerde; zijn nederige erkenning dat het allemaal mijn werk was geweest, dit hele onderzoek, mijn plichtsgevoel, en mijn poging Sam te redden. Eventjes zag ik het in een ander licht. Ik zag Ed, Darlene en Sam in een lugubere samenzwering deze moord beramen, maar het was niet meer dan een vluchtige gedachte die plaatsmaakte voor het besef dat ik deze twee mannen kende en wist wat ze de afgelopen decennia hadden doorgemaakt.

Ed legde nogmaals zijn hand op mijn schouder. 'Ik hoor je dit niet te vertellen, maar Pete zei dat je telefoon wordt afgeluisterd. Ze hebben gehoord wat Ronny's ex tegen je zei over het huis, dat ze het wil hebben.' Ed keek me aan. 'Weet je zeker dat Ronny je nooit thuis heeft opgebeld?'

'Ja,' zei ik. Ik stond versteld over die verwijzing naar mijn betrokkenheid bij die twee, de lange tentakels van mijn omgang met elk van hen vanaf het begin. Ik maakte waarschijnlijk een zielige indruk, als een speelbal tussen Ronny en zijn ex.

Het was laat in de ochtend en de hemel had een donkergroene kleur gekregen; de zon verdween achter de wolken. De temperatuur schoot omlaag en de lucht werd vochtig. Een neerwaartse trek joeg het stof met kleine dwarrelende kronkelingen voor zich uit. Het was het begin van de najaarsstormen.

We konden nog net een restaurant aan de overkant van het gerechtshof bereiken, toen de bui losbarstte. We kwamen binnen uit de stromende regen en namen plaats bij het raam waardoor we zonder iets te zeggen naar de regen keken. De FBI-agenten kwamen het gebouw uit en bleven op de trap van het gerechtsgebouw staan alsof ze overwogen snel de straat over te steken. Pete was bij hen. Hij wees naar het restaurant waar wij zaten. Opeens renden ze de trap af en kwamen onze richting uit. Ik omklemde het oor van mijn kopje. Het was net alsof ze iets hadden ontdekt en me nu kwamen halen. Ed zag ze ook, volgde ze met zijn ogen. Hij draaide zijn hoofd om toen ze drijfnat de eettent in kwamen.

Pete zag Ed naar hen kijken. Hij wendde zijn blik af en nam samen met de FBI-agenten een tafel achterin. Ik zuchtte hoorbaar opgelucht.

De regen hield nog minstens een halfuur aan. Omdat ik ertegen opzag naar buiten te gaan, bleef ik zitten. 'Maakt Sam nog kans iets van dat krantenconcern binnen te slepen?'

Ed leek met zijn gedachten ver weg. Buiten in de stromende regen was het bloedheet. Hij keek me aan en zei: 'Wat zei je, Bill?'

'De krant, Ed. Krijgt Sam er een behoorlijk bedrag voor als hij die verkoopt?'

'Sam zegt dat hij met één voet in het graf staat en met de andere op een bananenschil. Ik denk eigenlijk niet dat hij nog weet wat hij wil. Hij wil er gewoon mee stoppen, zo eenvoudig ligt het. Er is geen geld, dat heeft die vent tegen Sam gezegd. Die vent koopt in feite alleen maar het sportkatern, de rest van de kopij komt van een persbureau. Die kerel wil niet eens de naam van onze krant behouden. Feitelijk gaat het om een bedrijfsovername die ervoor moet zorgen dat wij geen krant meer uitgeven. Dus uiteindelijk worden we betaald om iets niet meer te doen, zie je, we worden betaald om op te houden te bestaan.'

De serveerster kwam onze kopjes bijvullen. Ze zei iets over de regen die te laat was gekomen. Dat soort commentaar zou de hele dag overal te horen zijn, een mistroostige samenvatting van een slechte zomer. Het raam was beslagen door onze adem, zodat de buitenwereld achter een dof, doorschijnend vlies verborgen was. Het restaurant was vol geroezemoes, met mensen die de BLT-sandwiches aten die vandaag speciaal aanbevolen werden, en aardappelconsommé. Ed nam het hele menu door maar bestelde ten slotte de BLT.

'Heb je hun mayonaise weleens geproefd, Bill?'

'Nee.'

Ik was geen gezellige prater als er zomaar wat werd gebabbeld, dat was een van mijn voornaamste minpunten. Het staat zelfs in de top drie genoteerd. Dat heb ik van mijn vader, die stroeve stiltes en pauzes waardoor mensen zich in mijn gezelschap slecht op hun gemak voelen.

Ed had altijd geweten hoe ik in elkaar zat, tenminste, zo zag ik onze relatie het liefst. Half in gedachten zei hij: 'Dat is zo leuk van buitenshuis eten. Het smaakt op de een of andere manier anders, zelfs het eenvoudigste maal. Misschien komt dat doordat iedereen het prettig vindt om bediend te worden.'

Ik zei: 'Ed, ik geloof dat het om iets veel belangrijkers gaat. Denk maar aan het uiteenvallen van de kerken en gemeenschappen, waar moeten de mensen in godsnaam nog bij elkaar komen? Gezamenlijk gevoed worden zit in onze genen vanaf heel vroeg in onze evolutie. Neem nou het christendom, dat ontstond toch rond de tafel, het laatste avondmaal, het delen van brood en wijn? Neem een zakenlunch, dan zie je de secularisatie van die eerste communie.'

Ed sloeg zijn ogen op als blijk van wat ik beschouwde als een blijvende waardering voor het soort onzin dat ik over de meeste onderwerpen uitkraam. Gadverdamme, misschien was ik wel gek.

Ed begon aan zijn BLT, kneep de obscene mayonaise eruit en begon te eten. Toen hij klaar was blies hij in zijn koffie en at een stuk zandtaart. Ik bestelde roomtaart met kokosnoot. Ik had weer trek in zoetigheid gekregen.

Ed keek me aan. 'We moeten maar hopen dat Ronny bungelend aan een boom wordt gevonden. De FBI-agenten denken dat het daar wel op uit zal lopen. Een man gaat net zo lang door tot hij instort. Óf hij schiet zich voor zijn kop óf hij hangt zich op. Ze hebben persoonsbeschrijvingen die voorspellen hoe zulke dingen aflopen. Dat vertelde Pete me.'

Ik at het stuk taart met een vork en hapte in de kokosvlokken op de room. Het was lekker. Ik denk dat je zoiets in de gevangenis echt gaat missen, als je van je vrijheid bent beroofd. Als je ouder wordt ga je inzien dat eten een sublimatie is voor zoveel verschillende dingen, dat het een soort toevluchtsoord is.

Ed zat net als iedereen te eten en te drinken in de kalme vergetelheid die een leven in goeden doen brengt, schuilend voor de regen, het leven rustig aanvaardend, het nieuwe seizoen, het vooruitzicht van vallende bladeren, het begin van het voetbalseizoen van de middelbare school en de najaarsfeesten. Ik leunde naar voren. Ik zei rustig: 'Ed, zo lang als ik leef zal ik nooit geloven dat Ronny zijn vaders hoofd heeft afgehakt. Dat geloof ik gewoon niet.'

Ed had een stuk zandtaart aan zijn vork geprikt. Hij zei: 'Misschien sta je op te vertrouwelijke voet met hem, Bill. Het is voor een normaal mens moeilijk voor te stellen wat er omgaat in het hoofd van zo'n vent.' En hij voegde eraan toe: 'Maakt het eigenlijk nog iets uit? Zoals ik het zie kan dat hele gezin maar beter dood zijn.' Zijn lippen sloten zich om de vork en hij at zwijgend verder.

Tijdens de volgende eindeloze kop koffie sprongen de tranen in mijn ogen van verveling. Het was benauwd geworden in het restaurant, de hitte van de grill was een hel. Ed verontschuldigde zich om zich zoals gewoonlijk op de wc terug te trekken. Hij bleef een eeuwigheid weg. Ik stond op en zag hem bij de publieke telefoon. Ik keek naar zijn rug terwijl hij praatte en knikte. Ik ging weer zitten en voelde dat ik paranoïde begon te worden.

Ed kwam terug, schroefde de dop van zijn fles Pepto-Bismol en nam een flinke slok van de kalkachtige roze vloeistof. Zijn gezicht vertrok terwijl hij zijn stoel behoedzaam achteruitschoof en ging zitten. Hij zei: 'Ik heb een nieuwe voor je, rechtstreeks van Darlene. "Pensioen: tweemaal zoveel echtgenoot, half zoveel geld!" Ik zou zeggen dat daarmee alles wel gezegd is.' Met die woorden stond hij op en herhaalde ze voor een serveerster die zei: 'Niet slecht. Dat vind ik wel mooi.' Filosofie van de koude grond was besmettelijk.

Ik mocht uiteindelijk de rekening voor ons beiden betalen.

Ik ving een glimp op van Pete die met de FBI-kerels in een nis zat te eten. Hij zag me niet. Ik hoorde ze met elkaar lachen. Alles was tot kleinsteedse proporties teruggebracht, een bekrompen wereld van fluisterende stemmen, mannen die dicht opeen zachtjes zaten te praten. Zo ervoer ik dat althans in de matte nasleep van het verhoor, als je dat tenminste zo kon noemen. Wat had de FBI gedaan, behalve dat ze hadden geprobeerd van mij duidelijkheid te verkrijgen over wat ik in godsnaam aan het doen was? Misschien maakte vooral het idee dat mijn telefoon werd afgeluisterd me zo nerveus. Maar aan de andere kant had ik niets te verbergen. Behalve dan die stupide heggenschaar.

Buiten was het afgekoeld. De zon was na de storm weer tevoorschijn gekomen en brak door de donkere zilverkleurige wolken. De lucht rook fris, je kon weer ademhalen. De hele wereld glinsterde. Het licht was zo verblindend dat je onwillekeurig met je hand je ogen afschermde.

Ik ging met Ed mee naar de krant. Sam sloeg met een geveinsd vaderlijk gebaar een arm om me heen, met die al te grote vertrouwelijkheid die hij met mij altijd had behouden. Ik begreep dat er iets van me gevraagd werd. Ik voelde zijn weke verslapte spieren onder zijn polyester hemd. Hij rook oud en naar aftershave. 'Waar houdt Ronny zich schuil, Bill? Jij weet het toch? Laten we hiermee ophouden. Ik begrijp wel waarom je dat met die brief hebt gedaan, Bill, maar nu is het tijd er een punt achter te zetten. Waar is Ronny, Bill?'

Tot mijn verbazing was ik nu blijkbaar de persoon die de brief had opgesteld, was het een uitgemaakte zaak dat de brief door mij in elkaar was gezet, omdat Ronny's ex me over de bunker had verteld. Ik wil maar zeggen, dat werd niet eens meer in twijfel getrokken.

Ik zei op zachte, beheerste toon: 'Ik wou dat ik het wist, Sam. Ik wou echt dat ik het wist.'

Toen ik daar niets meer aan toevoegde, trok Sam zijn hand weg en zei: 'Bill, het is voorbij, zie dat onder ogen. Wat je ook wilde doen om mij te helpen, het is nu naar de filistijnen, Bill. Iedereen weet dat Ronny's ex en jij dit spel al veel te lang hebben gespeeld.'

Ed wroette met een tandenstoker in zijn mond, wrikte etensresten los en deed alsof deze dingen hem niet bijzonder interesseerden. Maar hij was er wel degelijk, hij was er zoals hij er altijd was. Hij hield op met wroeten toen hij iets op zijn tong voelde, liet het daar even liggen, proefde het en slikte het door.

Het zweet droop van mijn hoofd. Ik veegde mijn gezicht af met de rug van mijn hand.

Sam zei: 'Neem de tijd om het allemaal op een rijtje te zetten, Bill, maar doe er niet te lang over.' Hij draaide zich om en pakte een lijst met dingen die gedaan moesten worden, dingen voor de krant. Hij keek me aan. 'We moeten nog steeds een krant uitbrengen. Wat zou je ervan zeggen als je een beetje gaat werken en intussen bedenkt hoe je dit tot een goed einde kunt brengen?' Sam keek me aan. 'We maken een speciale editie over Cass High School en Rogers Tech. Hier heb ik de namen van de coaches. Denk je dat je in staat bent om er vandaag werk van te maken? Dan heb je tijd om na te denken. Om drie uur vanmiddag wordt er in Cass een teamfoto gemaakt. Ze zouden dit jaar weleens de finale van de staatskampioenschappen kunnen halen.'

Ik keek Sam aan. 'Dat zeggen ze elk jaar.'

Sam staarde me aan over zijn bureau. 'Het is een kwestie van geloof, Bill. Daar gaat het om in dit vak, meer dan wat ook gaat het om het geloof in het goede van de mens.'

Ed knikte. 'Anders kun je niet in deze wereld leven. Er zijn twintig teams in dit district en die geloven allemaal dat zij gaan winnen. Zo hoort het ook.'

Ik wist werkelijk niet waar dat allemaal nu weer vandaan kwam, die plotselinge grootmoedigheid, dat alles in perspectief plaatsen, dat dunne laagje filosofisch inzicht. Maar ik hield mijn mond. Ik zei alleen: 'Ja, natuurlijk,' en pakte de lijst met namen van zijn bureau.

Sam zei: 'Je deed het heel goed tot je Ronny liet ontsnappen, Bill. Iedereen vindt dat je een geweldige prestatie hebt verricht door Ronny op de knieën te krijgen. Maar het is net als met honkbal, Bill. Ik keek laatst op een avond naar een wedstrijd. De Cardinals hadden een werper die zeven geweldige innings speelde. Daarna wilde het niet meer lukken, hij gooide te wild, zodat een loper het derde honk wist te bereiken. Ze moesten hem vervangen, Bill.'

Ed zei: 'Ik heb die wedstrijd gezien.'

Ik zei: 'Je zult wel gelijk hebben.'

Buiten motregende het. Ik hoorde het water in de riolen stromen met dat naargeestig murmelende geluid.

Sam was weer bezig een van zijn tuna melts te maken. Uit de toasteroven steeg damp op. 'Wat zeg je van eentje voor je weggaat, Bill?' Hij glimlachte naar me. 'Ik heb de saus een beetje veranderd, ik ben benieuwd of je het verschil proeft.'

Ik zei: 'Prima, Sam.'

Sam ging achter zijn bureau zitten, verschool zich achter langgerekt gapen en schoof een vel papier naar me toe met de voorlopige details van de overeenkomst met de krantenkerel, zoveel begreep ik wel. Sam keek me aan. 'We hoeven het er nu niet over te hebben, maar misschien wil je even bekijken wat ik voor jou voorstel.' Zijn blik schoot naar Ed, en Ed keek terug. Vervolgens opende Sam het deurtje van de toasteroven en werden we door een golf warmte overspoeld. Sam sneed de tuna melt doormidden. Hij pakte chips, legde ze op een bord naast de sandwich en zette het voor me neer. 'Ik geloof dat het Napoleon was die zei: "Een leger marcheert op zijn maag."'

Ik slikte en zei: 'Dat geloof ik ook, Sam.' En ik zei: 'Ik denk dat je gelijk hebt.'

Ik werd zenuwachtig. Ik keek naar het contract en naar de passage die mij betrof. Het ging om een onbeduidend bedrag. Mijn toewijding werd genoemd, maar mijn onervarenheid en de lengte van mijn dienstverband waren onderstreept. Alles bij elkaar was mijn bijdrage verwaarloosbaar vergeleken bij wat Sam en Ed in al die jaren hadden gepresteerd. Dat wilde ik best toegeven. Er werd niet gerept over een voortzetting van mijn werk bij de nieuwe krant, niet dat ik dat wilde, maar het viel me op dat die ontbrak. 'Moet ik iets tekenen?' bracht ik ten slotte uit.

Sam gaf geen antwoord op mijn vraag. Hij zei: 'Iemand als jij heeft een geweldige toekomst.'

'Ik zal ernaar kijken, Sam, oké?'

Sam gaf me een knipoog. 'Zo staat het er momenteel voor, dat is alles. Morgenochtend is er een vergadering en dan praten we verder over wat er gaat gebeuren. Mocht je je ergens zorgen over maken, laat me dat dan weten.'

Ik zei: 'Natuurlijk, Sam. Zorg dat je *de Waarheid* niet voor een prikje van de hand doet, hoor je me?' Ik kalmeerde en probeerde grootmoedig en diplomatiek te zijn. 'Je moet erop staan dat je krijgt wat *de Waarheid* waard is, begrijpen jullie?' Verder wist ik niets meer te zeggen.

Sam zei: 'Ik houd van deze jongen, Ed.'

Er lag een stapel gerechtelijke bekendmakingen in de bak met inkomende stukken, samen met folders van bejaardentehuizen in Florida. Sam zag dat ik ernaar keek.

'Als ik nu eens aan deze gerechtelijke bekendmakingen ga werken?' en Sam zei: 'Goed, maar eigenlijk moet dat artikel over rugby eerst af. En denk eens na over hoe het met Ronny Lawton moet aflopen, Bill. Oké?' Hij stak zijn hand uit over zijn bureau en nam mijn warme hand in de zijne.

Ik vermeed zijn blik en richtte mijn aandacht op het bureau en op een brochure die daar lag. Er stond een man op met grijs haar die een panamabroek droeg en aanstalten maakte om te putten, tegen de achtergrond van een wit strand en een blauwe hemel, in etherische, vloeiende kleuren, in dat droomlandschap van de gepensioneerde, die bloeduitstorting van verlangen. Ik noemde dat soort blauw 'pensioenblauw', het was bijna hemels. Florida was een lanceerplatform naar de vergetelheid.

Sam wreef over zijn slapen. 'Er moeten nog een heleboel dingen in de krant, Ed. Denk je dat je hier tot vanavond laat met mij aan kunt werken?'

Ed knikte.

Ik ging naar Cass High School om de jongens te interviewen, de eentonigheid van alweer een lang seizoen. De jongens hadden als gebruikelijk hun hoofd als in het leger geschoren. De cheerleaders oefenden op de sintelbaan, en telkens als ze hun benen omhoog schopten, gingen de plooien van hun plissérokjes open. Het was een warme dag. Ik wachtte op de tribune. Ed nam een foto van het team en we vertrokken samen. We spraken amper met elkaar. Hij zei alleen: 'Wanneer krijgen we Ronny te zien?'

Ik gaf geen antwoord.

We gingen weer terug naar kantoor. Sam was bezig met de gerechtelijke bekendmakingen, Ed ging naar beneden om zijn foto's te ontwikkelen. Ik maakte het verslag van het team af.

Ed en Sam zaten weer tuna melts en chips te eten aan het bureau toen ik om de hoek keek. Sam zei: 'Ik wou verdomme dat dit allemaal nooit was gebeurd.'

Ik reed naar Eds huis. Op straat stonden enkele auto's geparkeerd. Darlene had het razend druk. Ze was kwaad toen ik de deur van haar salon binnenkwam, maar liet het niet merken en glimlachte naar me. Ik zei: 'Het spijt me dat ik je kom lastigvallen, Darlene, maar mijn haar moet nodig geknipt worden.'

Het hele vertrek viel stil bij mijn binnenkomst, alsof ik de laatste vrouwelijke enclave was binnengedrongen, een bedwelmende wereld van haarlak, parfum, bleekwater, nagellak en kleurshampoo. Het leek wel een giftige vuilnisbelt van het vrouwelijk tekort. Alle vrouwen hielden een tijdschrift in hun hand. Het geschilderde ontsnappingsreisdoel van Hawaï was neergelaten, waardoor een illusie van reizen werd gecreëerd, alsof ze met hun allen op een strook wit strand zaten. Het was onwerkelijk. Op een van de spiegels was een sticker geplakt: 'De vakantie van een uur'. Ik zag in een hoek een klein bloemenaltaar en verdomd als daar niet Gretchen in een mandje lag, herstellend van haar schijnmiskraam.

Darlene zei: 'Als ik jou nou eens in de keuken knip, Bill?'

Ik zei: 'Prima.'

Darlene stelde eerst de apparaten van haar klanten bij. Drie vrouwen zaten naast elkaar onder grote koepelvormige haardrogers, hun hoofden waren onzichtbaar. Ik moest denken aan een buitenaards laboratorium waarin marsmannetjes de geheugens van de aardbewoners leegzogen. Ik vertelde dat die vrouwen, maar ze lachten niet eens. Hun blikken waren vol ongeduld, alsof ik een indringer was.

Darlene nam me mee naar de keuken.

Ik zei: 'Gaat het goed met Gretchen, Darlene?' Ik deed mijn best een beetje belangstelling te tonen.

Darlene zei: 'Ze trekt het zich erg aan.' Ze sprak kortaf, als wilde ze zeggen dat ik me er niet mee moest bemoeien. Darlenes houding was strikt zakelijk. Ze sloeg me een kapmantel om, legde er een handdoek overheen, stopte er vloeipapier tussen en gaf me een tijdschrift, alles zonder een woord, tot ze me vroeg hoe ik mijn haar wilde.

Ik zei: 'Misschien kun je gewoon doen wat jij nodig vindt. Misschien alleen een beetje bijknippen?'

Ik wist niet goed hoe ik het gesprek zo moest sturen dat ik haar ergens van kon beschuldigen, want Darlene draaide met haar grote lijf en een schaar in de hand voortdurend om me heen.

De deurbel ging. Darlene verliet de keuken en kwam even later weer terug. 'Ik moet eerst Melissa installeren, Bill.'

'Prima.'

Ik bladerde een paar nutteloze minuten in het tijdschrift en kreeg een hele mikmak aan kennis voor mijn neus: hoe je ervoor kunt zorgen dat een man je wil, een recept voor Moskovisch gebak met ananas, hoe je meervoudige orgasmen kunt krijgen, hoe je thuis een mengsel van geurige bloemblaadjes en kruiden kunt maken, tien manieren om erachter te komen of een man van je houdt, drie punten die erop wijzen dat een man je bedriegt, en hoe je zelf een zaak kunt beginnen en financieel onafhankelijk kunt worden.

Shit, het leek wel alsof ik de speltactiek van de tegenpartij had ontdekt. Het gaf je een idee van de antagonistische aard van seksualiteit. Diane las af en toe ook dit soort tijdschriften die het perverse gebod hanteerden dat je zowel sexy als slim moest zijn. Deze bladzijden gaven je het gevoel dat de vrouwenbevrijding bezig was iets uit te vechten met sprookjes-Repelsteeltjes in ivoren torens.

De redacteuren hadden op de een of andere manier taal overbodig gemaakt, en niet alleen met foto's. Ze richtten zich ook op onze reukzin, want op verscheidene pagina's zaten parfummonsters, kras- en ruik-plakkers, een staaltje lipgloss als een vochtige wond die door een vorige klant eruit was gescheurd.

Darlene kwam zwaaiend met de schaar weer terug. Ze draaide het volume van de radio omhoog en zette een kookwekker op tafel. 'Ik ben iemands haar aan het verven, Bill. Ik heb haast. Ik knip bijna nooit mannen.' Ze pakte een spuitfles, maakte mijn haar nat en haalde de kam erdoor.

Ik legde het tijdschrift neer en ging in de aanval. Ik zei: 'Waarom heb je ons nooit verteld dat Ronny's vader zijn ex heeft verkracht?'

Darlene ging door met sproeien en kammen. 'Wie zegt dat ik dat wist, Bill?' Ik voelde de tanden van de kam tegen mijn schedel. De radio klonk luid boven onze stemmen uit.

'Kom op, Darlene. Eerst vertel je niet dat je Ronny's ex kende en vervolgens kom ik erachter dat ze jou heeft verteld over alle ellende die ze in het huis van de Lawtons heeft meegemaakt. Ze heeft je verteld dat ze verkracht werd en ze heeft je verteld over de bunker waar zij met Ronny naartoe ging.'

Darlene ging hier niet op in. 'Zijn er nog meer dingen die ik volgens jou heb achtergehouden?'

'Vind jij niet dat je je mond hebt gehouden over een heleboel dingen? Je kunt niet blijven volhouden dat jij hier niks mee te maken hebt, want Ed werkt bij de krant. Je had ons al vanaf het begin kunnen helpen beseffen waarmee we te maken hadden. Natuurlijk vraag ik me af waarom jij besloot niets te zeggen.'

Darlene pakte de spuitfles weer die een sissend geluid maakte boven mijn hoofd. Ze begon mijn haar te knippen. Met haar stevige hand pakte ze mijn kaak beet en draaide mijn hoofd naar links. Ik verwachtte dat ze iets terug zou zeggen, maar ze zei alleen: 'Wil je je haar boven je oren of niet?'

'Knip het maar niet te kort. Laat het maar over mijn oren vallen.'

Jezus, ik had haar helemaal niet mijn haar moeten laten knippen. Ze zei: 'Je haar staat overeind, Bill, precies op de kruin, wist je dat? En bij de wortels zie ik wat grijs. Worden ze in jouw familie vroeg grijs, Bill?'

Ik hield mijn hoofd stil en zei alleen: 'Jij weet blijkbaar ontzettend veel over de relatie tussen Ronny en zijn ex, en toch besloot je er niets over te zeggen. Ik heb voor mezelf de mensen op een rijtje gezet die van de bunker wisten: jij, ik, Ronny en zijn ex, en Karl misschien, maar dat is het wel.' Ik zweeg en aarzelde even of ik zou dreigen, maar ten slotte zei ik: 'Ik ben best in staat om je te laten oproepen voor een verhoor, Darlene. Ik weet dat je Karl hebt gesproken toen je die "autodiefstal" voor hem deed.'

Darlene zei effen: 'God, jij begrijpt ook niets van justitie. Geen wonder, Bill, dat het je niet lukt om rechten te studeren, met zo'n logica.'

Ed had kennelijk over mij gepraat. Ze lachten me achter mijn rug uit.

Darlene hield haar brede geverfde gezicht vlak voor het mijne, kamde mijn haar naar voren en begon te knippen.

Ik werd nerveus, vooral over mijn haar. Er lag een hoop op de grond. 'Ik wil alleen maar een beetje worden bijgeknipt, Darlene. Het haar moet over mijn voorhoofd vallen. Je mag het niet te kort knippen, hoor je me?'

Darlene deed poeslief. 'Bill, het zit zo. Ik hoor zoveel in deze branche, dat gaat gewoon het ene oor in en het andere weer uit. Het is een beroepsrisico dat mensen je van alles vertellen. Daarom houd ik me aan een regel, een simpele regel: ik vertel nooit door wat ik hier hoor, want als je het vertrouwen van je klanten verliest, red je het niet in dit werk.' Ze zweeg even en zei toen streng: 'Het is hier net zo heilig als in de biechtstoel, Bill. Ik ben gewoon hetzelfde als een katholieke priester, als je erbij stilstaat.'

Ik voelde me op die keukenstoel steeds nerveuzer worden, ik vreesde dat de zaken me ontglipten. De kookwekker gaf met zijn gestage geklik nog drie minuten aan. Ik kon niet precies zeggen wat ik dacht, ik had het idee dat Darlene misschien op een bepaalde manier iets tegen Karl had losgelaten over het feit dat Ronny's ex het huis niet zou krijgen als de zaken niet op de een of andere manier geregeld werden... Verder kwam ik niet. Het was allemaal onzin, giswerk, ongegrond.

Darlene pakte de haardroger en begon mijn haar in model te föhnen, maar ze blies het alle kanten op. Ik kreeg niet eens te zien hoe het was geworden. Ze strooide talkpoeder in mijn nek. Met een zwaai als van een stierenvechter trok ze de kapmantel van me af en schudde die uit. Ten slotte zei ze: 'Wil jij echt aan iedereen vertellen dat Teri's kind een bastaard is? Wil je dat het kind als het opgroeit weet dat zijn moeder door haar schoonvader werd verkracht?'

Ik gaf geen antwoord. De kookwekker ging af.

Darlene liep de gang door. Ik bleef achter om haar te betalen. Ik hoorde Darlene druk praten in de salon en ze hadden daarbinnen een geweldige lol.

Darlene kwam de salon weer uit. Ik vermoedde dat ze had nagedacht. Ze keek me aan. 'Jij snapt ook werkelijk niets van het leven, hè?'

Ik staarde haar alleen maar met een lege blik aan.

'Jij gebruikt Teri nu op dezelfde manier als Ronny en Ronny's vader en Karl en al die anderen. Karl heeft al een andere vriendin, weet je, hij wil niets met Teri en haar kind te maken hebben. Teri houdt hier helemaal niets aan over, niets.'

Ze keek op een griezelige manier dwars door me heen, alsof ze me haatte omdat ik een man was.

Ze duwde me naar de deur toe. 'Weet jij hoe het is om verkracht te worden, Bill, weet je wat dat met Teri gedaan heeft? Ik was er voor haar. Wij waren er allemaal voor haar.' Misschien werd ik me op datzelfde moment bewust van de aanwezigheid van de vrouwen die naar Darlene luisterden. 'De vrouwen uit deze buurt wisten wat er met Teri was gebeurd, wat haar was aangedaan.'

Ik zweer bij God dat ik me bedreigd voelde door dat groepje middelbare vrouwen, door de manier waarop ze me daar in de keuken aanstaarden. Darlene had nog steeds de schaar in haar hand. Ik dacht: Jezus, misschien vermoorden ze me wel. Het kwam door de manier waarop ze daar bij elkaar zaten dat ik aan een samenzwering moest denken. Jezus, vermoord door een verdomde schoonheidsspecialiste en haar trawanten.

Darlene drukte haar massieve lijf tegen me aan. 'Wat daar is gebeurd is heel simpel, Bill. Ronny heeft zijn vader in mootjes gehakt. Ze waren altijd aan het drinken en ruzie aan het maken. Zo is het gegaan. Het werd pas ingewikkeld toen jij met die brief op de proppen kwam en Ronny door jouw toedoen een mythe voor zichzelf kon creëren. Dankzij jouw steun durfde Ronny te ontkennen wat hij had gedaan. Jij bood hem een manier om bijzonder te zijn, om de woede te uiten die hij diep vanbinnen voelde. Ja, zo zit het, Bill, Ronny is jouw creatie.' Darlene keek me aan. 'Als je ook maar met één woord over mij tegen Ed of wie dan ook rept, zul je daar spijt van krijgen, Bill. Je laat Ed met rust, hoor je me?'

Pas toen ik in de auto zat en in de achteruitkijkspiegel keek, zag ik wat Darlene met me had uitgespookt. Uit een soort wraak had ze me vreselijk toegetakeld, mijn haar was lukraak geknipt, maar op dat moment was ik dolblij dat ik daar levend vandaan was gekomen.

Thuis ben ik de hele avond in de weer geweest om mijn haar bij te knippen en te fatsoeneren.

De volgende dag schreef ik weer een speciaal artikel, dit keer over een team in Carlyle. Ed kwam binnen maar zei niets over mij en Darlene. Hij wierp wel een verbijsterde blik op mijn haar, waarschijnlijk dacht hij dat ik het zelf had geknipt. Darlene had dus niets gezegd. Ik trok hieruit een conclusie. Er was in die schoonheidssalon een duurzame wet van kracht, een soort overgeleverd rechtssysteem.

Sam zat aan zijn bureau flink in te nemen. Het eerste wat hij zei was: 'Heb je van een maaimachine verloren?' En toen barstte hij in lachen uit.

Ik gaf geen antwoord. Ik legde het verhaal op zijn bureau.

Sam las het niet eens. Hij zei: 'Laten we het maar drukken.'

Sam was erg nerveus. Hij tikte met zijn nagels op het werkblad, keek me eerst niet aan, schudde zijn hoofd even en keek toen weer naar mij. 'Dat kapsel maakt je niet bepaald knapper, Bill...'

Toen ik me omdraaide om weg te lopen, zei hij: 'Bill. Vanavond hebben we een etentje met die vent van het krantenconcern. Ik denk dat vanavond alles in kannen en kruiken komt.'

Ik zei: 'Hoe lang duurt het dan nog voor alles geregeld is?'

'Dat weet ik niet. Binnenkort.' Sam keek me aan. 'Je hebt goed werk gedaan, Bill. Ik wil dat je dat beseft. Je probeerde iets en dat... Nou ja, dat...' Hij brak de zin af die hij had willen zeggen.

Ik ging aan mijn bureau zitten. Ed ging naar beneden om de foto te ontwikkelen en kwam weer terug. Ik schreef een krachtige verdediging van de persvrijheid en vermeldde hoe ik door de FBI onder handen was genomen.

Ik ging weer naar Sam en zei: 'Wist je dat Darlene al die tijd van de bunker afwist, Sam? Ronny's ex had haar daarover verteld. Al die vrouwen die bij haar komen wisten het. Er is daar iets vreemds aan de hand. Ik zweer het bij God, Sam.'

Sam keek me alleen maar aan. 'Ik wil dat je hier onmiddellijk mee ophoudt, Bill. Voor je eigen bestwil – zet jezelf niet voor schut.'

Ed kwam binnen en ik zei verder niets meer.

Sam maakte zijn werk af zonder nog een woord te zeggen, en vertrok met Ed.

Ik bleef achter. Ik had er de pest over in dat ze me als een krankzinnige behandelden, als de zondebok in deze geschiedenis.

Ik stortte me op Sams whisky. We hadden een kleine koelkast op kantoor, een van ons, natuurlijk. Ik haalde er een zak met fijngestampt ijs uit en deed mijn best zo snel mogelijk dronken te worden.

Ik nam het ijs en de whisky mee naar de auto. Op de binnenkant van de portieren zaten ronde houders, de laatste hippe accessoires voor dit model. De auto was gemaakt met die Amerikaanse bluf van brutale macht en grootheid, de immateriële zaken die we als natie waren kwijtgeraakt. Ik plaatste het glas in de houder en reed de weg op. Ik ging naar de bunker. Er stond een generator en de lampen creëerden een sfeer als van een sportveld bij avond. Er hing een groepje jongeren rond. Ik keek vanaf een afstand toe, hoorde ze jouwen en lachen, het rook er naar wiet.

Ik reed door naar Ronny's ex, liet het licht van mijn koplampen over het lange pad naar de caravan schijnen en het duister verjagen, maar er kwam niemand naar buiten. Ik was al behoorlijk aangeschoten. Ik reed een eindje verder en zag in het licht van de autolampen dat het joch me aankeek door het raampje van de caravan. Hij hield zich doodstil. Dat maakte me bloednerveus. Heel langzaam reed ik in de achteruit weer weg.

Ik ging naar de Osco, belde vanuit een telefooncel. Ronny's ex had vanavond vrij. Ik hing op.

In mijn andere hand hield ik het glas. Ik stapte weer in en reed naar het chique restaurant waar Sam, Ed en Darlene met die vent van de krant zaten te eten. Ik zag Sams auto voor het restaurant staan en ontdekte Eds auto achter het gebouw. Shit, mijn hoofd tolde. Ik zag ze met z'n allen aan een tafel zitten. Sam lachte zich een ongeluk. De vent die ons misschien wilde uitkopen was hoogstens een paar jaar ouder dan ik. Hij droeg een geruit jasje en een rode broek, zijn haar zat keurig, het leek wel een verdomde makelaar. Ik was er pijnlijk door getroffen, werd weer met mijn neus op mijn eigen tekortkomingen gedrukt.

Ik reed langs Eds huis en daar stond al een bord TE KOOP op het gazon. Ze lieten geen gras groeien over de exodus. Ik verschafte me toegang tot Darlenes salon, ik had Ed een keer horen zeggen waar hij een reservesleutel bewaarde. Ik liep de fantasiewereld binnen en snoof de rozengeur op, wat me weer op idiote gedachten bracht. Ik trok een reliëfkaart van het strand op Hawaï omlaag en ging in de nepsfeer van haar droomwereld staan, nam plaats voor Eds camera, trok aan het koordje van de sluiter en maakte een serie polaroids van mezelf, grimassen trekkend op het nepstrand. Bij het weggaan deed ik het licht niet uit en ik liet een paar polaroids achter zodat ze konden zien dat ik er was geweest. Ik liet een bepaalde ambivalentie achter, een visitekaartje waarop stond dat ik geloofde dat het hier niet helemaal pluis was.

Die avond doorkruiste ik de hele stad in mijn geweldige auto. Ik stopte bij Kentucky Fried Chicken en kocht een kipmaaltijd waar een kinderspeelgoedje bij zat. Daarna kocht ik nog een fles whisky en een zak met ijs en toen reed ik weer naar de caravan van Ronny's ex, maar daar was nog steeds niemand, alleen het joch. Zijn hoofd dook als een kleine maan op tegen de donkere achtergrond. Ik parkeerde de auto, haalde hem uit de caravan en gaf hem te eten. Ik zette hem achterin, want dat herinnerde hij zich van mij: de auto.

Ik hoopte dat Karl en zij kwamen opdagen, maar dat gebeurde niet. Het kind had razende honger. Ik scheurde de kip in reepjes en legde die voor hem op het bordje met Goofy's kop erop. Het joch schrokte de kip gulzig naar binnen. Ik had ook een kuipje aardappelpuree meegebracht. Hij schopte met zijn korte beentjes van opwinding en zijn warme handjes grepen zowel mij als de lepel vast. Ik vond het leuk hem zo te zien eten. Het was alsof dit kleine juweel vol leven in weerwil van alle flauwekul bestond. En toch, dacht ik, had dit kind het in zijn genen om op een dag mensen te vermoorden, om een overval op een winkel te plegen, om het leven tot een hel te maken. Ik zei tegen hem: 'Zo ben jij toch niet?' Het joch maakte babygeluidjes. Hij wilde nog meer eten.

Ik schonk weer whisky in het glas en vulde het bij met ijs. Bliksemschichten flitsten door de lucht en er klonk een dof gerommel. Ik wist dat het heel hard zou gaan plenzen. Ik stopte het joch weer in zijn kooi; drukte een kus op het zachte plekje boven op zijn hoofd en gaf hem het speelgoedje. Het was een opwindkip. Ik liet het ding door zijn bedje lopen en sloot hem op. Ik was nog niet helemaal thuis toen het begon te regenen.

Ik werd de volgende ochtend wakker van de telefoon: het was Sam, die me feliciteerde met mijn standpunt over het recht om mijn bronnen te beschermen. Dat had ik niet met zoveel woorden gezegd in het artikel, maar Sam had zich een paar vrijheden veroorloofd en het doen voorkomen alsof ik wel degelijk wist waar Ronny zich schuilhield maar dat niet wilde onthullen. Ik bracht de dag thuis door zonder een klap uit te voeren.

Mijn herhalingsoptreden op het Lakeview Junior College zou later die avond plaatsvinden.

Ik was opnieuw de levenslijn in het Ronny Lawton-verhaal, men verwachtte dat ik de verblijfplaats van Ronny Lawton zou onthullen. Dat had Sam ook nog in de krant gezet. Hij had me niet met name genoemd, hij noemde me 'de bron'.

Ik ging me weer in de YMCA verschuilen. Ik werd zo langzamerhand een godvergeten krab die op de bodem van het zwembad rondkroop. Ik wil maar zeggen, er was daar niets te halen, geen verdomde herinnering aan het geluk als foetus of waarnaar ik in godsnaam ook op zoek was, kwam boven. Maar ik bleef minutenlang onder water, rolde me op en sloot mijn ogen. Daarna rees ik weer omhoog naar het universum waar men lucht inademde en maakte me zo snel mogelijk uit de voeten. De conciërge stond naar me te kijken. 'Ben je iets kwijt, Bill?'

'Alleen mijn verstand, Tom.'

Hij zei: 'O, meer niet?'

Voor mijn optreden op het Lakeview Junior College begon ik weer flink in te nemen verderop in mijn straat, in een van die verlopen bars die de hele nacht open zijn, waar het licht gedimd is en vrouwen in lingerie als vermoeide katten op een podium rondlopen. Het was pas half acht en ik was al stomdronken. Ik zat met Gloria te praten, een vrouw in een G-string en met koordjes aan haar grote tepels, en bestelde dure drankjes voor haar. Ze had dikke benen en een buik, je kon zien dat ze meerdere kinderen had gebaard. Haar huid deed denken aan vochtig deeg, haar lippen zagen eruit alsof ze opgebruikt waren, los in het vel en nutteloos. Maar ja, dat is wat je daar kreeg, het afval van het menselijk bestaan. Ik zette voor Gloria de grondbeginselen uiteen van de overeenkomst tussen het verschijnsel roodverschuiving, de theorie van het uitdijende universum en de huidige staat van de postindustrialisatie met zijn opkomst van nichemarkten. Ik weidde uit over een morele theorie van relativiteit, niet enkel wiskundig, waarin alles de overhand kan krijgen zolang het maar winst opleverde. Ik zei tegen haar: 'Onze verlichte eeuw is echt niet voortgekomen uit een maatschappelijk geweten, nee, de maatschappelijke bevrijding van vrouwen, zwarten en homo's is uiteindelijk alleen een kwestie van economisch opportunisme. Dat begrijp je zeker wel?' Ik pakte haar bij haar slappe arm. 'Chaos kan worden gezien als het vervullen of bekrachtigen van een politieke agenda. Dat snap je toch wel, Gloria?'

Ze zei dat ze me buiten voor twintig dollar zou pijpen, als ik dat wilde. Haar glas was leeg en ze wilde dat ik meer drank voor haar bestelde, dat waren de huisregels. Een zwarte vent die Elmo heette en een leren jas droeg, kwam naar ons toe en zei dat ik me gedeisd moest houden. Hij had een paarse veer in zijn hoed en gouden ringen aan zijn zwarte vingers. Ik dokte opnieuw tien dollar en een al even sjofel wezen in netkousen zette twee bruingekleurde drankjes voor ons neer. Ik kon de zware drank in Gloria's adem ruiken. Een stroboscooplicht draaide rond aan het donkere plafond. Ik had het tragische gevoel dat het mijn noodlot was om op een dag zelfmoord te plegen. De herinnering aan mijn vader lag altijd op de loer als een uiteindelijke, trage oplossing, een manier om aan alles een eind te maken.

Ik stond op en belde naar Osco. Een man zei dat ze niet op haar werk was verschenen. Ik wilde wel naar haar caravan rijden maar was veel te dronken en ik moest trouwens naar de universiteit om mijn praatje te houden.

Op het toneel verscheen een andere vrouw van middelbare leeftijd die samensmolt met het lome ritme van de muziek en het rode licht. Ik schoof weer naast Gloria. Ze wilde nog een drankje. Ik bestelde er twee. Ik zei: 'Luister, dit is belangrijk, Gloria.' Ik leunde tegen haar warme lichaam en verklaarde: 'Onze voorouders kwamen hier op zoek naar land. Ze waren pioniers die iets wilden bereiken. Ze trokken verder tot ze nieuw land hadden gevonden. Maar nu, begrijp je, is er geen nieuw land meer en daarom houden we ons tegenwoordig bezig met ons lichaam, en maken dat groot. Je hebt *Rocky* zeker wel gezien?'

Gloria fluisterde: 'Je bent gek.' Ze probeerde haar arm terug te trekken, maar ik hield hem stevig vast.

Ik begon mijn standaardriedel af te steken. 'Nee, dat ben ik niet, Gloria. Stallone heeft gebruikgemaakt van de realiteit van de postindustrialisatie, van de dimensie die we "persoonlijke groei" noemen. Hij is begonnen zijn aandacht te richten op het domein van het ego, zijn persoonlijke ruimte. Hij heeft het verlies van nieuw land gesublimeerd met een persoonlijke inspanning om zichzelf groter te maken, om uit te dijen, de nieuwe kolonisatie van verlangen, en reisde naar het binnenste van ons bewustzijn. Je begrijpt wel waar ik naartoe wil, hè? Hij heeft zijn lichaam met littekens bedekt, zijn borstspieren gescheurd tot er striae op zaten, in een poging uit zijn huid te groeien.' Ik beefde door alle drank en klampte me aan Gloria's warme arm vast. 'Begrijp je?'

Gloria glimlachte en hield haar tieten voor mijn gezicht. 'Zoals je je je tieten laat vergroten?'

Ik zei: 'Precies.' Het was een van die zeldzame ogenblikken van plotse revelatie waarop ik het gewone volk wist te bereiken en tot inzicht bracht. Ik zat stil in de rode gloed van het licht, dronk mijn glas leeg en ging naar buiten om in de persoonlijke ruimte van Gloria's mond uit te dijen.

Een ogenblik later was ik al op weg naar het Lakeview Junior College, nog steeds stomdronken. Ik schuifelde het gebouw binnen. Ik had een oud exemplaar van Steinbecks *De druiven der gramschap* meegebracht en begon voor te lezen: 'En toen trokken de ontheemden naar het westen – vanuit Kansas, Oklahoma, Texas, New Mexico; vanuit Nevada en Arkansas, gezinnen, stammen, onder het stof, gezeten op tractoren, trokken ze erheen. Auto's volgeladen, caravans, daklozen en hongerigen; twintigduizend en vijftigduizend en honderdduizend en tweehonderdduizend. Ze stroomden over de bergen, hongerig en rusteloos – rusteloze mieren, haastig op zoek naar werk – om te tillen, te duwen, te trekken, te plukken, te hakken – wat dan ook, om alle lasten te dragen, in ruil voor voedsel. De kinderen hebben honger. We hebben geen plek om te wonen. Als mieren die haastig op zoek zijn naar werk, naar voedsel, maar vooral naar land.' Ik keek op en riep: 'Hebben jullie ook niet dat heroïsche gevoel van verlies dat Steinbeck had, die gemeenschappelijke solidariteit van wat we eens waren als natie?' Het was alsof ik tegen het middelpunt van een maalstroom in een zwart gat sprak. Ik zocht mijn toevlucht tot mijn korte gevatte uitspraken. 'Onze auto's worden kleiner maar wij worden groter. Is dat niet bezopen?' Ik sprak over de secularisatie van het gewijde woord 'massa'. Massa betekende tegenwoordig macht, een fysieke kracht. Maar helaas, ik raakte die lui in het auditorium in rap tempo kwijt. Ik was per ongeluk in een doodlopende straat beland nog voor ik goed en wel was begonnen. Ik schreeuwde: 'Deze stad zit diep in de stront, vrienden. De belangrijkste industrie van onze stad is vervangen door die verdomde Cabbage Patch Kid, die lappenpop, het eerste surrogaatkind van het postindustriële tijdperk dat met een wettig geboortebewijs in ons midden is verschenen. Vrienden, het is geen speelgoed. Het is een spirituele placebo voor een volk dat aan de pil is.' Het volgende ogenblik gooide ik het spreekgestoelte omver, smeet een kan met water aan diggelen en stond langzaam en drijfnat weer op.

Ik zag dat decaan Holton naar me stond te kijken. Ik keek naar hem over een zee van hoofden. 'Begrijpen jullie dit?' Ik voelde me duizelig worden en kreeg een gevoel alsof er een valluik in mijn maag zat. 'Luister, stomkoppen, we bevinden ons nu niet alleen binnen een wiskundige relativiteitstheorie, maar ook binnen een maatschappelijke, politieke en morele relativiteitstheorie.'

Ik stond te beven op het podium, ik was ladderzat. Ik schreeuwde: 'Ik wil met jullie iets delen over betekenis en interpretatie, over de dood van onze taal.' Decaan Holton deed achter het toneel pogingen me te laten stoppen. Ik zei: 'Luister naar me, stelletje zeikerds!' En zo kwam ik op dreef. 'Een wetenschapper doet een experiment met een kikker,' zei ik. 'Begrijp je? Oké, dus die wetenschapper begint met de kikker en zegt: "Spring, kikker," en de kikker springt anderhalve meter. Daarna snijdt de wetenschapper een van de poten van de kikker eraf en zegt: "Spring, kikker," en de driepotige kikker springt een meter, daarna snijdt de wetenschapper er weer een poot af en zegt: "Spring, kikker," en de tweepotige kikker springt zestig centimeter en zo gaat het verder tot de wetenschapper alle poten van de kikker eraf heeft gesneden. Dan zegt de wetenschapper: "Spring kikker," en de kikker doet niets, hij trilt alleen maar. De wetenschapper heeft nu zijn gegevens en schrijft zijn verslag, en na wat over de gegevens te hebben nagedacht verkondigt hij de wereld: "Kikkers zonder poten zijn doof."'

Ik riep met luide stem: 'Begrijpen jullie waar ik heen wil, zeikerds? Zie je de ironie?' Er kwam geen reactie, helemaal niets! Achter de lessenaar hing een schoolbord. Ik zei: 'En dit dan,' en ik schreef haastig een zin op.

De vrouw de man is niets

Ik riep tegen ze: 'Zetten jullie het woordje "zonder" hier maar eens bij!', maar ik gaf die analfabeten natuurlijk geen kans. Ik riep: 'Kunnen jullie het daarginds zien?' Decaan Holton kwam op me af om me van het podium te geleiden, maar ik riep: 'Ik wil dit ene vraagstuk afmaken, decaan. Laat me dat alsjeblieft nog doen!' Ik wendde me weer tot het donkere auditorium. Ik riep: 'Deze zin bevat de vergelijking van de seksen, de symbolisering van seksebewustzijn,' wat natuurlijk geen barst voorstelde voor mijn publiek en daarom pakte ik het krijtje en begon het woordje 'zonder' in te voegen en ik zei: 'Dit is wat een man van deze zin maakt:'

De vrouw zonder de man is niets.

'Dit is wat een vrouw ervan maakt:'

Zonder de vrouw de man is niets.

Ik zei: 'Hier heb je de meervoudigheid van interpretatie waardoor betekenis onzinnig en uiterst subjectief wordt, en uiteindelijk waardeloos. Jezus, kan ik het nog eenvoudiger zeggen?'

Decaan Holton greep mijn arm vast. Ik riep: 'Zijn er nog vragen?'

Iemand met een Ronny Lawton-masker op sprong op en riep: 'Is het waar dat Ronny Lawtons pik vijfentwintig centimeter lang is?'

Ik zei: 'Ja,' en gaf over in een prullenmand.

Het was gedurende die episode, tijdens wat ik beschouw als mijn 'verhandeling over taal', dat Ronny Lawton besloot zijn ex-vrouw en zijn zoontje als gijzelaars naar zijn huis over te brengen, en daarmee een laatste, levensbedreigende verdedigingsstelling in te nemen. Natuurlijk was niemand hiervan op de hoogte tot Ronny de volgende middag tijdens de eerste voetbalwedstrijd van het seizoen eiste dat er Dunkin' Donuts en koffie bij zijn huis werden bezorgd.

15

Toen ik de volgende dag wakker werd was een deel van de middag al vol schaduwen over onze stad getrokken, als een groot grijs gevaarte, een soort leeggelopen zeppelin, laag hangend en een rommelend geluid voortbrengend. Ik liep de trap op naar de keuken en dronk een glas koud water. Mijn hoofd was in tweeën gespleten. De vloer voelde koud onder mijn voeten. De drank en vermoeidheid bezorgden me rillingen, net als het beschamende gevoel over mijn gedrag van de vorige avond. In de badkamerspiegel had mijn gezicht de kleur van groene kaas, ik zag eruit als een lijk. Weer rilde ik van ontzetting en onvrede, omdat ik opnieuw een dag tegemoet kon zien die ik in nutteloze besluiteloosheid zou doorbrengen. In mijn achterhoofd wist ik dat Ronny Lawton, de marginale gestalte van ronddolende wraakneming, zich op deze naargeestige middag ergens daarginds bevond, waar hij met een hoog toerental in zijn Mustang over de wegen scheurde, agressief en verlangend naar een definitieve confrontatie.

Ik kwam langs het antwoordapparaat dat stond te knipperen, waarschijnlijk een bericht van Sam over de situatie op *de Waarheid.* Ik liep naar de achterveranda. Oeroude iepen wuifden in de koele wind, de zomer werd verdrongen door de convectiestromingen, de adem van een ijstijd in het noorden. Ik herinnerde me dat dit jaren geleden de moeilijkste tijd van het jaar was om in het zwembad te trainen, dat ik me misselijk voelde en niet in beweging wilde komen maar opgerold in bed wilde blijven, en dat mijn vader dan een hand op mijn schouder legde en me sinaasappelsap bracht, waarna ik toch moest opstaan in de kou. Mijn grootvader was al op en zat het kruiswoordraadsel in de *New York Times* te maken, vulde de lege kolommen in, vond betekenissen, ontcijferde gegevens, verbond woorden met elkaar, bouwde een matrix op van absolute logica met het woordenboek in de hand, en bevestigde zo het belang van orde. Iedere ochtend liep ik langs hem, op weg naar het glinsterende laagje rijp op de grond en de vochtigheid die in mijn schouders drong. De betonkleurige lucht hing laag en zwaar, mijn vaders koplampen drongen door de ochtendmist terwijl hij rustig verder reed en de wereld nog sliep. We luisterden naar het vroege ochtendnieuws over Vietnam, de demonstranten en de voortwoedende oorlog, over Nixons gedwongen aftreding en de dagelijkse dingen, zoals cijfers van de termijnmarkt voor varkens en graan in Chicago, de honkbaluitslagen van de avond tevoren. Mijn vader sprak weinig, dronk zijn koffie, schoor zich met een scheerapparaat dat op batterijen liep, zijn kaak sloeg van vermoeidheid dicht, hij gaapte, zijn ogen stonden glazig van de hele nacht drinken, de zoete geur van whisky en aftershave hing nog in de auto. Hij reed langs onze fabriek, in het flauwe licht van de lampen was de donkere geometrie van ijzeren stellages te zien. Er hing een sulferlucht, je hoorde het kabaal, het open vuur van de ovens dat versmolt met de grijze ochtendlucht, goederenwagons die werden gerangeerd en gekoppeld op de rails, klaar om door het land te rijden om ons kleine diepvriesuniversum, onze nalatenschap, van diep in het hart van Amerika naar het westen en oosten te vervoeren. Wij waren de nazaten van een man die een heel continent was doorgestoken op weg naar vrijheid en onafhankelijkheid, een man die met overtuiging sprak over de stem in zijn hoofd, de stem die hem opdroeg om dit te doen en dat te doen, de schizofrenie van een rondtrekkende immigrant. Ik heb me dikwijls afgevraagd hoe die stem geklonken moet hebben, die geheimzinnige helderziendheid die een miljonair van hem heeft gemaakt, zijn ware ik, dat hij verborgen hield onder het harde leer van zijn verschrikkelijke gezicht. Mijn hoofd was gevuld met de eeuwigheid van ochtendritten, de plechtige reis door de geschiedenis, onze dagelijkse pelgrimstocht, door die epische droom aan de andere kant van het autoraampje, de enorme productiemiddelen die ronkten en produceerden. Ik was me daar toentertijd terdege van bewust als ik 's ochtends opstond voor een strak trainingsschema, was me bewust van de waakzaamheid en soberheid die ik kreeg opgelegd door middel van sport, en dat ik moest leren om mijn eigen genoegens opzij te zetten ter wille van de teamgeest en de eenheid, om bewust praktisch te zijn in de wetenschap dat mijn grootvader thuis de waarheid van logica en het absolute staafde met zijn ochtendpuzzel; en dan heb ik het nog niet eens over zijn fascinatie met de kubus van Rubik, zijn zuinige glimlach omdat hij wist dat hij het spel meester was terwijl zijn handen hun magie verrichtten en de oplossing tevoorschijn toverden. Zijn voornaamste kunstje bestond eruit dat hij nauwelijks naar de kubus hoefde te kijken. Het pad van logica en oplossing lag in hem verankerd. De oplossing van de kubus was de uiterlijke manifestatie van een compleet geloofssysteem.

Ik maakte in die tijd deel uit van een zwijgende elite die de beschutting van de slaap afwierp en de uitdaging van dit gecodeerde bestaan aanging. Mijn vader zette me af voor de zijingang van het zwembad en verdween, binnen hing een doordringende chloorlucht, een klinische laboratoriumgeur, de reuzenkieuwen van het ventilatiesysteem van het zwembad trilden, we douchten in de gemeenschappelijke ruimte, naakt en koud, en rilden voor we in het zwembad sprongen voor de dagelijkse onderdompeling in een koud bewustzijn. Nu verlangde ik naar die strakke controle, naar het scrupuleuze gezag, de duurzame discipline, de vastgelegde routine: 'De morgenstond heeft goud in de mond.'

Ik kneep mijn vermoeide ogen dicht en gaapte. Verderop krijsten de dieren in de dierentuin. Ik dacht aan hen. Binnenkort zouden ze voor de winter worden binnengebracht en opgesloten in betonnen hokjes, prijsgegeven aan het duister van onze ijskoude winters. Het was vreselijk om de schrille droefheid te horen van deze schepsels zonder doel, het hol weergalmende gekrijs van gevangenschap gedurende de wekenlange sneeuwstormen en temperaturen onder nul. Het was vreemd, maar er bestonden landen waar het precies zo toeging en wij maakten steeds sneller deel uit van die gesublimeerde schreeuw, van een lange gevangenschap.

Ik liep weer naar binnen, ging zitten en sloot mijn ogen, voelde de bijziende vermoeidheid achter alles wat ik deed. Het is moeilijk een begin te maken met veranderen; goed nadenken, een plan verzinnen, vereist al een bepaalde discipline, een flinke inspanning. Ik bewoog me voort als iets wat uit zijn schelp was gehaald. In mijn hoofd het verschroeiende duister, de angst en het gevoel van verlies, de verwarde, onsamenhangende geschiedenis en het verlangen te ontsnappen. De saaie dagen op kantoor waar ik gerechtelijke bekendmakingen uittypte, de avonden verspild aan woordpuzzels, verspild aan absolute logica, mijn smekende telefoontjes naar Diane, het weer in elkaar zetten van de brief hier thuis, Sam en Ed die langskwamen, hun treurige behoefte om aan het eind van hun leven een kleine enclave van geluk te vinden, het hoofd in de bunker, de vluchten naar Ronny's ex, toen ik haar in mijn armen hield, de onzekerheid van de eenzaamheid ontvluchtte, Ronny's zoontje, gevangen in zijn kooi, de herinnering aan het verhoor, de reële angst dat ik op de een of andere manier beschuldigd zou worden van betrokkenheid bij de verdwijning van Ronny's vader, de vorige avond en de schimmige nabootsing van mijn vaders eind: met een prostituee in een steeg het duister aftastend. Ten slotte kwam ik weer uit bij het moment van mijn vaders dood en ik rook voorzichtig aan de verleidelijke suggestie en de onvermijdelijkheid die daarvan uitging.

Ik voelde dat, als zo dikwijls, de herinnering aan die laatste dag de kop weer opstak, de dag waarop mijn vader op de benedenverdieping Jones afmaakte, een kus op Jones' kop drukte, hem tussen zijn neerhangende hondenoren krabde om zijn schuldgevoel te verzachten, de hond een leugen vertelde en toestond dat het dier met zijn warme tong zijn gezicht likte, weer naar binnen ging, in de keuken wachtte, ijs door zijn whisky roerde, op de wandklok keek, weer naar buiten ging en de arme Jones uit bek en anus zag bloeden. Een duistere opeenvolging van handelingen, de camera keek over zijn schouder mee. Zo zag ik het zich in mijn verbeelding ontvouwen: hij liep weer terug naar boven, waar hij somber en aanhoudend diep in de keel van zijn vriendin stootte, haar gedweeë acceptatie, het slurpende kokhalzen, het terugtrekken, de droevige ontlading en kalmte, zij in de badkamer verdwijnend en hij met zijn mond open, de geleidelijke overtuiging, de onvermijdelijkheid, het brandgaatje door het hete vuurwapen.

Ik bezielde zijn dood met de sponsachtige kracht van de rubberen bal waarin ik beet toen ze mijn lichaam in de psychiatrische inrichting oplaadden met elektriciteit en ik metaal proefde. Ik verlangde daar weer hevig naar, naar dat verblindend uitwissen door een schokkerige ontlading, naar het geheugenverlies, het zoemen van de trillende stilte toen ik op de veranda van de inrichting in het warme licht zat, terwijl ik me eigenlijk had moeten voorbereiden op de examens aan de universiteit. In die ervaring in het kielzog van mijn vaders dood vond ik troost toen ik me buiten het domein van het normale leven begaf, me willoos schuilhield voor de wereld.

Boven klopte de wond, een draaikolk van waarneembaar duister, het middelpunt waarin het besluit was genomen, de omvang van mijn vaders leven gereduceerd tot een kogel, angst geslepen tot dat ene beslissende eind. Hij ging de dood in door het oog van een naald. In mijn dromen trok ik de pleister eraf en ging die donkere spoel met herinneringen binnen. Daar had hij zich verstopt. Die overzeese reizen aan het eind van zijn leven hadden hem de das omgedaan, de voortdurende nachtmerrie van een roofzuchtige industrie die in dampende oerwouden te veel transacties uitvoerde, het overmatige leven gedurende de lange nachten, drinkend, etend en neukend, deals sluitend met milities, omhuld door de smerigheid en de lome hitte van een verre wereld, een kolonie vrouwen met gespreide benen, voortplantingsmachines voor een nieuw leger goedkope arbeidskrachten.

Daarover praatte hij op het laatst, toen hij weer thuis was, dan sprak hij met me over het middelpunt van het duister, belde me 's avonds laat op de universiteit, wilde dat ik begreep wat zich daarginds bevond, wat hij had gezien. Ik kon niets anders doen dan mijn ogen sluiten en luisteren, opgerold op mijn stapelbed, mijn drie kamergenoten sliepen al, ik zei niets, hoorde hem alleen maar aan tot hij uitgeput was, het ijs rinkelde in zijn glas, zijn adem hijgde als van een alcoholist, en dan volgde er het onontkoombare en abrupte einde aan het gesprek, maar soms viel er een doodse stilte, dan was hij in slaap gevallen met de verbinding nog open en hoorde ik de doffe ruis van zijn sonore ademhaling. Dan klemde ik de telefoon tegen mijn borst, trok mijn benen op en hield de hoorn vast alsof het een kostbaar bot was, iets heiligs – mijn vader die tegen mijn borst ademde. Misschien ben ik nooit dichter bij hem geweest dan op die momenten.

Op een avond toen hij stomdronken was zei hij tegen me: 'Veel mensen lopen de waarheid toevallig tegen het lijf, maar de meesten komen er weer bovenop en kunnen doorleven alsof er niets is gebeurd. Maar zo ben ik niet, Bill.' Hij citeerde beroemde mensen, hij las en onderstreepte passages in boeken. Dat ontdekte ik later, toen ik zijn spullen uitzocht. Ik vond een van die onderstreepte passages die hij tegen het eind voor mij had geciteerd, van Dostojevski: 'Ieder mens heeft herinneringen die hij niet aan iedereen zou vertellen, alleen aan zijn vrienden. Hij heeft er ook die hij zelfs niet aan zijn vrienden zou vertellen, alleen aan zichzelf, en dan nog in het geheim. Ten slotte zijn er nog herinneringen die een man zelfs zichzelf niet durft te vertellen, en ieder fatsoenlijk mens heeft een aanzienlijk aantal dingen weggeborgen.' Om een eind te maken aan de opeenhoping van feiten en herinneringen, restte hem niets anders dan het raster van zijn bewustzijn te vernietigen en zich aan het duister over te geven.

De telefoon rinkelde al god weet hoe lang. Het was Ronny Lawton. Hij zei botweg: 'Ik heb Karl Rogers doodgemaakt bij zijn caravan, morsdood.'

Ik zei niets.

Ronny zei: 'Ik dacht dat je misschien over Karl en zo zou willen weten. Jij kunt maar het best de eerste zijn die het hoort.'

Op de achtergrond klonk muziek van Duke Ellington. Ik zei: 'Weet je dat mijn telefoon wordt afgeluisterd, Ronny?'

Het bleef lang stil. Toen schreeuwde Ronny zo hard hij kon: 'Klootzak!' Ik moest de hoorn ver van mijn oor houden. Hij riep het verschillende keren achter elkaar. Ronny's zoontje begon te huilen. Ronny schreeuwde iets tegen het joch. Het kind ging harder huilen. Ik hield de hoorn minstens tien centimeter bij mijn oor vandaan en kon elk woord verstaan. Daarna hoorde ik alleen nog de zware adem van een uitgeraasde woede. Ronny zei: 'Ben je er nog?'

'Ben je uitgeschreeuwd?'

Ik merkte dat hij zich vermande.

'Wat ben je van plan te doen, Ronny?'

'Ik geloof dat ik een instinct volg dat me naar huis heeft geleid. Ik denk dat de tijd gekomen is om achter alles voorgoed een punt te zetten.'

Ik zei niets, maar wachtte af of hij nog iets zou zeggen. Dat deed hij ten slotte ook. Hij richtte zich tot de politie die meeluisterde. 'Ik heb het huis verdomd goed beveiligd met boobytraps. Ik wil niet dat er iemand in de buurt van het huis komt, tenzij die dood wil. Ik ben in een moorddadige bui.'

De verbinding werd verbroken. Ik hing op, en de telefoon ging weer. Het was Ronny. Hij zei: 'O ja, dat vergat ik bijna, het joch wil kip.' Ik hoorde dat Teri op de achtergrond het kind tot bedaren probeerde te brengen. Ronny zei: 'Die kip die je eerder voor hem hebt meegebracht, en net zo'n speelgoedje als toen. Hij heeft het niet bij zich. Hij wil dat speelgoedje hebben, de opwindkip die je voor hem had meegebracht. Die wil hij.'

Ronny schreeuwde: 'Teri! Bek dicht, nú!' Ronny richtte zich weer tot mij. 'En denk je dat je ons wat Pall Malls zou kunnen brengen, een slof misschien?'

Ik zei: 'Is goed, Ronny.'

Ronny hing op en daarna belde de FBI. Ze eisten mijn volledige medewerking. Ik moest naar ze toe komen in de stad. De vent identificeerde zich niet maar ik wist dat het dezelfde was die me had ondervraagd. Ineens werd ik kwaad. Ik zei: 'Rot op!' en hing op. Ik wachtte tot de telefoon weer zou gaan, maar dat gebeurde niet.

Ik kleedde me aan en zette sterke koffie. Ik deed de radio aan met het gevoel dat ik in zeker opzicht helderziend was omdat ik al op de hoogte was van iets waar het grote publiek nog onkundig van was, namelijk dat Karl bij de caravan lag en Ronny met vrouw en kind daarginds was. Het gaf me een gevoel van kinderlijke zelfvoldaanheid. Ik zat aan tafel naar de wolken te kijken die laag en grijs voorbijdreven en waar langzaam stukjes blauwe lucht doorheen braken. De radio meldde het verloop van een plaatselijke wedstrijd. We kregen er flink van langs. Het was tegen het eind van het laatste kwartier.

De samenzwering van de kou die bij dit seizoen hoorde, de wegrottende planten, de door de wind voortgedreven regenwolken, de vallende bladeren, de trek van de Canadese ganzen, dat alles vond plaats in het laatste stadium van Ronny Lawtons lotsvoltrekking, de wervelde wind door de leegte van onze machines en ons leven, de afgang van ons rugbyteam. Je zou kunnen zeggen dat een confrontatie in de lucht hing. Ik reed naar Kentucky Fried Chicken, plaatste mijn bestelling bij het drive-inloket en bleef in de auto wachten. Ik zag dat Petes auto op me stond te wachten. Hij stapte uit en liep naar me toe. 'Ben je van plan te gaan picknicken, Bill?'

'En als dat nou eens zo is?'

Ik zag Larry in een andere politieauto zitten. Hij sprak in een radio.

'De FBI-agent zegt dat als jij daarheen gaat, Ronny je waarschijnlijk een kogel door je lijf jaagt. Zij hebben daderprofielen die voorspellen hoe zulke dingen aflopen.'

Ik keek hem met een nietszeggende blik aan. 'Ik waag het erop.'

Ik reed naar het afhaalloket van de drive-in. Pete liep naast mijn auto mee. 'Bill?'

Ik zag naast de kippenvent een man in driedelig pak staan. Ik keek Pete aan. 'Wat heeft dit te betekenen, Pete?' Het was een van de FBI-agenten.

Pete leunde door het raampje aan de passagierskant naar binnen. 'De FBI dacht zo dat we iets in de kip konden stoppen om die beste Ronny te verdoven. Jou zal hij niet verdenken. Hij vertrouwt je.'

'Jullie willen dat ik daarheen ga om Ronny te vergiftigen?'

'Het is geen gif, hij raakt er alleen maar van buiten westen.'

Ik zei: 'Je bent stapelgek! Dat doe ik niet!'

Petes gezicht was opgezwollen, zijn hals liep bijna paars aan. 'Bill, je kunt maar beter met de FBI samenwerken.'

De manager kende ik nog van de middelbare school, Clifford Fry. Hij stak zijn hoofd door het loket. Hij droeg een wit overhemd en zijn das was op dezelfde manier geknoopt als die van de Colonel. Hij zei: 'Hé, Bill. Wil je "extra knapperig" of de "originele"?'

Ik zei: 'Clifford, wat ben je in godsnaam aan het doen? Je wilt je product toch zeker niet zo geplaatst zien? Straks wordt KFC nog in verband gebracht met een vergiftiging.'

Dat maakte in ieder geval een eind aan het voorstel om Ronny te vergiftigen. Ik hoorde Clifford Fry schreeuwen: 'Nee, verdomme! De Colonel heeft te hard gewerkt om zijn goede naam met zoiets te verbinden.'

Ik schreeuwde: 'Bel het hoofdkantoor, Clifford. Zorg dat je de Colonel aan de lijn krijgt! Kijk maar hoe blij hij zal zijn als zijn naam in verband wordt gebracht met een bloedbad!' Ik bleef bij de drive-in wachten tot de FBI-agenten naar buiten kwamen en in een zwarte auto stapten. Ze reden voor me uit als een stel begrafenisondernemers.

Pete zei nog: 'Laat hen dit afhandelen, Bill. Jij kunt maar beter opsodemieteren.'

Ik gaf geen antwoord. Ik nam de kip, het speeltje en de aardappelpuree mee. Het rook verrukkelijk in de auto. Ik geloof dat ik glimlachte. Er kwam hoe dan ook een eind in zicht.

De dag was vol heldere, bijna te felle zonneschijn, het was moeilijk deze schittering van licht in overeenstemming te brengen met het drama dat zich om mij heen afspeelde. De wereld voelde onwerkelijk, haast tweedimensionaal, ik reed door een bordkartonnen platheid. Alle ramen langs Main Street waren voor de wedstrijd versierd met rode en witte kleuren, de schoolkleuren. Pete reed achter mij aan en daarachter kwam Larry. We reden heel langzaam op onze bestemming af. Ik zette de radio aan. We hadden zwaar verloren. De coach verzon een of ander laf smoesje. Op de achtergrond brulde het publiek. Het item werd afgebroken. Linda Carter bracht het eerste korte nieuwsbericht over Ronny Lawton en zijn gijzelaars. Ik zette de radio uit en reed op de onontkoombare gebeurtenissen af.

Ik bedacht dat het leven grotendeels tussen gevoel en feiten in wordt geleefd, in dat schemergebied van voorgevoel, die wereld van intuïtie en onzichtbare energie die zich tussen mensen afspeelt. Misschien wist ik al dat het op deze manier zou eindigen. Ik had ze op de televisie gezien, de vuurgevechten, de gijzelsituaties. Zo gingen die dingen in deze tijd. Terugkijkend naar de jaren zestig, zie je niets dan moorden, mensen die werden omgebracht, een kogel door hun hoofd kregen, John F. Kennedy, Martin Luther King, Robert F. Kennedy. Er klinken schoten, een man valt dood neer. Maar misschien willen we tegenwoordig meer. We willen niet een of andere anonieme man zijn die de trekker overhaalt, we willen 's avonds op het journaal komen, we willen onze vijftien minuten roem.

Op de laatste kilometer naar Ronny's huis kwam ik de karavaan nieuwsgierigen tegen, de wedstrijdtoeschouwers die nu naar de plek van de gijzeling stroomden. Het nieuws had zich al verspreid. Pete reed vlak achter me en zette zijn zwaailicht en sirene aan, schoot haastig een aarden wal op en verdween in een stofwolk. Ik deed er twintig minuten over om het huis van de Lawtons te bereiken. Ronny bleek zijn ex te hebben vastgebonden op een stoel achter een kanten gordijn, in een van de voorkamers op de begane grond met uitzicht op de oprit. Ronny zei dat hij boobytraps langs de buitenmuren had geplaatst. Hij schreeuwde: 'Ik heb vannacht niet bepaald goed geslapen, we doen dus gewoon wat ik wil!'

Ik arriveerde tegelijk met de jongen die de donuts kwam bezorgen. Hij was een jaar of zestien, en gekleed in zijn gestreepte bruine uniform en met een papieren muts op kwam hij een dozijn donuts, vier liter koude melk en twee bekers warme koffie brengen. Ronny stond erop dat de jongen zelf de donuts bij het huis afleverde. Hij vloekte binnensmonds als een ketter omdat hij niet wilde dat de politie dicht bij het huis kwam.

De ronddolende menigte van de rugbywedstrijd bleef toestromen en langs de weg stond een hele rij auto's. Het was warm in het namiddaglicht, maar koel in de schaduw. De meute was ontevreden, zoals altijd na een flinke nederlaag, ze wilde bloed zien. De leden van het footballteam droegen jasjes met het schoolembleem. Ze zagen er somber uit, het liefst wilden ze onmiddellijk en ter plekke gaan vechten. Ze hingen ongemakkelijk rond en deden stoer. Pete was al bezig ze in bedwang te houden.

De donutbezorger werd als een beroemdheid door de FBI voorbereid. Hij glimlachte alsof hij er plezier in had betrokken te zijn in het hele gebeuren. Zijn gezicht zat onder de acne, rode pukkels en een vette huid, zo'n jongen die niet aan sportwedstrijden meedeed, die op zaterdagochtend altijd dienst had en opeens... belde Ronny Lawton met een bestelling voor donuts. Je zou heel lang op zo'n verhaal kunnen teren. Zo dacht dit joch er althans over. Linda Carter probeerde hem te interviewen maar een FBI-agent hield haar tegen. Ze dwaalde langs de afzetting rond het huis, de dikke assistent liep achter haar aan. Toen de cheerleaders luid toeterend in stationcars arriveerden, leek het wel carnaval.

Ronny gaf de toon aan. 'Ik ben niet bang om te sterven!' schreeuwde hij in antwoord op elk verzoek van de FBI. Ze wilden dat Ronny zijn zoontje vrijliet in ruil voor de donuts. Ronny ging uit zijn dak en duwde een pistool in de mond van zijn ex. Ze had haar mond wijd opengesperd. 'Ik ben niet bang om te sterven!' zei hij weer en dreef daarmee de zaak verder op de spits. Zijn ex stikte bijna in de loop van het pistool.

De donutbezorger liep langzaam het erf over. Van tijd tot tijd keek hij achterom, bracht zijn hand naar zijn papieren muts en duwde die naar achteren. Hij schreed door de maïsstengels als Mozes die het water van de zee scheidde. Er waren pistolen op het raam gericht, dat langzaam openzwaaide; de wind zoog de gordijnen naar buiten. Het huis lag in de schaduw. Ronny organiseerde alles vanachter de loop van een pistool, op zijn hurken gezeten achter zijn ex. Door het open raam hoorde je op de achtergrond Ronny's zoontje huilen, zijn snikken sneden door de plotse stilte. De menigte hield haar mond. De donutbezorger stond oog in oog met de dood, op het punt de uitwisseling te maken. De leden van de bijzondere bijstandseenheid hielden hun adem in en richtten hun pistolen rechtstreeks op Ronny, die zich niet liet zien. Hij riep alleen: 'Deze kamer is doordrenkt met benzine, horen jullie dat?' Ronny dwong de jongen de doos te openen en een donut te eten en van beide koffiebekers te drinken. De jongen at langzaam en met kleine hapjes. De menigte verdrong zich langs de rand van het met geel lint omspannen terrein. De donutbezorger wierp een blik achterom over de lange oprit; zo te zien liet Ronny de jongen daar verschrikkelijk lang staan. Ronny riep: 'Hoeveel ben ik je verschuldigd?' en de jongen keek weer achterom, alsof hij niet wist wat hij in godsnaam moest doen.

Een FBI-agent pakte de megafoon. 'Wat zou je ervan zeggen als we alles tegelijk afrekenen als je naar buiten komt?'

'Wie zegt dat ik naar buiten kom?' schreeuwde Ronny – een simpele en feitelijke mededeling.

Met een angstige blik draaide de donutbezorger zijn hoofd alle kanten op om de stortvloed van woorden te kunnen volgen. Hij stond nog steeds rechtop, het enige dat Ronny werkelijk interesseerde. Toen Ronny ervan overtuigd leek dat de jongen niet dood zou neervallen, liet hij hem de doos met donuts en de bekers koffie door het raam aangeven. Ronny legde een paar bankbiljetten op het kozijn. De donutbezorger pakte het geld, het raam werd gesloten, de jongen deed een paar stappen achteruit, draaide zich om, gooide van plotse opluchting zijn armen in de lucht en begon te rennen alsof hij zojuist een honk had gescoord. De menigte ging uit haar dak en begon te fluiten en te juichen naar de donutbezorger, die recht in de armen van de FBI liep.

Ik was de volgende in de processie die geschenken naar het stalletje bracht en kwam met de kip aanzetten. Jezus, ze hadden hun toevlucht in Ronny's kamer gezocht, in die rondwervelende caleidoscoop van kleuren en beelden, van afgescheurde afbeeldingen van fotomodellen en rocksterren die op de muren waren geplakt. Ik zag Ronny, die bij de foto's leek te horen en tussen de kleuren bewoog, bijna alsof hij gecamoufleerd was, en die met zijn buitensporige woede deel uitmaakte van de iconografie van zijn tijd, de gek die een kogel door het hoofd van zijn vrouw jaagt. Ronny had de weg terug gevonden naar de ondoordringbare ruimte die hij had gecreëerd, de essentie van verlangen, een toevluchtstunnel. Toen ik voor het raam ging staan haalde hij slechts zijn schouders op en verschool zich achter de halterbank. Hij zei: 'Ik kan geen oplossing bedenken.' Hij richtte de loop van zijn pistool op mij.

Ik keek hem aan. 'Jij moet beslissen hoe dit afloopt.'

Ronny's ex staarde me aan met wijdopen ogen van angst. De stoel waarop ze was vastgebonden verschoof een beetje. Het touw sneed in de huid van haar armen en enkels.

Ik zei: 'Wil je erover praten?'

Ronny schudde zijn hoofd, veegde zijn mond af en zei: 'Nu niet. Later misschien.'

Ik schoof de kip naar binnen. Ik zag het joch in zijn kooi zitten. Hij keek me met grote ogen aan en vormde met zijn lippen het woord kip. Ronny zei: 'Kip, dat klopt ja, kip.' Het kind maakte een geluid. Ronny keek me aan. 'Denk jij dat iedere ouder zijn kind een genie vindt?' Er speelde een flauwe glimlach om zijn lippen.

'Ik denk dat dit een heel bijzonder kind is, Ronny. Misschien zijn we niet de optelsom van onze delen, weet je. Heb je weleens van Beethoven gehoord? Zijn moeder was een prostituee. Ze weten niet eens wie de vader was.'

Ronny keek me recht in de ogen. 'Ik heb gehoord dat Elvis' vader gewoon benzine pompte. Je weet niet altijd van tevoren wat twee mensen kunnen maken.' Zijn blik dwaalde weer naar het joch.

Er stonden tranen in de ogen van Ronny's ex.

Ik zei niets meer. Ronny zette de doos met kip in de kooi van het kind.

Ik rook een sterke benzinelucht, en begreep dat Ronny werkelijk overwoog aan alles een eind te maken. Ronny had zijn gewichten uit de kelder gehaald en tegen de deur gezet.

Ik stond op het punt me om te draaien, toen Ronny zich naar voren boog en heel even mijn hand aanraakte. Hij zei zachtjes: 'Er is geen weg terug voor mij.'

Ronny's ex jankte als een dier. Ronny richtte het pistool op haar. 'Stop daarmee.'

Hij keek mij weer aan. 'Zorg dat ze me niet aanvallen.' Hij kroop op handen en voeten naar de halterbank en begon gewichten te heffen. Het pistool lag op zijn buik. Ik hoorde de gewichten schudden terwijl hij gromde van inspanning. Ronny's ex huilde geluidloos. Haar ogen stonden vol tranen.

Ik voelde het gewicht van duizend ogen en van de pistolen die op mij waren gericht. Het licht filterde donker en vlekkerig door de schapenwolkjes heen.

Ronny was klaar op de bank. Zijn gezicht was donkerpaars aangelopen en drukte pijn uit, de aders waren gezwollen en zijn ogen puilden uit, alsof hij een hartaanval zou krijgen of iets van dien aard. Je kon zien dat hij steroïden slikte. Hij was stevig, ik bedoel zo stevig dat de huid over de spieren glansde, zo strak zat die. Hij haalde diep adem alsof hij nieuwe longen uittestte, hij ademde in en uit. Ik zei zachtjes: 'Ik geloof niet dat jij het hebt gedaan, Ronny.'

Hij richtte zijn pistool op me, misschien wilde hij dat ik vertrok.

Ik liep gewoon weg.

Toen werd het rustig, en begon een lange avond die langzaam killer werd. Een generator bromde en verlichtte een klein tentenkamp. Er bewogen schaduwen achter het tentdoek, er klonk geroezemoes. De lucht was vervuld van de geur van koffie. Op de achtergrond zong een baptistenkoor, tot Ronny het raam opendeed en zei dat hij zijn kind zou doden als die baptisten hun bek niet hielden. Ik was het in dit geval volkomen met hem eens. Verrekte baptisten. Ik zag ze als spoken in hun witte gewaden het terrein aflopen in het duister.

Ik ging bij de FBI-lui zitten en hoorde dat ze een schot in het hoofd overwogen, dat ze bespraken hoe ze Ronny konden uitschakelen. Ze hadden een microfoon op het dak geplaatst en konden alles horen wat er binnen werd gezegd. Het geluid leek van ver te komen, gewone conversatie, als iets van buiten deze realiteit. Een agent keek me aan en zei: 'Hij is bijna zover. Zit er heel dichtbij.' Met zijn wijsvinger streek hij heel langzaam langs zijn hals.

Het ging hun er alleen om hoe ze Ronny Lawton konden doden. Ze konden hem met een enkele kogel uitschakelen. Met een zware kogel was er geen flits. Ze hadden ervaring met dit soort operaties, een psychologisch daderprofiel en een tijdsbestek waarin Ronny het waarschijnlijk zou opgeven. Het was eigenlijk heel simpel. Hoe langer Ronny daar bleef, hoe meer hij het gevoel zou krijgen dat hij niet meer terug kon. De kans was groot dat hij zichzelf, zijn vrouw en zijn zoontje zou doden. Hoe langer hij nadacht over wat hij met

Karl had gedaan, hoe meer hij ervan overtuigd zou raken dat hij de doodstraf zou krijgen. Dat dwong hen tot handelen. We waren slechts getuigen van een afgesproken executie, meer niet. Als het terrein eenmaal op deze manier was afgebakend, was het een kleine stap om Ronny Lawton te doden, hem uit te schakelen voordat hij kans zag zijn vrouw en kind om te brengen. De FBI-agenten hadden een groot vel papier uitgespreid op een tafel en een groep mannen stond gebogen over een geïmproviseerde plattegrond van de kamer waarin Ronny zijn toevlucht had genomen.

Ik moest nog een verslag afmaken en vertrok aan het begin van de avond. Ik mocht Ronny opbellen voor ik vertrok. Ik zei: 'Ronny, ik moet nu gaan, maar wil je dat ik morgenochtend terugkom?'

Ronny zei iets bij de hoorn vandaan. Ik zag zijn gebogen rug bij het raam bewegen. Hij bevond zich op nog geen twintig meter van mij vandaan. Ik verwachtte dat hij door een schot zou vallen, maar hij zat te diep voorover gebogen. Ronny kwam weer aan de telefoon. 'Het joch vindt dat grote ontbijt van McDonald's lekker. Breng er morgen maar drie van mee. En gebakken aardappels.' Ik dacht dat hij was weggegaan, maar toen zei hij nog: 'Je moet de bonnetjes meebrengen, voor de kip en de ontbijten, hoor je? Ik wil van alles bonnetjes.'

Ik zei: 'Dat is goed, Ronny. Die krijg je.'

'Ik ben niet iemand die schulden maakt in zijn leven. Heb ik nooit gedaan. Dat moet je in je krant zetten. We waren hier nooit iemand een cent verschuldigd. Dat is de waarheid. Ik heb een broer die zelfs zijn leven heeft opgeofferd voor dit land.'

Ik zei: 'Dat zal ik ze vertellen, Ronny.'

Die verklaring moet Ronny diep vanbinnen hebben geraakt, want ineens stond er die foto voor het raam. Ik kreeg hem niet te zien omdat ik al op weg was naar het politiebureau. Pas toen ik later op de avond naar het nieuws keek, zag ik het kleine rouwaltaar, een trieste verklaring. Ronny had de gordijnen weggehaald en een Amerikaanse vlag opgehangen. De foto van Charlie Lawton als soldaat stond voor het raam, samen met de condoleancebrief waarin zijn dood in Vietnam werd meegedeeld. En daarnaast stond het plakkaat met WERKNEMER VAN DE MAAND van Denny's.

16

Ik ben niet naar de caravan gegaan om Karls hoofd te bekijken, want Karl speelde in deze geschiedenis een ondergeschikte rol, gewoon een man in een maïsveld wiens hoofd kapotgeschoten was. Op het politiebureau had Pete de leiding op zich genomen. Toen ik binnenkwam gaf hij net de pers een samenvatting van de zaak. Zo te horen was Karl onherkenbaar geworden. Zijn gezicht was één klomp zwart geronnen bloed en verschroeid vlees. Dat vertelde Pete in ieder geval. Een flink aantal verslaggevers uit de grote steden stond aantekeningen te maken.

Pete voelde zich op een diep en bevredigend niveau één met vuurwapens en met wat ze in het menselijk lichaam kunnen aanrichten. Hij beschreef de wond. Als politieagent was hij er stellig van overtuigd dat je alles onder controle kon houden door middel van machtsvertoon en voldoende vuurkracht, ook al was de dood in dit geval veroorzaakt door de vijand, Ronny Lawton. Het uiteindelijke effect – de gapende wond – bewees deze onwrikbare, onherroepelijke waarheid. Daarmee kwam er definitief een eind aan de zaak. Voor een agent als Pete draaide het bij de politie in wezen om leven en dood. Pete wist tot op de millimeter hoe groot de wond was. Ik heb de afmetingen niet opgeschreven, maar Pete zei dat je een vrachtwagen door Karls gezicht had kunnen rijden, zo groot was die wond.

Pete zei dat Karl buiten moet hebben rondgestrompeld, want rond de caravan lagen overal stukjes hersenen. Ze vonden hem in zijn auto, alsof hij nadat zijn gezicht was weggeschoten, nog had geprobeerd weg te rijden. Van de caravan, waar hij beschoten was, had hij zich het hele eind naar zijn auto gesleept. Nadat Pete aan diverse verslaggevers een samenvatting had gegeven, vertelde hij nog eens in geuren en kleuren aan tal van mensen – aan wie het maar horen wilde – dat Karl alleen nog maar bloed moet hebben gezien toen hij probeerde aan Ronny Lawton te ontkomen. Iedereen was van mening dat Karl blind moet zijn geweest toen hij rondwaggelde, maar je vroeg je onwillekeurig af wat er door hem heen moet zijn gegaan, en hoe groot zijn angst was toen hij probeerde te ontsnappen. En je moest aan Ronny Lawton denken, die waarschijnlijk lachend stond toe te kijken en zei: 'Hé Karl, hierheen!' Karl, die als een zombie uit een nachtfilm rondliep. Pete zei dat Karl in die laatste minuten ruimschoots tijd had gehad om over de dood na te denken, met weggeschoten gezicht rondlopend in de avond. Je kon merken dat dit iets was waar Pete graag bij stilstond. Zelf legde hij, alsof hij blind was, het traject af dat Karl was gegaan, hij wankelde door het vertrek, bracht een hand naar zijn gezicht, doolde rond in het spektakel van de dood dat zich in zijn hoofd afspeelde en probeerde dat vorm te geven.

Op de krant lagen foto's van het tafereel, een overzichtsfoto van de caravan tussen de maïs, een foto van de auto en een van Karls lichaam dat over het stuur hing. De foto's lagen er voor mij, alsof ze uit de lucht waren komen vallen. Ed was nergens te bekennen, Sam evenmin. Ik luisterde mijn antwoordapparaat af. Niets. Ik liep de trap af naar Eds donkere kamer en voelde aan de rode lamp om te zien of hij nog warm was. Koud. Er was al uren, misschien zelfs de hele dag, niemand geweest, behalve om de foto's te brengen.

Het kantoor was in duister gehuld, alleen de straatlantaarns wierpen schuine strepen licht op de vloer. Ik bleef in het donker staan, was er zwijgend in ondergedompeld als in het zwembad. Ik zette koffie en begon aan het verslag te werken, maar mijn gedachten dwaalden af. Ik stond op en rekte me uit, keek of de koffie klaar was, schonk een kop sterke koffie in en dronk die zonder melk of suiker, proefde de bittere smaak en voelde hoe de warmte van de kop zich in mijn vingers drong en me verwarmde. Nog steeds geen telefoontje van Sam of Ed. In het kantoor hing de vertrouwde, huiselijke geur van aangebrand eten – Sam en zijn tuna melts en chips waren voor altijd in het hout gedrongen. Ik had het gevoel dat dat alles voor mij zo goed als voorbij was.

Terwijl ik het verslag schreef, keek ik met het geluid uit naar de gijzelingssituatie op de televisie, ik ontleende er de sfeer aan en tekende er details van op die me ter plekke waren ontgaan, zoals de uitgebrande Mustang, opzij van het huis. Dat, meer dan wat ook, deed me beseffen dat Ronny Lawton het huis nooit levend zou verlaten. Ik heb dat niet in het artikel gezet, maar ik was er diep van doordrongen, had een voorgevoel van een vuurgevecht, een verminkt lichaam in de voorkamer, Ronny's ex met een kogel door haar slaap, het joch in zijn kooi met zijn gezicht in een plas bloed. Noem het 'Ronny Lawtons Laatste Verdedigingsstelling!' Zie het als het uitwissen van een genetische erfenis, het einde van een droom van een reeds lang overleden Europese voorvader die de onderdrukking achter zich had gelaten, naar Amerika was ontsnapt en tot diep in het binnenste van het land was doorgedrongen. En nu kwam er aan dat alles dit droeve eind te midden van de dorre maïsvelden.

Ik zag Karls vader op de televisie; een boom van een vent met rossig haar dat wild vanonder een honkbalpet uitstak. Het was vreemd zo'n man te zien huilen. Onder de klep van zijn pet verschenen er druppels rond zijn lichtblauwe ogen. De dood van zijn zoon had hem verbijsterd en hij trok met zijn grote gegroefde handen, met rouwrandjes onder de nagels, aan de trui van zijn vrouw. Zij had een foto van Karl in haar hand, zijn foto van de middelbare school. Achter Karls ouders kwamen koeien in beeld. Je zag hun roze opgezwollen uiers. Zo te zien woonden ze in North Dakota, op het boerenland, kaal en vlak, in een andere eeuw.

Ik checkte nogmaals mijn antwoordapparaat. Een boodschap van Sam. Een paar laconieke woorden: 'Bill, kijk nooit achterom, iemand zou je kunnen inhalen!'

Ik probeerde Sam thuis te bellen maar er werd niet opgenomen.

Een halfuur later keek ik weer of er boodschappen waren. Diane had gebeld. Ze zei alleen: 'Bill, ik wil naar je toe komen, ik wil je zien.' Ze aarzelde even en zei toen: 'Goed dan, wil je het echt weten? Ik heb extra punten nodig, Bill. Ik dreig te zakken voor strafrecht. Ik moet je interviewen over de zaak. Alsjeblieft, Bill. Je moet niet denken dat ik je niet heb gemist.' Ze zweeg weer. En toen: 'Ik droom 's nachts weleens van je.'

Ik belde haar terug, hoorde haar stem aan het andere eind van de lijn, maar zei niets. Ik hoorde haar zeggen: 'Bill! Godverdomme, jij bent het toch? Je bent ziek! Hoor je me, ziek!' Boven haar geschreeuw uit las ik een vraagstuk voor, eentje over het vullen van een zwembad waar een lek in was gekomen. Ze schreeuwde: 'Klootzak!' boven alles uit wat ik zei en hing op nog voor ik haar alle details had genoemd.

Ik werkte verder aan het artikel maar was door kou bevangen. Misschien had ik iets onder de leden. Ik dronk nog een kop koffie, checkte nog een keer mijn antwoordapparaat; geen bericht. Zo eindigde het dus: met afkeuring en eeuwigdurende stilte. Het is misschien niet eens zo moeilijk voor te stellen waarom mannen eerst hun vriendin en daarna zichzelf door het hoofd schieten. Door de afstand leken zulke gevoelens bij mij minder extreem. De inspanning om haar te gaan zoeken was te groot. Ik belde nog een allerlaatste keer. Niets. Ik luisterde Sams boodschap nog eens af en voelde de woorden in mijn hersens branden: 'Kijk nooit achterom, iemand zou je kunnen inhalen.' De uitspraak was van Satchel Paige, de zwarte honkbalspeler van de oude negerclubs. Ik vond 'm droevig maar ook uitdagend.

Pas veel later zag ik dat er een vel papier in Sams typemachine zat. Er stond simpelweg: 'de waarheid is dood de waarheid is dood de waarheid is dood...' Die zin werd steeds herhaald en besloeg bijna driekwart van het vel, zonder interpunctie, als een langzaam wegstervende bezwering. Ik staarde naar de woorden. Mijn ogen brandden in hun kassen.

Het was donker en eenzaam op de krant die nacht. Ik voelde de kou zich om mij heen wikkelen. Ik zat aan mijn kersenhouten bureautje in een hoek weggedrukt en typte ijverig de overlijdensberichten uit, stelde een ongewisse wereld van duistere boekhouding op schrift als een van de Hoeders van de Dood die de perkamentrol van de doden etst, een ondergeschikte in de schaduw van de apocalyps.

Ik belde Sam op het ouderwetse zware toestel. Er werd niet opgenomen. Ik liet de telefoon lang overgaan. Ik schreeuwde: 'Sam!' Geen antwoordapparaat, niets. Zittend aan zijn bureau, sliep ik tot de volgende ochtend vroeg. Ik werd gewekt door de telefoon. Het was de vent die een bod op de krant had gedaan. Hij wilde Sam spreken. Ik zei dat Sam er niet was. De man deed allervriendelijkst. Hij noemde me 'chef'. Hij zei: 'Dol!' toen ik zei dat Sam er niet was en kraamde in zijn jarenvijftigjargon allerlei onzin uit, vleide me. Ik keek naar de televisie op de achtergrond, die de rust toonde waarin Ronny Lawtons huis was ondergedompeld, in het donkergrijs van de vroege ochtend. Er brandde één enkele lamp in de kamer waar Ronny en zijn gijzelaars verbleven.

De krantenman sprak in mijn oor. Ik luisterde even naar hem. Hij zei dat hij mijn artikelen had gelezen. Zou ik hem een exclusief verslag kunnen sturen? Dan zou hij iets voor mij doen, zijn invloed laten gelden. Hij wilde een verslag van mijn omgang met Ronny. Hij zei dat ik een 'mieterse' journalist was. Ik zei: 'Bemoei je met je eigen zaken!' want ik kon uit hetzelfde vaatje tappen. Hij vroeg of ik graag sportevenementen versloeg, dat hij heel misschien een plek voor me had als ik naar zijn kantoor wilde komen. Hij zei: 'Sport is de nieuwe religie.' Ik was niet onbeleefd of zo, ik ging er alleen voorlopig niet op in. De vent wachtte niet eens tot ik het hem uitlegde. Hij zei: 'Oké, jochie!'

Ik zei: 'Oké, puik!' Hij hing op.

Ik ging naar McDonald's om Ronny's bestelling en het bonnetje te halen. Het was ongeveer zes uur 's ochtends. Het was koud buiten en de straten waren verlaten. De zon stond net boven de horizon. Ik reed de stad uit in de richting van het huis en zette de radio aan. De gijzelingssituatie herleefde op de radiogolven en nam bezit van mijn auto. De gekte drong overal in Amerika de huizen binnen met die vreemde helderziendheid van het gesproken woord en met de beelden die in tijd en ruimte werden geprojecteerd. Je voelde dat de wereld kromp en heel klein werd. Alsof alle mensen in het land Ronny Lawton kenden. Hij was in hun slaapkamers en keukens en sprak tegen hen via hun radio als ze ontwaakten.

De mensen gingen rechtop in bed zitten om over Ronny Lawton te keuvelen alsof hij naast hen woonde, en zeiden bijvoorbeeld: 'Je kunt er Ronny niet helemaal de schuld van geven. Heb je gezien wat ze met zijn broer in Vietnam hebben gedaan? Als je ergens wilt beginnen, moet je eerst kijken naar wat dit land zijn veteranen heeft aangedaan! En zie je wat zijn vrouw hem heeft aangedaan?' Daar werd in het warme bed dan meteen tegenin gebracht: 'Dat is flauwekul. Een man moet verder kijken dan de loop van zijn pistool. Niemand heeft het recht iemand te doden zoals Ronny Karl Rogers heeft vermoord. Bedoel je misschien dat als ik bij jou wegging, jij me gewoon zou neerknallen? Bedoel je dat soms?' Ik wil maar zeggen, sommige mensen praatten niet meer tegen elkaar vanwege hun ideeën over Ronny Lawton. Het was nog niet eens duidelijk wie verdomme Ronny Lawtons vader had vermoord, maar misschien kwam het juist door die mate van onzekerheid dat Ronny Lawton een man werd die voor zoveel verschillende mensen zoveel dingen belichaamde.

Ik zag langs de weg pompoenen groeien als oranje gezwellen. Dan wist je dat Halloween en Thanksgiving niet ver weg meer waren, je zag het ook aan de oranjebruine kleur die de natuur kreeg en aan de bomen met hun vlammende herfstkleuren. Ik was aan het malen. Eigenlijk was het allemaal een droom, zoals ik nu op weg was naar een vent als Ronny Lawton en zijn ex.

Ik stapte uit bij Ronny's huis, en verdomd als daar geen circus aan de gang was; zelfs op dit vroege uur klonken hier en daar al stemmen. Af en toe riep iemand: 'Ronny!' De jongens met hun maskers op zaten op diepladers, met de maskers boven op hun hoofd geschoven, zodat je hun echte gezichten zag. Ze zaten te ontbijten en dronken hete koffie. De grote omroepen hadden hun topmannen gestuurd, die zaten in caravans met generatoren en schijnwerpers. Een tv-presentator werd geschminkt, hij stond op het punt Amerika het laatste nieuws te brengen. Alle ontbijtshows hadden een speciale uitzending over de situatie. Ik zag dat iemand lak spoot op Linda Carters haar in een caravan met haar naam op de buitenkant. Toen ze zich omdraaide zag ze me lopen met de zak met het ontbijt van McDonald's. Ze kwam de caravan uit en droeg haar cameraman op me te volgen. Ze duwde een microfoon voor mijn gezicht. Ze wilde dat ik de zak voor haar openmaakte. Ze wilde weten wat Ronny voor zijn ontbijt at.

Ik zei: 'Zijn gezin!'

Ze zei: 'Stop!' tegen haar cameraman, en beet me recht in mijn gezicht toe: 'Klootzak! Dit gaat jouw pet te boven.'

Ik zei kalmpjes: 'Dat weet ik.'

Ik mocht er alleen door vanwege mijn relatie met Ronny. Ik had zijn ontbijt bij me, en dat begon al koud te worden. Je haalt je niet de woede op de hals van een vent als Ronny, daarom mocht ik verder lopen over het grind van de oprit – straffeloos, buiten de wet in feite. Ik voelde dat ik plotseling macht had en was me er intens van bewust dat ik dood zou kunnen gaan. Mijn laatste woorden voor ik van de politie wegliep waren: 'Willen jullie iemand naar het huis van mijn baas sturen om te kijken of alles in orde is?' Pete keek me aan, maar wat mij betreft was wat wij in het verleden met elkaar deelden, nu voorbij.

Het was een schitterende ochtend vol koud zonlicht. In deze tijd van het jaar zijn er vaak van die dagen met koud, fris herfstlicht.

Toen ik bij het raam arriveerde, zei Ronny: 'Klim vlug naar binnen.' Hij klonk erg angstig. De situatie was teruggebracht tot een beeld van bloedvergieten. Ik denk dat er zelfs voor een man als Ronny, die alles al kwijt was, nog iets blijft waarvoor hij ondanks alles wil blijven leven. Maar zo zou het niet gaan. Dat was het onontkoombare lot dat Ronny aanstaarde. Ik had een zijwaartse duik kunnen maken in een poging te ontsnappen. Je denkt: Ronny zal de kluts kwijtraken, opstaan om me neer te knallen en dan zou de bijzondere bijstandseenheid hem uitschakelen. Dat was een mogelijkheid. Maar de buitenwereld had mij niets meer te bieden. Ik was namelijk bij Sam langs geweest.

Er lagen in Sams huis zoveel verrekte brochures over Florida dat het niet leuk meer was. Verder was er niets, op een toasteroven na, het huis leek enkel gebouwd om onderdak te verschaffen aan de toasteroven en de brochures. Hijzelf had er pas later zijn plek gevonden. Het enige wat die man at was dit getoast en dat getoast. Hij met zijn verrekte saus en zijn tuna melts, koud bier en whisky, en af en toe een sigaar in een bar. Er brandde geen licht. Ik ging naar binnen, de deur zat niet eens op slot. Je had die gang moeten zien, geen versieringen, niks, alleen een grijze koude ruimte met muren. Sam legde elke cent die hij verdiende opzij, en dat had hij allemaal de afgelopen jaren weer verloren toen hij probeerde de krant overeind te houden en zijn eigen geld erin investeerde omdat niemand er meer in adverteerde. Ik heb hem dat nooit met zoveel woorden horen zeggen, maar ik vermoed dat zijn geld daarnaartoe ging, een man die kind noch kraai had, altijd in hetzelfde hemd en dezelfde broek gekleed ging, en nog steeds in een auto uit 1963 reed. Je kon zien dat het huis niet meer was dan een plek om te slapen. Er was een grasveld zonder bloemen, van de gevelbekleding lieten lange platen los, er zaten barsten in de oude oprit, er was geen enkel uiterlijk vertoon, geen enkel ornament, niets, het was een verdorven soort onverschilligheid. Je zou het ook een geestesziekte kunnen noemen. In de keuken zag ik het tabernakel van de glanzende toasteroven, op het aanrecht lagen een heel casinobrood en een pot pindakaas. Misschien omdat ik wist wat hierna zou komen, verlangde ik er vurig naar Sam nog één keer te horen zeggen: 'Ik neem nu bestellingen op, Bill!'

Sam lag in bed, boven, aan het eind van een lange gang, in een dichte doos van duisternis waar een doordringende geur van mottenballen hing. Buiten was het nacht, het was misschien een uur of twee, de gordijnen waren dicht. Ik hoorde auto's langs rijden, een televisie in een ander huis, typische stadsgeluiden. De toiletpot borrelde dicht bij de grond en in de schaduw.

In de kamer van een dode man krijg je een gevoel dat het midden houdt tussen sereniteit en droefheid. Het was alsof de lucht in één lange zucht uit de kamer was verdwenen. Het was er benauwd. Ik bleef op de drempel staan en zei zachtjes zijn naam, misschien zei ik die een paar keer voor ik een kruis sloeg. Er hing een lucht van klam beddengoed dat veel te lang niet was gewassen, en van stinkende sokken. Het had geen zin zijn pols te voelen. Ik kon niets meer doen. Ik zag het lege pillenflesje staan. Naast het bed een troosteloze koffer. Toen ik dichterbij kwam zag ik dat hij zijn handen over elkaar geslagen had. Zijn ogen staarden wijdopen in het duister. Zijn handen waren stijf en koud, als van een heilige, misschien in een kerk, en hielden de foto vast waarop hij in Eds huis voor het stranddecor staat. Hij had dat tropische drankje met een parasolletje in zijn hand. Ik vermoed dat hij naar die foto keek toen hij stierf. In gedachten zie ik hem in Florida, heel misschien is hij daar ten slotte aangekomen... Ik liep de trap af en ging met een koud en verlamd gevoel in zijn keuken zitten.

Ik huilde met droge ogen. Daarboven lag een man die een echte verhalenverteller was geweest, iets wat tegenwoordig misschien wel verloren is gegaan, verspild aan mensen als ik. Hij vertelde een keer op de krant hoe hij eind jaren zestig een van die rellen had verslagen, toen niemand meer wijs uit dit land kon worden. Hij trok op met een meisje dat vertelde dat haar moeder haar niet begreep, dat haar moeder en zij niet dezelfde taal spraken. Sam stelde toen voor om met haar mee te gaan zodat zij in een interview haar moeder om begrip kon vragen. En zo is het volgens Sam ook gegaan. Moeder en dochter gingen tegenover elkaar zitten en het duurde lang eer het probleem ter sprake kwam en het meisje zei: 'Je bent geen bevrijde vrouw, moeder!' Dat herhaalde het meisje telkens weer: 'Je bent geen bevrijde vrouw, moeder!' Tot de moeder zei: 'Ik weet niet wat "bevrijde vrouw" betekent. Wat betekent dat?' De moeder keek van Sam naar het meisje, dat eerst niet wist wat ze moest zeggen, maar toen riep: 'Je zegt nooit "shit" of "fuck"!' en de moeder zei zachtjes: 'Dat is waar,' en ze wachtte even om te zien of ze het begreep, maar toen schudde ze haar hoofd en zei zachtjes: 'Nee, ik zég die woorden niet, maar ik dóé het allebei wel.' Je wist dat het zo niet was gegaan, maar je begreep de mensen in die tijd hierdoor wel wat beter. In zijn gedachten bracht Sam ze bij elkaar en gaf je een sleutel tot het inzicht dat we in wezen allemaal eender zijn. We veranderen ons kapsel en dat soort dingen, maar we ontkomen niet aan het feit dat we allemaal eender zijn.

Ik belde vanuit de keuken. Ik liet een boodschap achter op Eds antwoordapparaat. Ik zei: 'Ed! Iets in deze geschiedenis heeft mij altijd koude rillingen bezorgd. Ik weet dat jij het ook rook, Ed. Die geur van rozen. Heb je ooit overwogen om die vrouw met wie je bent te vragen wat ze in godsnaam tegen Karl heeft gezegd? Heb je haar gevraagd wat voor pact ze met de duivel heeft gesloten?' Ik wist dat ze thuis waren en luisterden.

Darlene nam op. Ze zei kalm: 'Ik denk dat wij allemaal schoon genoeg hebben van wat jij uitspookt, Bill. We hebben Pete gesproken. Hij heeft ons alles verteld, Bill. Alles wat jij hem hebt verteld.' Ze hield het vaag. 'Ik wil dat je voorgoed uit ons leven verdwijnt.'

Ed kwam aan de telefoon. Zijn stem beefde, alsof hij had gedronken. Hij zei: 'Bill, waarom heb je bij ons ingebroken? Ik denk dat je hulp nodig hebt, Bill.'

Ik zei alleen: 'Sam is dood, Ed.'

Hij antwoordde niet, ik hoorde alleen een diepe zucht. Daarop zei Ed tegen Darlene dat Sam dood was en toen werd er opgehangen.

Toen ik thuiskwam, liep ik naar buiten en zag dat iemand de heggenschaar had opgegraven. Ik verwachtte half en half dat de politie me stond op te wachten om me mee te nemen vanwege de vingerafdrukken...

Je had moeten horen hoe de smerissen en de FBI-kerels tegen me schreeuwden dat ik moest blijven staan toen ik aanstalten maakte door het raam te klimmen. Dat deden ze natuurlijk omdat het hun werk was. Maar ik had besloten in deze val te lopen. Ik was te laf om mezelf van het leven te beroven. De tijd was voor mij uit balans geraakt. Ik keek achterom naar een zee van hoofden die allemaal de gelaatstrekken van Ronny Lawton droegen, gemaskerde gezichten, beelden van gekte. Ze leken op een sekte met hun identieke schrikbeeld van gruwel en afgrijzen, en ze balden hun vuisten en scandeerden: 'Ronny! Ronny! Ronny!' Ze legden het er voor de camera's extra dik bovenop. Maar ik negeerde hen. Toen ik naar Ronny riep werd de Amerikaanse vlag weggehaald, en de foto van Charlie Lawton. Ik ging die kamer binnen om me bij de overlevenden van Ronny's gezin te voegen, bij de scherven van een nieuwe wereld, ik ging binnen in de wereld van aan elkaar gelaste beelden van vrouwen in bikini, filmsterren en rockmuzikanten, binnen in dat hol van begeerte, naar een moment dat plaatsvond op de televisie.

Ik zag Ronny Lawtons echte gezicht, het staarde me aan. Hij zat gehurkt en richtte het pistool op me. Ronny had een klein televisietoestel, dat met zo'n twintig seconden vertraging uitzond. Ik zag mezelf door het raam naar binnen klimmen, het was een krankzinnig gezicht. Het deed denken aan een buitenlichamelijke ervaring en was volkomen desoriënterend. Ik overhandigde het ontbijt van McDonald's als was het een offerande van de boeteling aan de god Ronny Lawton. Het speet me dat ik voor mezelf geen ontbijt had besteld. Ik kreeg opeens razende honger toen Ronny de haan ontspande en het ontbijt aannam.

17

Ronny besteedde na het ontbijt een uur aan gewichtheffen. Hij bond mijn benen en handen vast wanneer hij trainde en had het pistool op zijn borstkas gelegd. Na elke tien keer voegde hij er gewicht aan toe. Even leek het alsof hij de halter niet meer van zijn borst kon tillen, want zijn gezicht liep paars aan, de hele bank schudde en Ronny trilde alsof hij aan het eind van zijn krachten was. Het pistool viel een keer van zijn borstkas. Ik overwoog om als een worm in de richting van het wapen te kruipen, maar ik zag ervan af. Ronny's ex keek van mij naar Ronny, maar ik schudde langzaam mijn hoofd. Het pistool lag tussen Ronny en mij in. Ronny's gezicht was onzichtbaar, hij staarde naar het plafond, naar een melkweg van naakte vrouwen, maar je wist dat het verkrampt was. Hij leek haast te stikken en haalde sissend adem, maar het volgende ogenblik vond hij ergens diep vanbinnen weer zijn kracht en ging de halter heel langzaam omhoog tot Ronny hem op de steunen kon leggen. Hij gromde van inspanning. Zijn voeten bonkten op de vloer. Hij deed denken aan een man die letterlijk het gewicht van de wereld van zijn schouders had gelegd. Toen hij opstond was hij kolossaal, opgezwollen van het bloed, zijn bolle spieren overdekt met zweet. De aderen in zijn voorhoofd klopten. Zijn benen leken op stokjes in verhouding tot zijn enorme borstkas. Hij keek naar zijn zoontje en liet elke borstspier afzonderlijk bewegen. Het joch zat het koude ei van zijn ontbijt tussen zijn handen fijn te knijpen. Zijn gezicht zat onder de jam. Het kind had geen flauw benul, bedoel ik. Toen Ronny zich bukte begon het joch te kirren en raakte Ronny met zijn handje aan. Het was gewoon leuk om naar het kind te kijken. Ronny draaide zich om en deed het kunstje nog een keer voor zijn ex, glimlachend liet hij zijn tepel op en neer gaan, en daarna voor mij, de kleine donkere tepel trilde in zijn pantser. Hij keek me ernstig aan en vroeg: 'Heb je ooit zoiets gezien?'

Ik zei naar eer en geweten: 'Nee, nog nooit.'

De ochtend ging hoe dan ook over in de middag. Ronny maakte eerst mij los en toen zijn ex. De jongen had in zijn luier gepoept. Het stonk verschrikkelijk. Ronny's ex trok het kind de luier uit, Ronny pakte die en gooide hem uit het raam. Een sluipschutter van de FBI schoot op de luier in volle vlucht. Misschien dacht hij dat het een bom was of zo. We zagen het op de televisie. Ik bedoel, we lagen ervan in een deuk. Zelfs het joch lachte, al begreep hij er geen snars van. Angst en pret zijn besmettelijk als je zo gespannen bent. Buiten barstte lawaai en geschreeuw los. Uiteindelijk droeg Ronny me op de politie te vertellen wat het was. Ik zei: 'Het is alleen maar stront van het kind!' Toch lieten ze het ontzettend lang liggen.

De FBI-agent die de leiding had werd razend toen ik dat zei. Hij weigerde een verzoek om hamburgers. Ronny nam mij mee naar het raam, duwde een pistool onder mijn kin en dreigde me te zullen doodschieten.

We bestelden Burger King. Ronny vroeg ook om een kroon van Burger King.

Ik schreef op een papiertje dat onze gesprekken werden opgenomen. Ronny knikte. Hij riep: 'Als jullie dichterbij komen, gaan ze er allemaal aan! Horen jullie me?'

Er kwam geen antwoord.

Toen de hamburgers werden gebracht, klom ik uit het raam. Ronny hield het pistool op me gericht. De luier lag nog steeds in de tuin. Pete kwam naar me toe om met me te ruilen. Het deed me plezier hem op deze manier te vernederen. Ik zette de kroon van Burger King op, gewoon voor de lol. Misschien was ik een beetje euforisch. Ik weet het eigenlijk niet, maar de Ronny-sekte ging ervan uit zijn bol. Pete bleef staan met de poepluier in zijn hand. Hij was kwaad. Hij zei: 'Ik denk dat je dit al die tijd al gewild hebt.'

Ik zei: 'Wat bedoel je?'

'Zo vader, zo zoon. Jij wilt dat Ronny jou neerknalt. Je wilt er een eind aan maken, net als je pa.' Pete draaide zich om met zijn dikke ingesnoerde kont en liep van me weg.

Binnen zette Ronny de kroon op zijn hoofd. Het joch kneep zijn vuistjes dicht van pret. Ronny sprong rond in de kamer, hinkend van het ene been op het andere.

Ronny's ex zei: 'Tuig verandert nooit, hè?' Het was voor het eerst dat ik haar die dag iets hoorde zeggen.

Ronny zei: 'Dat klopt. Je bent nog steeds dezelfde trut als vroeger.'

Dat maakte een eind aan zijn potsenmakerij. Maar hij liet de kroon op zijn hoofd staan. Ik geloof dat hij hem eigenlijk vergeten was.

Je kunt slaperig worden van een maaltijd. Na het eten was het lange tijd stil, op de stroom muziek na die zachtjes uit de kleine cassettespeler klonk. Ronny leek even weg te zakken, maar hij kwam weer overeind. Hij schreeuwde: 'Ik slaap niet!' zonder zich iets aan te trekken van de microfoon die ons afluisterde. 'Ik slaap niet!' Hij ging zo zitten dat zijn ex en ik hem dekking gaven, hij plaatste ons in de vuurlinie. Ik zat recht tegenover Ronny en zijn ex zat met haar gezicht naar buiten gewend. Hij bond haar handen bij elkaar met een touw dat hij vervolgens om haar enkels knoopte. Ze leunde een beetje voorover en liet haar hoofd op haar knie rusten. Haar lange haren vielen recht omlaag tot op haar schenen. Nu en dan zei ze: 'Ronny, doe mijn haar eens achter mijn oor net als vroeger.' En Ronny schoof haar haren naar een kant van haar gezicht. Af en toe huilde ze geluidloos, met tranende ogen; haar knieën waren ook nat. Het kostte me moeite haar rechtstreeks aan te kijken. Ze had iets primitiefs en verdrietigs, alsof ze had geaccepteerd dat ze hier vandaag zou sterven. Toen ze zag dat ik naar haar keek sloot ze haar ogen, alsof ze wilde dat ik verdween.

Ronny sprak vlak bij mijn oor, als in de biecht, vanwege de microfoon. Plotseling zei hij: 'Ik heb eens een hond gehad en die heette Boffer. Zij kan je vertellen dat het echt waar is.'

Ronny praatte en rookte tegelijk en onder het praten kwam er rook uit zijn mond. Hij hield het kind tegen zijn borstkas gedrukt. 'Dat was de stomste naam die je een hond kon geven. Met zo'n naam daag je het noodlot uit. Die hond bofte juist helemaal niet. Godverdomme, hij kwam een keer vast te zitten in een dorsmachine en raakte een poot kwijt, en nog geen jaar later stierf hij onder het wiel van een auto.' Ronny boog zich voorover en fluisterde: 'Die hond was allesbehalve een boffer!' Hij schudde langzaam zijn hoofd, waar nog steeds de kroon op stond. Het kind had zijn ogen gesloten. En toen schreeuwde Ronny: 'Ik slaap niet!' zodat het kind wakker schrok en het op een krijsen zette en Ronny hem moest kalmeren. Hij zei zonder te schreeuwen maar wel zo luid dat de microfoon het zou opvangen: 'Er is hier een kind, dat moet slapen. Ik ga jullie niet aldoor vertellen dat ik niet slaap, want ik slaap niet, en ik ga ook niet slapen, dus halen jullie je maar niks in je hoofd.'

Het vertrek had langzaam een grijze tint gekregen, het buitenlicht sloot ons in. Het gemompel van de menigte drong door tot de rand van ons bewustzijn, achter de stem van Duke Ellington die ons uit de cassettespeler toezong. Ronny was zo goed als uitgeput. Hij gaapte steeds vaker, zijn kaken klapten vermoeid dicht en zijn ogen traanden.

Zijn ex zei zachtjes: 'Ik moet heel nodig, Ronny.'

De deur naar de gang werd gebarricadeerd door een dressoir. Ronny keek om zich heen of er iets was waarin ze kon plassen, en toen hij niets zag zei hij: 'Wat dacht je van de zak van McDonald's?' Zijn ex zei rustig: 'Ik vind het niet erg dat je me hierheen hebt gebracht, Ronny, maar ik denk er niet over in een stomme McDonald's-zak te plassen. Je zult me eerst moeten vermoorden.'

Ronny zei: 'Als jij voor mij wilt kiezen, maak je het voor mij wel een stuk makkelijker.' Maar hij vermoordde haar niet.

Ik moest weer met ze gaan praten. Ik sprak tot de alomtegenwoordige microfoon, en daarna ging de telefoon in de kamer. Voor het eerst spraken we rechtstreeks met de FBI-agent. Er werd overeengekomen dat Ronny's ex naar de gang mocht en weer terug zou komen. Ronny zei dat hij óf het kind óf haar zou doden als er iets zou gebeuren. Ronny schoof het dressoir opzij en maakte zijn ex los alsof hij een cadeautje uitpakte, waarop zij naar de donkere gang liep. Wij bleven wachten. Even dacht ik dat ze niet meer zou terugkomen. Ronny hield het pistool tegen het gezicht van het kind. Hij had nog steeds de kroon op zijn hoofd. Het kind vouwde zijn handjes om het pistool terwijl het naar Ronny's gezicht staarde en probeerde op de loop te sabbelen. Ronny's arm beefde, misschien zou hij echt schieten als er iets misging. Het leek een eeuwigheid te duren voor we in de verte de wc hoorden doorspoelen en de oude leidingen hoorden tikken. En daar verscheen ze weer, ze was terug. Ze had haar haren geborsteld en haar gezicht gewassen. Ze rook naar zeep. Ronny keek haar aan.

Het dressoir werd weer voor de deur geschoven en we zetten de avond voort met een nieuw verzoek om een maaltijd van Burger King.

Ik klom uit het raam toen het eten werd gebracht. Een FBI-agent zei: 'Er zit gif in het eten.'

Ronny riep: 'Ik wil een bonnetje. Zit er een bonnetje bij, Bill?'

Er zat geen bonnetje bij en Ronny sprong uit zijn vel.

Ik klom weer naar binnen en fluisterde in Ronny's oor dat het eten sowieso vergiftigd was. Ronny werd razend. Hij bond me weer vast. Zonder een woord gooide hij het eten uit het raam. Maar hij hield de kronen. Bij het vallen van de avond waren we alle vier koningen en koninginnen in het rijk van Ronny Lawtons krankzinnigengesticht.

Het joch zat weer in zijn kooi en Ronny was opnieuw in de weer met de gewichten. Hij lag te jammeren als een dier.

Ik lag vastgebonden op de vloer maar slaagde erin me om te draaien en Ronny's ex aan te kijken. Ze zei slechts: 'Er was niets meer over van Karls gezicht.' Haar ogen stonden vol tranen. Het was een van de weinige dingen die ze zei.

Ronny riep: 'Godverdomme, houd je bek, Teri!' Hij was klaar en kroop weer achter ons, waar hij zich met zijn zoontje naast zich oprolde.

Ik kreeg het gevoel dat het einde nabij was.

De telefoon ging. De FBI-agent wilde dat Ronny het kind liet gaan. Ronny riep: 'Wil je dat ik ze allemaal nu meteen afmaak? Wil je dat? Misschien snap je het nog niet, sukkel. Ik heb het kind hier, ík ben de baas, hoor je? Hoor je me?' Hij hing op. Je rook de hysterie in de kamer, het stonk er naar angst. Ronny zag er belabberd uit. Hij zat met opgetrokken schouders, zijn enorme speknek was dik en gezwollen. De telefoon ging weer. Ronny riep: 'Hoeveel geld kost het godverdomme om mij te doden? Hoe komt het dat ik nooit aan zo'n bedrag kon komen toen ik het nodig had? Hoeveel geld geven jullie uit om mij te doden?'

De FBI zei iets aan de andere kant van de lijn.

'Hoeveel geld geven jullie verdomme uit om mij te doden? Ik vroeg je godverdomme wat, klootzak!' Ronny barstte opeens in tranen uit. Hij begon over Charlie te praten, over zijn moeder, en wat het haar had gedaan dat haar oudste zoon op zo'n manier was omgekomen.

Ik zei tegen Ronny, en ik moest het een paar keer herhalen eer hij naar me luisterde: 'Als je daar blijft zitten richten ze hun wapen en schieten je kop eraf.'

Ronny hing meteen op, liet zich op de grond zakken en ging weer achter mij en zijn ex zitten. Het joch huilde zachtjes alsof hij honger had.

Ronny jammerde en beefde nog steeds in het pijnlijke besef dat hij ging sterven. Ik geloof dat hoe langer hij bleef leven, hoe moeilijker het voor hem werd om zich daarbij neer te leggen. Dat wisten de experts buiten ook. De euforie die was ontstaan toen hij iemand doodschoot en probeerde te vluchten sijpelde langzaam weg, en alleen het kille feit dat hij zou sterven, restte. Aan zijn gepijnigde blik was te zien dat hij eraan dacht dat hij wilde leven.

Ronny maakte me los, ik stond op en zag in het licht buiten alleen nog politieagenten. Dat vertelde ik hem, ik zei dat de menigte een eind achteruit had moeten gaan.

Opnieuw de intense eenzaamheid. Ronny beefde. Hij stonk, een smerige lucht van oud zweet en vermoeidheid. Hij had zijn handen naast elkaar op zijn knieën gelegd, zodat het raadselachtige

NOWHERE te zien was. Hij zocht naar een uitweg. Maar zijn gedachten dwaalden af. Hij boog zich naar mij toe en fluisterde: 'Precies op deze plek heb ik op de televisie de eerste mens op de maan zien lopen.' Zijn ex leunde een beetje achterover tegen Ronny aan. Ze was nog steeds vastgebonden. Ronny gaf een beetje mee, legde zijn hand op haar voorhoofd en schoof het haar uit haar gezicht. Ze had haar ogen dicht. Ze zei: 'Dat was toch voor Charlie naar Vietnam ging? Toen keek je hier toch met je moeder en Charlie naar de televisie?'

Ronny zei heel zacht: 'Probeer nou niet te doen alsof je het beter weet, Teri.'

Ronny keek mij aan in het blauwgrijze duister. Hij had de kooi met het joch vlak naast ons gezet. De ogen van het kind waren wijdopen, maar hij gaf geen kik en bleef stil zitten.

Ronny begon te praten. 'Ja, dat klopt, hier, in dit huis zagen wij mannen op de maan lopen en ik zal je eerlijk zeggen, het betekende echt geen zier voor mij en mijn familie om een man op de maan te zien. Toen we die avond naar bed gingen, voelden we ons leeg vanbinnen. Ik was met mijn moeder en Charlie, en nadat we televisie hadden gekeken dronken we koffie met cake erbij in de keuken en mijn moeder zei: "Je hebt dingen die niet de moeite waard zijn om te weten. Misschien moeten mensen juist dát leren in dit leven." Dat was vlak voordat Charlie naar Vietnam ging.'

Ronny's ex zei: 'Zie je wel, dat zei ik toch.'

Ronny rolde met zijn ogen. 'Mag ik het misschien op mijn manier vertellen, Teri?' Zijn hand lag rustig op haar schouder.

Ze zei: 'Ja, natuurlijk mag dat, Ronny.'

'Je moet weten, bij ons op de keukentafel lag een *National Geographic* waar mijn moeder elke avond in keek en dan liet ze me zien waar Charlie naartoe zou gaan. Die avond keken we beurtelings naar Vietnam en naar de maan buiten voor het raam. Het was de langste reis die je in gedachten kon maken. We keken voor we naar bed gingen door het raam en daar stond de maan, groot en rond, maar hij had niets geheimzinnigs, er was geen mannetje in de maan en hij was niet van kaas gemaakt. Het was net alsof alle verhalen die je ooit over de maan had gehoord niks meer voorstelden.' Hij sloeg zijn handen ineen.

Zijn ex staarde hem aan. Je besefte dat ze ooit van hem had gehouden. Hij had iets verdrietigs, iets wat vrouwen aantrekkelijk vinden.

Het kind maakte kirrende geluidjes terwijl Ronny sprak.

Ronny's gezicht stond somber. Hij pakte de draad weer op. 'Alsof we het gevoel kwijt waren van hoe het is om binnen te leven... binnen in wat ons omringt, zoals dicht bij huis blijven en werken. Nog niet zo lang geleden gingen de mensen in deze streek nergens heen, ze bleven gewoon op de plek waar ze waren, hun leven lang. Maar dat kan niet meer.' Ronny drukte zijn lippen op de schouder van zijn ex en huilde stilletjes.

Ik zag dat ze haar ogen open had en naar me keek.

Ronny was langzaam bezig een eindbestemming te bereiken. 'Vertel me eens waarvoor mijn broer Charlie is gestorven. Ik heb dat nog nooit iemand goed horen uitleggen. Sommige jongens zeiden dat hij het had verdiend. Op school zeiden ze dat hij daarginds baby's vermoordde en vrouwen verkrachtte. Maar ik kan op welke bijbel dan ook zweren dat Charlie niet zo was!' Ronny zweeg en haalde diep adem.

Ronny's ex zei: 'Charlie zou met zijn vader in de autofabriek gaan werken, maar hij moest in dienst en hij is er toen niet vandoor gegaan en hij heeft zich ook niet schuilgehouden. Toen hij werd opgeroepen is hij naar Vietnam gegaan. Zo is het toch, Ronny?'

Ronny zei kalm: 'Hij geloofde in dit land.' Hij keek mij aan. 'Hebben ze daarginds ooit iets voor elkaar gekregen?' Hij schudde heftig zijn hoofd, strekte zijn arm uit naar de muur, naar de gloed buiten, naar het kleine altaar met de Amerikaanse vlag en Charlies portret. Ronny zweeg een ogenblik en zei toen abrupt: 'Vertel me eens wat er volgens jou aan de andere kant van het leven is.' Het pistool lag naast hem.

Ik kreeg geen kans om antwoord te geven.

Ronny's ex zei zachtjes: 'Dat is gekkenpraat, Ronny.'

Ronny zei: 'Nee, dat is niet zo.' Hij keek me weer aan. 'Denk jij dat mijn moeder en mijn broer en mijn vader daarginds zijn, dat ze aan een tafel zitten te eten zoals wij hier? Denk jij dat mijn babyzusje in het hiernamaals is?' Hij zei: 'Je vraagt je af hoe oud ze allemaal zullen worden. Ik kon me nooit goed voorstellen hoe we er allemaal uit zullen zien, nu ik erbij stilsta.'

Ik zei: 'Misschien zien we ze zoals we ze willen zien.'

'Misschien...' Daar moest Ronny even over nadenken. Hij kneep zijn ogen half dicht. Het was alsof ik me in het labyrint van Ronny's geest bevond, een donkere gesloten ruimte, ingekort en gemonteerd tot een collage van herinneringen, de granaatscherven van een imploderende realiteit, de grote tieten van vrouwen op de muurposters, die stoten van seksualiteit en lust. Toen Ronny zich omdraaide werd hij zich vagelijk bewust van de realiteit, van wat zich buiten afspeelde in de zachte gloed van de lampen voor het venster, in het statische gesis van een radiozender van de FBI die hem omsingelde, van militaire manoeuvres. Hij haalde een paar keer diep adem – de foto van Charlie stond weer in het raam, dat kleine altaar van vaderlandsliefde.

Ronny keek me volkomen uitgeput aan, alsof hij op het punt stond een besluit te nemen. Hij zei op doffe toon: 'Ik vind dat ze het huis niet verdient.'

Ronny's ex rilde even maar bleef tegen hem aan geleund zitten. Ik wendde mijn blik af en hoopte dat ze haar mond zou houden. Ronny zocht naar een manier om haar en het kind te doden, hij probeerde er moed toe te verzamelen. Je kon zien dat zijn voornemen vastere vorm begon aan te nemen. Hij stond met krakende gewrichten op, pakte met zijn handpalm zijn kin beet en draaide zijn hoofd opzij tot het een klik gaf, daarna draaide hij zijn hoofd de andere kant op met hetzelfde resultaat. De kroon op zijn hoofd kantelde en hij zette hem weer recht. Hij glimlachte flauwtjes en de spanning nam heel even af.

Ronny liep naar zijn zoontje en keek op hem neer. Ik geloof dat hij inwendig huilde. Hij zei: 'Je had eens moeten zien hoe ze hem in die caravan had gestopt. Toen ik aankwam zat het kind opgesloten. Ze waren bijna de hele nacht weg en kwamen ladderzat terug. Ik zag Karl uit de auto stappen en liep achter hem aan de caravan in. Hij was zo straalbezopen dat hij niet eens schrok toen hij me zag. Ik ging vlak voor hem staan. Hij opende zijn mond alsof hij iets belangrijks wilde zeggen, maar ik snoerde hem die mond. Je had hem moeten zien rondlopen en naar buiten strompelen alsof hij te dronken was om dood te gaan. Ik bleef gewoon wachten. Zij schreeuwde de heleboel bij elkaar. Ik hoorde hem nog steeds rondlopen. Ik dacht dat ik naar buiten zou moeten om het karwei af te maken, maar ineens was het over. Hij liep naar zijn auto en ging dood.'

Ik staarde naar Ronny's gezicht dat slap en donker was van vermoeidheid. Hij nam het kind in zijn armen en drukte het tegen zijn stevige borstkas. Hij raakte even de kroon van Burger King aan. We droegen trouwens alle vier nog steeds zo'n kroon, wat het alleen maar nog deerniswekkender en treuriger maakte. Ronny praatte verder op klaaglijke toon. 'Karl was een vent van niks. Ik zweer het! Denk jij dat ik mijn kind zo laat opgroeien, terwijl zij hem als een beest behandelt?' Ronny had de haan van het pistool gespannen. Hij hield het wapen tegen het hoofd van het kind en herhaalde telkens weer: 'Wat moet ik in godsnaam met mijn zoontje doen?' Dat was het begin van het einde.

Ronny's ex begon te huilen, nog steeds vastgebonden. Ze zei: 'Niet doen, Ronny.'

'Wat "niet doen, Ronny"? Ik moet wel. Het gaat niet om het kind. Er zit niks anders op!' Er klonken tranen in zijn stem.

Ik schreeuwde: 'Wil je dat kind aan mij geven?'

Ronny hijgde. Het joch hield de loop van het pistool vast.

'Ik heb geld genoeg, Ronny.'

Dat deed Ronny even aarzelen. Hij hijgde en snakte naar adem terwijl het kind nog steeds de loop vasthield.

Ik zei: 'Heb je weleens van koning Salomo gehoord?'

Ronny antwoordde niet, keek me alleen maar aan. Hij ging op zijn hurken zitten. De telefoon rinkelde. Hij rinkelde wel een minuut lang. 'Praat jij maar met ze!' riep Ronny. 'Zeg maar dat ik, als het moet, er best toe in staat ben iedereen te doden.' Hij bracht zijn hand naar zijn voorhoofd. 'Nee, zeg tegen ze dat ik een Ford Mustang wil. Ik wil hier weg!' De telefoon rinkelde maar door terwijl hij praatte.

Ik nam op en de FBI-vent wist dat ik het was, want Ronny praatte nog steeds op de achtergrond. De FBI-agent zei: 'Zorg dat hij dicht bij het raam komt. Vertel hem dat we misschien voor een auto kunnen zorgen. Maar we moeten hem spreken.'

Ik zei: 'Val dood!' en hing op.

Ronny keek me aan. 'Wat was dat in godsnaam?'

'Ze willen je afmaken.'

Ronny knikte en bleef heel stil zitten. Hij hield het pistool tegen het hoofd van het joch.

Ik zei: 'Ronny, ik had het daarnet over koning Salomo.'

Ronny leek verstrooid, keek naar het raam. Hij beval me dicht bij zijn ex te gaan zitten, om hem heen.

Zo, in een geur van zweet en angst, fluisterde ik: 'Je moet weten dat er heel lang geleden in oudtestamentische tijden een koning was die Salomo heette, die erom bekendstond dat hij de wijste koning was die ooit had geleefd. Hij was altijd problemen aan het oplossen voor de mensen. Dus op een dag kwamen er twee vrouwen naar hem toe die allebei zeiden dat een zekere baby van haar was. Ze maakten allebei duidelijk waarom het haar baby was. Maar toen de koning naar hen zat te luisteren, kon hij niet besluiten van wie de baby werkelijk was, dus toen zei hij: "Ik kom er niet uit en daarom moet ik de baby doormidden snijden en dan krijgen jullie ieder de helft. Dat is het eerlijkst." Maar een van de vrouwen begon te huilen en zei: "Nee, geef de baby aan haar. Dood alstublieft mijn baby niet! Geef haar mijn baby." En toen wist de koning, de wijste aller koningen, natuurlijk meteen wie de moeder was. Je laat je eigen kind niet in tweeën hakken. De moeder wilde liever dat haar kind in leven bleef, al zou ze het nooit meer zien...'

Ronny's hand lag op het hoofdje van het kind. Hij drukte er zijn lippen op en bleef op zijn hurken zitten, in zichzelf teruggetrokken met het kind.

'Je moet kiezen, Ronny.' We zaten daar als een kringetje rouwenden, in een hoek van de kamer. Buiten klonk lawaai.

Ronny keek met doffe ogen op en mompelde iets. 'Meen je het serieus dat je het kind wilt houden?'

Ik knikte.

Ronny vertrouwde het nog niet helemaal. Hij schudde zijn hoofd en ademde snel achter elkaar. Hij duwde het pistool onder mijn kin. 'Ik hoop in godsnaam dat het je niet om haar te doen is, want zij zou in een mum van tijd weer bij je weggaan. Dat heb ik al eens meegemaakt; ze heeft zo haar eigen ideeën wat mannen betreft. Ik bedoel daarmee niet eens dat het haar schuld is. Het zit bij haar gewoon diep vanbinnen.'

Ik schrok omdat ik de schijn op me leek te laden dat ik alleen op deze manier indruk op Ronny's ex kon maken. Ik was me ervan bewust dat de microfoon alles oppikte en dat mijn stem zacht en onvast klonk. Ze wisten natuurlijk wat ik deed in mijn dagelijks leven, en dat ik mijn vriendin had opgebeld en al die vragen tegen haar had geschreeuwd. Maar dat zette ik van me af. Ik zei: 'Het gaat niet om haar, Ronny. Het gaat om waarover we het hadden, dat mensen als de vader en moeder van Elvis bij elkaar komen om iets speciaals te maken. Misschien hoeft dit kind hier niet te sterven, Ronny.'

'Misschien.' Hij keek naar zijn ex, naar haar kleine opgerolde lijf. Hij schudde zijn hoofd. 'En als ik haar nu eens samen met mij laat sterven en jou de ellende bespaar die ze je zal bezorgen?'

Ik zei: 'En als je haar nu eens laat leven?'

Ronny zei: 'Ik zou je er een dienst mee bewijzen, echt waar.' Zijn ogen hadden een verschrikkelijke, fatalistische blik, de woorden druppelden langzaam uit zijn mond. 'Hoe komt het dat iedereen altijd weet wat het beste voor ons is, behalve wijzelf? Ik meen het, ze zal het bloed onder je nagels vandaan halen. Je zult denken: Ik had haar door die beste Ronny moeten laten doden toen hij het aanbood. Ik weet gewoon dat ik je er een dienst mee zou bewijzen.'

Ik zei niets.

Ronny's ex begon als een rups over de vloer te kruipen. Ik geloof dat Ronny het leuk vond om het pistool in haar nek te zetten. Hij schoof haar haren opzij, hield zijn hand voor haar gezicht en drukte het pistool tegen haar nek. 'Mocht je van gedachten veranderen, dan is het echt geen enkele moeite. Misschien kan ik ervoor zorgen dat je Karl kunt zien; wil je een enkele reis om hem een bezoek te brengen, Teri?'

Alles werd op de band opgenomen. Ik had het gevoel dat een aanval niet lang meer kon uitblijven. Maar het werd weer rustig. Ik riep: 'We hebben hier nog wat tijd nodig!'

Het waren de laatste woorden die we een tijdlang spraken. Het joch leek zijn bestemming te hebben gevonden. Zijn hoofdje zakte omlaag langs Ronny's borst en vond Ronny's mannentepel. Ik zal de blik die plotseling op Ronny's gezicht verscheen niet snel vergeten. Het joch bleef lange tijd zo zitten. Ik deed mijn ogen dicht en rolde me op de vloer op omdat ik het koud had gekregen.

Ten slotte boog Ronny zich voorover en fluisterde in mijn oor dat er een ontsnappingsroute was. Hij vouwde het vloerkleed om in een hoek bij de deur en toen zagen we een vierkant luik. Ronny legde zijn vinger tegen zijn lippen en trok zijn wenkbrauwen op. Ronny's ex en ik waren nog steeds vastgebonden.

Ronny ging naast me zitten en fluisterde weer in mijn oor dat er beneden een gang was die naar een schuur achter het huis leidde. Hij deed iets griezeligs – hij sloeg zijn arm om me heen. Ik voelde de warme huid van zijn arm, rook de stank van onder zijn oksel. Het was alsof we iets droevigs met elkaar deelden. Misschien hebben we aan het eind allemaal behoefte om aangeraakt te worden. Ik besefte dat ik naast een ten dode opgeschreven man zat.

'Niemand van ons Lawton-mannen heeft het ooit zo ver geschopt dat we in gewijde grond terechtkwamen. We verdwenen gewoon.' Hij sprak zachtjes in mijn oor, heftig en opgewonden van angst, bijna als in de biechtstoel. 'Ik denk dat we uiteindelijk wel ergens een plekje vinden.'

In de laatste ogenblikken van zijn bestaan hield Ronny zijn zoontje in zijn armen en wiegde hem zachtjes. Hij had nog steeds de kroon op zijn hoofd, als de welwillende koning van de verliezers die onze vrijheid beval. Hij maakte me los. Ik stond op en rekte me uit. Ik wil maar zeggen, het was surrealistisch. Ronny's ex strekte zich uit en kwam zonder een woord te zeggen overeind. Ze keek naar het donkere gat dat naar onze vrijheid voerde.

Ronny was op het eind nuchter en serieus. Hij zei zachtjes: 'Ik heb een racefiets met tien versnellingen die ik mijn zoon wil nalaten.

En ik wil dat hij mijn plakkaat krijgt. Ik wil dat hij weet dat ik niet te beroerd was om te werken.' Ik moest de dingen die hij zijn zoontje naliet op een stukje van de Burger King-zak schrijven, en hij ondertekende en ik ook. 'De fiets staat in de schuur. Zorg ervoor dat hij die krijgt. Er is nauwelijks op gereden. Je hoeft hem alleen maar af en toe te smeren. Maar hij moet wel gesmeerd worden.'

Alles verliep vervolgens ordelijk en in stilte, behalve dat Ronny het niet kon nalaten nog éénmaal te zeggen: 'Ik kan net zo goed haar kop eraf schieten voor je.' Maar zijn ex daalde als eerste in het donker af om aan haar lange vlucht te beginnen. Ze liep omlaag zonder het kind.

Ik keek Ronny voor een laatste keer aan. Ik vroeg zachtjes: 'Waar is je vader, Ronny?'

Hij gaf geen antwoord, bracht alleen zijn handen weer naar elkaar en toonde me het raadselachtige NOWHERE. Hij sloot het luik en dompelde ons in volslagen duisternis. Het kind begon te huilen en verstijfde in mijn armen. Zijn gehuil en de hevige angst in zijn stem waren het enige dat we hoorden. Ik zei: 'Sst, sst,' maar we waren zo diep onder de grond dat het geluid onmogelijk kon ontsnappen.

De gang was niet meer dan een ruw uitgegraven doorgang. We deden er een eeuwigheid over om vooruit te komen, we bewogen ons op de tast, Ronny's ex hield me bij mijn riem vast en we slopen voorzichtig door het duister. En zo begonnen we aan onze herrijzenis, via deze donkere tunnel in deze duistere wereld. Uiteindelijk kwamen we boven in een verlaten en vervallen schuur. In de verte zagen we het huis in brand staan, een enorm vreugdevuur lichtte op in de nacht. Ronny's ex mompelde zachtjes: 'Godverdomme.' Ze keek me aan: 'Denk je dat ik recht heb op Karls caravan?'

Ik gaf geen antwoord. We liepen door de dorre maïsvelden naar de weg. Ik ging terug en onder dekking van de opschudding die de brand had veroorzaakt en het duister, haalde ik mijn auto op en reed weg van de vlammen. We verdwenen in de donkere nacht.

18

Ik koos voor de eenzaamheid van het noorden, en reed met hen over een smalle, ongeasfalteerde weg die tot diep in het bos voerde en uitkwam bij het vakantiehuisje van mijn ouders. Mijn vader nam me als kind hier mee naartoe om te vissen.

Het rook in het verre noorden naar teer en mos, een frisse geur van koele dauw. De winter was er al gearriveerd en de heuvels waren met een laagje sneeuw bedekt. Het huisje lag midden in het bos, ver van de mensen, het dichtstbijzijnde stadje was veertig kilometer verderop. Er was niets dan de onbeschutte koude van het noorden en het rustige blauw van ons meer, immens en glad, met zijn geheime doorgangen, zijriviertjes en vooralsnog naamloze plassen, diep in het woud, waar het donkere water klotste. In de eerste dagen van onze overwintering spraken we nauwelijks, in die dagen namen we weer bezit van ons leven. Ronny's ex haalde me over om samen met haar en het kind in mijn vaders bed te slapen. Ze hield het joch dicht tegen zich aan, leunde een beetje achterover en duwde haar rug en kleine billen tegen me aan, zodat ik haar lichaam met het mijne verwarmde. We pasten precies in elkaar, in die donkere, heimelijke warmte; de puzzelstukjes van onze anatomie lagen parallel en vielen op hun plaats. Op de achtergrond stond de radio zachtjes aan. Het gebeurde wel dat ik werd gewekt door het mysterie van onze eigen dood, dat ik Linda Carters stem hoorde verklaren dat we alle vier bij de brand waren omgekomen.

De eerste nachten zag ik in mijn dromen vlammen, een brandstapel van rook, het ritualistische vuur van Ronny Lawtons zelfverbranding. Ik zag hem uit het raam staren terwijl de vlammen langs de muren lekten. Ik moest denken aan de beelden die tijdens de oorlog in Vietnam werden uitgezonden van kale monniken die zichzelf in brand staken.

De eerste dagen besteedde ik veel tijd aan mijn vaders oude tuin. Ik trok het donkere netwerk van samengeklitte wortels uit de grond van de overwoekerde tuin, voelde de koude, harde gezwellen van aardappels en pastinaak, de bollen van kleine uitjes, gewassen die zaad blijven vormen en in leven blijven als de tuinman allang weer is vertrokken. Ik was me bewust van de erfenis die mijn vaders werk me had nagelaten. En in zeker opzicht was hij hier nog steeds aanwezig in de groei van wat hij had geplant, het stille verlangen naar de eenzaamheid, dat zijn hele leven zo onvervuld was gebleven. Ik werkte langzaam en methodisch, omdat ik dat wilde.

De damp sloeg van mijn lichaam in de kou van het laatste avondlicht terwijl ik verder groef. Ik voelde de grip van de schop waarmee ik de wortels opgroef en ik voelde de spanning in mijn ruggengraat. Ik was net zo hard op zoek naar stilte en eenzaamheid als naar de koude wortels, en ik voelde mijn aderen kloppen in mijn slapen. Het werk gaf me eenvoudig de voldoening die elke man die ooit iets geplant heeft moet voelen; de eeuwigdurende metronoom die de wisselende seizoenen in stilte wegtikt, het heilige contract van een simpel leven in het besef dat de dingen hun natuurlijke beloop hebben en dat er wetten zijn waaraan alle dingen gehoorzamen. Zo herinner ik me mijn vader hier in de herfst en de winter, wanneer hij een baard liet staan en er donkere haren aan zijn gezicht ontsproten, de sluimerende eenvoud die in hem bovenkwam, een leven zonder taal, zonder de woorden waaraan het hem zijn hele leven had ontbroken. Ik zag hem veranderen, zag hoe geluid plaatsmaakte voor een simpel tevreden knikje, hoe zijn vingers bewogen als hij een vislijn repareerde, een haakje vastmaakte. In zijn diepste wezen was hij een man die goed was met zijn handen, er zaten halvemaantjes van aarde op de toppen van zijn ronde vingers die hij had geërfd van een ver voorgeslacht. Je zag het boerse gezicht tevoorschijn komen in het veranderende licht, een man die weinig nodig had in het leven, niet meer dan stilte en een beetje eenvoudig voedsel om in leven te blijven.

Dat was ook wat mijn grootvader tot zijn ontzetting zag toen hij met afschuw moest constateren dat zijn eigen zoon niet in staat bleek het werk voort te zetten dat zijn vader begonnen was en zich terugtrok in het soort leven waaraan mijn grootvader was ontsnapt. Mijn vader bleef in mijn jeugd gedurende het sombere intermezzo van die lang voorbije tijd wekenlang stug in het huisje zitten, waar hij me gewoonlijk in hartje winter mee naartoe nam en waar we door de vorst van de buitenwereld waren afgesneden. Het knappende geluid van boomtakken die braken door het ijs, mijn vader die een pelsjas aantrok en mij alleen achterliet als hij in de bossen op herten ging jagen. Soms liet hij me dagenlang alleen, kwam terug met een dood hert dat hij in de hut vilde, waarna hij het vlees zoutte en aan haken hing te roken. Hij gaf me bij kaarslicht de zachte warme ingewanden van het dier te eten met zout, uien en gebakken aardappels, en aardappelsoep, terwijl in onze fabriek honderden kilometers verderop vierentwintig uur per dag het gegalm van het metaal en het gegrom van zwetende mannen weerklonk.

Die essentiële tegenstrijdigheid, die uitersten tussen mijn grootvader en mijn vader hebben me gefnuikt, de rustige tijden wanneer ik samen met mijn vader overwinterde, zijn verre blik alsof hij achterom keek naar een soort oerbestaan, het vuur oprakelde, sissend, gerookt en zwartgeblakerd vlees at, het slurpende geluid als hij thee dronk die zo gloeiend heet was dat je je tong eraan brandde. Ik at die maaltijden samen met mijn vader. Vaak zag ik hoe krampachtig bezorgd hij was of hij het dankzij zulke dingen zou weten uit te houden, dat vage oerbeeld dat hem af en toe voor ogen stond, afgezet tegen de werkelijkheid, de beslotenheid van de hut als een tijdcapsule, mijn vader die langzaam opsomde welke dingen noodzakelijk waren om te overleven, dingen die hij had aangeschaft tegen de kou van het jaargetijde, de houtblokken, de potten inmaak, de vellen waspapier met honingraat, het gezouten en gedroogde hertenvlees, de gedroogde zalm, de kuil in de koude grond vol aardappels, uien en knoflook. Wanneer mijn grootvader naar de hut kwam en ontdekte dat wij ons er schuilhielden en hij mijn vader een verwijt maakte, zei mijn vader eenvoudig: 'Ik heb Albert Einstein horen zeggen dat de Vierde Wereldoorlog zal worden uitgevochten met stokken en stenen. Ik bereid me slechts voor op het onvermijdelijke.'

Ronny's ex bladerde 's avonds bij het haardvuur in een catalogus. Ik zette een grote pot met water op het vuur voor haar bad en wakkerde met een blaasbalg de vlammen aan tot ze gloeiden. Ze trok haar kamerjas uit en liet haar naaktheid glanzen in de gloed. Ze stak haar haren op in een knotje. Ik zag buiten in het pikdonker een constellatie van vonken uit de schoorsteen opstijgen. We leefden hier in het verre noorden in een plooi van de geschiedenis, een rimpel in de tijd, waarin de evolutie de mensheid nog niet had voortgebracht.

Toen ze uit het water kwam, glimmend in het licht van het haardvuur, zag ik haar zachte huid van heel dichtbij. Ze liet me een handdoek om haar heen slaan. Ik herinner me het zachte zuigende geluid van haar voeten op de vloer als ze voor het haardvuur ging staan, en hoe ze huiverde en wilde dat ik haar vasthield. Ze vond het prettig als ik naar haar lichaam keek. Dat kon ik zien.

Ik stak een stormlamp aan om het donker rondom ons te verdrijven, draaide de pit laag zodat het duister slechts flauwtjes werd verdreven door de zachtgele vlam. Ik wreef de wonden van haar gevangenschap, de rauwe littekens waar het touw langs haar enkels en polsen had geschuurd. Daarna speelden we backgammon om stuivers en artikelen die ze in de catalogus had aangekruist omdat ze die wilde hebben. Ze wilde een heleboel hebben. Maar dat wilde ik ook voor haar.

Op de vijfde dag werd bekend dat we de brand hadden overleefd en door de tunnel waren ontsnapt. Er restte ons misschien nog een dag voor we ontdekt zouden worden. Voor het eerst in deze geschiedenis stond ik stil bij het feit dat iedereen al die tijd had gewild dat Ronny Lawton zou sterven. Hij had zijn vader vermoord – zo simpel was het. Ik probeerde me een dag lang met dat idee te verzoenen, maar ik kon mezelf niet overtuigen. Ik deed mijn best het allemaal van me af te zetten. Het was voorbij. Toch had Ronny bij hem thuis een zeker fatalisme getoond voor hij stierf, alsof hij gedwongen werd om zichzelf op te offeren, alsof hij een voorspelling van de verdoemden deed uitkomen.

Er bestaat echter een oud gezegde: de moordenaar is de laatste die blijft staan. Als je het zo bekeek, kwam je uit bij Darlene. Ik bedoel niet dat zij Ronny Lawtons vader heeft vermoord, dat geloof ik niet. Maar zij heeft op de een of andere manier de boel in gang gezet, zij heeft Karl verteld dat Ronny's ex het huis alleen zou krijgen als de beide Lawtons er geen aanspraak meer op konden maken. Ik kon me voorstellen dat Darlene de feiten op een rijtje heeft gezet en Karl tot de onvermijdelijke daad heeft gedreven.

Ik kreeg pijn in mijn kop als ik me probeerde voor te stellen hoe dat in zijn werk kon zijn gegaan: de misleidende voorstelling van zaken, mannen tegen elkaar opzetten. En als vanzelf kwam de gedachte in me op: wie had de visie, de hersens, om een plan uit te voeren waarbij alle belangrijke mannen in het leven van Ronny's ex elkaar vermoordden in het domino-effect van het noodlot?

Er bestond hoe dan ook een samenzwering tussen de vrouwen in Darlenes schoonheidssalon, een soort synode van morele afrekening. De vrouwen kwamen in een garage bij elkaar, beschilderden zichzelf tijdens een rituele plechtigheid als een sekte; die andere Hoeders van de Waarheid, met hun lijsten met namen van de verjaagden, de misbruikten, de verkrachten, de hele treurzang van misdaden tegen vrouwen. Welbeschouwd zag je in die salon de organisatie van de vrouwelijke psyche, het ondergrondse verzet, de bundeling van verlangens, vrouwen die waren gered uit de hel van misbruik.

Ronny's ex was verkracht, in elkaar geslagen en verlaten door die mannen, en hoewel de vrouwen dat allemaal wisten, zeiden ze niets tegen de leden van het andere geslacht, ze bewaarden het geheim binnen hun eigen kring, ze begrepen dat als ze iets zeiden, Ronny's ex het stigma van een bezoedelde vrouw zou krijgen en mannen haar niet langer zouden willen, en het kind een bastaard zou zijn.

Alleen al de naam van Darlenes schoonheidssalon: Curl Up and Dye, dan wist je al dat dit meer was dan een plek om je haar te laten knippen. Daar wilde ik naartoe: naar die semantiek van de taal, naar die ironie van betekenis, om de code te ontcijferen. Ik was iemand die interpreteerde, de laatste der Hoeders van de Waarheid. Of misschien was ik gewoon een zeikerd.

Ik moest zorgen dat ik niet doordraafde, ik moest mezelf bevrijden uit de psychose van logica die de afgelopen jaren mijn leven had beheerst. Hier, in de kou, hakte ik een vadem hout, trok me terug in een primitievere taal en gromde van inspanning, voelde het warme zweet langs mijn rug lopen. Ik zei tegen mezelf: 'Je moet ophouden de dingen te onderzoeken. Je kunt alleen overleven als je aan de oppervlakte blijft. Je bent hier met een vrouw en een kind die je nodig hebben.' De schok die deze realiteit of verantwoordelijkheid me gaf, had ik nodig om me te bevrijden.

Als we 's avonds backgammon speelden, wees Ronny's ex tal van spullen aan in de catalogus die ze wilde hebben. Ze hield een lijst bij van alle dingen die ik voor haar moest kopen. Ik moest zweren dat ik het allemaal zou bestellen. En ik zwoer dat ik voor haar zou kopen wat ze verdiende.

Op de vijfde dag, de dag dat we uit de anonimiteit herrezen, gingen we naar het meer om het kind te dopen. De mist daalde neer en drong in het water, zodat er damp uit opsteeg; aan de horizon stond een witte, vormloze zon. Het sneeuwde geluidloos in een woordloze stilte. Een fuut steeg op, ergens in de dichte mist hoorde je het water opspatten. Ik liep met het kind het dampende water in, kneep zijn neus dicht en dompelde hem onder. Toen hij weer bovenkwam, schreeuwde hij het uit, het geluid trok over het water de mist in en verdween voorgoed.

We hadden besloten te vertrekken, het kind een andere naam te geven en hem niets over zijn verleden te vertellen. Het was bijna een klein experiment om dit kind, deze kleine consument van snackbarvoedsel, te redden.

Ronny's ex stond met de catalogus in haar handen. Ze had iets gezien dat ze 'moest hebben'. De catalogus kreeg langzaam de status van een heilige tekst. Ik noemde hem *Het boek der behoeften*, maar zij keek me aan zoals godsdienstfanatici je aanstaren als je het bestaan van God ontkent.

Ik vroeg alleen: 'Mag ik je iets voorlezen?'

'Wat?' zei ze met een verschrikkelijk verongelijkt gezicht. Ze wilde dat ik in de dichtstbijzijnde stad haar bestellingen op ging geven. Ze raakte over haar toeren, begon te huilen, pakte het kind en zei dat ze wist dat ik haar eigenlijk haatte.

Ik zei: 'Je weet dat dat niet waar is.'

Na een tijdje las ik haar een stukje voor uit mijn vaders versleten exemplaar van Thoreau. Ik las zachtjes: 'Een eerlijk man hoeft nauwelijks verder te tellen dan zijn tien vingers, en in het uiterste geval kan hij zijn tien tenen erbij tellen, en de rest laten zitten. Eenvoud, eenvoud, eenvoud! Ik zeg, laat uw zaken zijn als twee en drie, en niet als honderd of duizend... houd je rekeningen bij op je duimnagel.'

Ze gooide eruit: 'Ze hebben een gratis nummer dat je kunt bellen. Het kost je geen cent, Bill.'

Ik zei: 'We gaan bellen.'

'Zweer je dat, Bill?'

'Dat zweer ik.'

We stopten onze spullen weer in de auto en gingen op weg voordat er iemand kwam opdagen. We reden verder noordwaarts, naar een plek die nog meer afgezonderd lag, over een weg die zich als een trechter vernauwde tot een kaal litteken diep in het bos, helemaal omhoog naar een hut boven de Grote Meren. Het was een plek waar de hemel de stemming weerspiegelt van de grote somberheid van wouden die overgaan in wouden die overgaan in een totale wildernis. Daar in het noorden lagen de stille meren, enorme cirkels roerloos lavaglas die naar de hemel staarden, de ogen van ons continent die de kosmos boven ons aanschouwden. Ik verlangde naar de stilte van de tijd voor er menselijk leven was, naar de plaats waar stormen vandaan komen, dat donkere continent vol plantengroei en wildernis, de laatste adem van een ijstijd. Het was een plek om een tijdlang in te verdwijnen en ons in schuil te houden tot ik wist wat me te doen stond.

In een klein wegrestaurant aten we pannenkoeken met geglazuurde appels en echte room. Het smaakte verrukkelijk. Ik goot mezelf vol koffie voor de reis. Het zou een lange rit worden. Ronny's ex wilde chocoladeijs. Er stond dat hun chocoladeijs wereldberoemd was. Meer hoefde Ronny's ex niet te weten. Ze moest en zou die hebben. Ik gaf haar geld en ze liep weg.

Het was voorbij, alles. Dat hield ik mezelf steeds voor. Maar opeens moest ik aan de heggenschaar denken die Pete had en waar mijn vingerafdrukken op stonden. Dat ding was het enige dat niet opgelost was, de enige link tussen mij en de moord op pa Lawton, en Pete, Ed en Darlene konden die tegen mij gebruiken. Ik werd panisch bij het idee dat zij die voorsprong op mij hadden.

Ik kon het gewoon niet laten om Pete op te bellen. Ik had het joch op de ene arm en de telefoon tegen mijn oor. Pete schreeuwde: 'Wat ben je in godsnaam aan het doen?'

Ik zei domweg: 'We willen alleen maar met rust gelaten worden, Pete. Het is voorbij.'

Pete zei: 'Bel me nooit ofte nimmer meer.'

Ik zei: 'En die heggenschaar dan, Pete?'

Pete zei: 'Er was geen heggenschaar. Ronny Lawton heeft zijn vader vermoord en meer was er in deze zaak niet aan de hand. Punt uit! Hoor je me, Bill? Maar als jij er meer van wilt maken, komt die heggenschaar misschien weer boven water. Snap je?'

Ik kreeg geen kans om te antwoorden want de verbinding werd verbroken. Ik bleef met de hoorn in mijn hand staan. Dat was het dan. De dingen waren onder hun eigen gewicht bezweken, alsof ze vanaf het allereerste begin voorbestemd waren geweest. Ronny Lawton had zijn vader vermoord. Zo zou het verhaal worden overgeleverd, dat was de waarheid waar iedereen zich uiteindelijk bij neerlegde.

Terwijl ik daar stond bleven mijn ogen rusten op zo'n 'werknemer van de maand'-plakkaat aan de muur naast de telefoon. Even moest ik erom glimlachen want het deed me aan Ronny denken, hoe het hem vanbinnen had geraakt en hoe hij zei, zonder zich van de ironie bewust te zijn, dat als je een keer 'werknemer van de maand' was geweest, het daarna alleen nog maar bergafwaarts met je kon gaan. Je begon het overal tegen te komen – waardering als nieuw betaalmiddel, maar de mensen kregen intussen geen opslag.

Wat ze daarvoor in de plaats kregen waren lofbetuigingen, prijzen, getuigschriften van verdienste, hun naam op een neonbord of op een plakkaat. Het was werkelijk heel vreemd dat dit zoveel voor de mensen betekende en dat geld was verdrongen door de behoefte aan respect, de onstilbare behoefte aan erkenning. De mensen werd een fatsoenlijk inkomen afgepakt, maar blijkbaar begrepen ze dat niet eens. Managers en managers in opleiding deelden zoveel verrekte certificaten en plakkaten uit dat je moeilijk kon gaan klagen. Telkens als ze hun mond opendeden kregen de mensen waardering en erkenning. Ik kon zien dat we op weg waren naar een andere bestemming en dat de revolutie er nooit zou komen. Of misschien vond die vlak voor onze neus plaats, een stille revolutie van binnenuit. We verleenden onszelf tegenwoordig titels, als in vroegere tijden. De revolutie van de semantiek, van de taal, had de oorlog al gewonnen. Onze orwelliaanse nachtmerrie bestond al in de nieuwspraak van de postindustrialisatie. Wie van ons was in staat te begrijpen dat knecht en proletariër tegenwoordig manager waren, of manager in opleiding, in deze wereld?

Ik keerde terug naar mijn plaats en zette het joch weer in de kinderstoel. Ik voelde me duizelig en gespleten, alsof ik overal buiten stond. Het valt niet mee om naar de essentie van de dingen te kijken.

Maar algauw overviel me een gelukzalig gevoel van vrijheid, omdat ik wist dat het allemaal voorbij was en dat ik een tijdje kon ontsnappen. Ik geloof dat ik zelfs even lachte, want de serveerster keek mijn kant op. Ja, ik lachte hardop. Dat moest ik niet doen. Ik dronk nog een kop koffie en voelde me voor het eerst in lange tijd bevrijd van alle lasten; de druk in mijn hoofd nam af. Toen ik mijn gezicht aanraakte bleken er tranen in mijn ogen te staan. Even liet ik ze de vrije loop, daarna veegde ik mijn ogen af en haalde een paar keer diep adem. Het was allemaal voorbij. Het joch sloeg naar me met zijn handjes en maakte zijn onverstaanbare geluidjes; hij dacht dat ik kiekeboe speelde toen ik mijn handen voor mijn gezicht hield. Ik was blij dat hij er was en ik speelde met hem alsof hij mijn eigen kind was.

In een andere hoek van het restaurant zag ik een man een of andere nieuw game spelen. De machine maakte allerlei geluiden. Het joch keek steeds die kant op, het wilde zien wat daar gebeurde, dus liep ik er met hem op mijn arm naartoe. De man bediende een controlehendel, waardoor het leek of hij een machine bestuurde. Ik kwam dichterbij en keek naar het scherm, keek naar de toekomst, zou je eigenlijk moeten zeggen, en werd in het glas een eigenaardige helderziendheid gewaar. Ik bedoel dat ik vlak voor mijn neus een gulzig hoofd zag dat zijn mond open- en dichtdeed, de consument van letterlijk alles, rondrennend in een doolhof en koortsachtig alles opetend. De man bediende razendsnel de hendels. Hij ging daar zo in op dat hij zich niet realiseerde dat ik naast hem stond. Het joch duwde zijn nagels in mijn arm. Hij raakte opgewonden door het geluid. Hij wilde ook spelen, daarom bleven we staan wachten tot de man wegging.

Ik wil maar zeggen – je hebt nog nooit een kind gezien dat zo vlug een spel doorhad. Hij leek het basisconcept van consumptie te snappen. Ronny's ex wilde ook meedoen. Ze duwde mij opzij, liet me het wereldberoemde chocoladeijs vasthouden, zodat alleen zij en het kind aan de hendels zaten.

Ik ging terug om nog wat koffie te drinken en keek naar Ronny's ex en het joch. Dit was waarschijnlijk de eerste keer in al die dagen sinds onze verdwijning dat ze het kind echt vasthield. Ik schudde mijn hoofd over het profetische lot van onze toekomst dat was gecodeerd in een spel, de distillatie van het kapitalisme in de halfgod die Pac-Man werd genoemd.

De serveerster kwam op haar platvoeten naar me toe en legde de rekening voor me neer. Ik vermoedde dat ze me half en half herkende van de televisie. Ze keek telkens van mij naar Ronny's ex en het kind om geleidelijk tot de conclusie te komen dat wij de vermiste personen waren. Toen onze blikken elkaar even kruisten, wist ze het zeker.

Ik legde een paar bankbiljetten op tafel en trok Ronny's ex bij de machine vandaan. We reden weg.

In het laatste stadje voor het eind van de beschaving zette ik op verzoek van mijn geliefde de auto naast een wegtelefoon en citeerde uit *Het boek der behoeften.* Ze hield mijn arm vast alsof ze me aanbad. Ik geloof dat ze het meende. Ze duwde haar tong in mijn oor. Hij was nat en heet, vol lust. Ze legde haar hand op mijn dijbeen. En misschien was dat voldoende. Daar was ik nog niet helemaal uit.

Epiloog

Het lijk van Ronny Lawtons vader is nooit gevonden, en zijn dood blijft een onopgelost raadsel. Hij moet ergens zijn, want we verdwijnen nooit helemaal. Dat is een wiskundige wet: massa wordt gecreëerd noch vernietigd. Maar waar is hij?

Wanneer vindt het moment van de dood, van vernietiging plaats? Is dat niet de vluchtige aard van de geschiedenis, van tijdperken, van de evolutie, van transformatie en mutatie, net als het mysterie dat we als eencellige organismen uit een soort oerzee zijn gekropen om auto's en koelkasten te gaan maken? Maar u blijft aandringen. Wie heeft Ronny Lawtons vader vermoord? Je kunt evengoed vragen welke gebeurtenis ertoe heeft geleid dat onze fabrieken werden gesloten en door welke gebeurtenis onze stad kapot werd gemaakt. Hoe komt het dat we op een dag onze lopende banden in de steek lieten, metaal niet langer ombogen tot het de vorm aannam van auto's en apparaten? Waarom keerden we productiemiddelen de rug toe en maakten we niet langer dingen met onze handen? Er zijn talloze factoren en talloze verdachten, maar het lijkt uitgesloten dat er iemand schuldig wordt bevonden.